VOCA 다:품

수능 기본 영단어

고등학교 내신·수능 영어 1등급 STARTER | 고등 영어의 시작 **고교 필수 영단어**
VOCA 다:품 시리즈 | 수능 영어의 시작 **수능 기본 영단어**

고등학교 내신 / 수능 영어
핵심 포인트!

"고등 내신 / 수능 영어 무조건 어휘력입니다."

고등학교 기말고사 실제 시험지

고등 내신 시험은
다 지문 문제예요.

고등학교 모의고사 실제 시험지

내신과 모의고사 유형이
똑같아요.

고등학교 영어 내신 시험과 수능 영어는 대부분 지문 중심으로 출제됩니다.

그래서 고등 영어 시험과 수능은 어휘력이 가장 중요합니다.

어휘를 모르면 해석이 안 되고, 글의 내용이 이해되지 않죠. 그럼 결국 문제를 풀 수가 없어요.

영어 공부에 왕도는 없습니다.

상시 어휘를 암기하고, 지문 독해를 많이 연습하세요.

시작은 어휘라는 것 잊지 말고요.

‥‥

어휘력이 영어 1등급의 기초입니다!

수능 실제 시험지

점수 변별력은 선택지 어휘를
아는지에 달려있어요.

어휘력이 중요한 이유를 한 가지 더 짚어봅니다.

아는 어휘를 총 동원해서 앞뒤 연결하며 어찌저찌 짜 맞추고

지문이 무슨 내용인지 겨우 이해는 했는데... 두둥~

선택지가 영어로 나오면 맥락이고 뭐고 없으니 그냥 틀려버리는 경우가 많아요.

선택지에 나오는 어휘는 서로 비슷하거나 반대되는 것으로 제시되어

헷갈리는 오답을 유도하죠. 부들부들...

지문은 다 이해했는데 선택지 어휘를 몰라 틀리면 너무 억울하잖아요.

다시 한 번, 어휘력이 영어 1등급의 기초임을 잊지 마세요.

VOCA 다:품 이 좋은 이유!

1

어휘를 쉽게 암기할 수 있어요.

❋ Step 1의 표제어는 기출 빈출 및 핵심 어휘로 구성하여 시험에 자주 나오는 어휘를 학습할 수 있습니다.

❋ 수능, 모의고사, EBS 기출 예문을 제시해 어휘의 쓰임을 바로 알 수 있습니다.

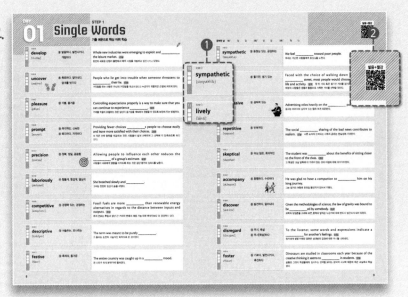

❶ 중요하고 자주 출제 되는 어휘를 ★로 표시하였습니다.
❷ [발음+짤강]으로 바로 연결되는 QR코드를 담았습니다.

2

헷갈리는 어휘를 묶음으로 외울 수 있어요.

❋ Step 2는 유의어·반의어·혼동어 등이 쌍으로 묶여 있어 어휘를 한번에 효율적으로 암기할 수 있습니다.

❋ 이 어휘들은 실제 시험에서도 함께 나오는 경우가 많기 때문에 실전 대비에 유용합니다.

❋ 어원, 유의어 차이 등과 같은 암기에 유용한 어휘 Tip을 제공합니다.

3

실제 시험 유형의 문제로
실전 감각을 기를 수 있어요.

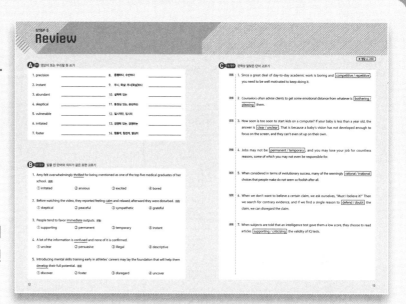

✺ 내신, 모의고사, 수능 유형의
문제를 풀며 어휘를 충분히 연
습할 수 있습니다.

4

학습에 유용한 자료가 풍성해요.

발음+짤강   부가자료 한글 파일   출제 프로그램

✺ [발음+짤강] 발음 뿐 아니라 어휘 포인트를 짚어주는 짧은 강의를 제공합니다.

✺ [부가자료 한글 파일] 일일·누적 테스트지/영영풀이 목록·테스트지/헷갈리는 어휘 '쌍' 목록/
표제어 예문 파일 등과 같은 풍부한 보충·심화 자료를 제공합니다.

✺ [출제 프로그램] 맞춤 시험지를 제작해 풀어볼 수 있는 프로그램을 제공합니다.

VOCA 다품은 다음의 어휘를 모아 **수능 기본 영단어**를 선정했습니다.
- 수능 출제 시 기준으로 삼는 교육과정 기본 어휘 목록 중
고1~3 수능 / 모의고사 수준 어휘
- 최신 수능, 모의고사 기출 어휘

VOCA 다품 3회독 완성 스케줄러

어휘는 매일 매일 습관처럼 공부하는 게 좋아요.

공부할 때마다
- 학습 날짜 적고
- 암기한 단어 체크 ✓

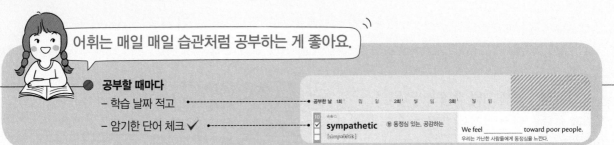

Day	page	1회독	2회독	3회독
01	8			
02	14			
03	20			
04	26			
05	32			
06	38			
07	44			
08	50			
09	56			
10	62			
11	68			
12	74			
13	80			
14	86			
15	92			
16	98			
17	104			
18	110			
19	116			
20	122			
21	128			

어휘는 반복해서 보는 게 좋아요. 3회독은 기본입니다.

1회독할 때마다
– 끝냈다는 완료 표시

Day	page	1회독	2회독	3회독
01	8			
02	14			
03	20			

STEP 1
Single Words
기출 예문으로 핵심 어휘 학습

---

01 ★★★
develop
[divéləp]

동 발달하다, 발전시키다, 개발하다

Whole new industries were emerging to exploit and _____ the leisure market. 수능
완전히 새로운 산업이 출현해서 레저 시장을 개발하고 발전시키고 있었다.

---

02 ★★★
uncover
[ənkávər]

동 폭로하다, 알아내다, 덮개를 벗기다

People who lie get into trouble when someone threatens to _____ their lie. 모의
거짓말을 하는 사람은 자신의 거짓말을 폭로하겠다고 누군가가 위협하면 곤경에 처하게 된다.

---

03 ★★☆
pleasure
[pléʒər]

명 기쁨, 즐거움

Controlling expectations properly is a way to make sure that you can continue to experience _____. 모의
기대를 적절히 조절하는 것은 당신이 즐거움을 계속해서 경험할 수 있도록 보장해 주는 방법이다.

---

04 ★★★
prompt
[prampt]

형 즉각적인, 신속한
동 촉진하다, 자극하다

Providing fewer choices _____s people to choose easily and leave more satisfied with their choices. 모의
더 적은 선택 항목을 제공하는 것은 사람들이 쉽게 선택하여 그 선택에 더 만족하도록 촉진한다.

---

05 ★★☆
precision
[prisíʒən]

명 정확, 정밀, 꼼꼼함

Allowing people to influence each other reduces the _____ of a group's estimate. 모의
사람들이 서로에게 영향을 미치도록 하는 것은 집단 평가의 정확도를 낮춘다.

---

06 ★★★
laboriously
[ləbɔ́ːriəsli]

부 힘들게, 힘겹게, 열심히

She breathed slowly and _____.
그녀는 천천히 힘겹게 숨을 쉬었다.

---

07 ★★★
competitive
[kəmpétətiv]

형 경쟁력 있는, 경쟁하는

Fossil fuels are more _____ than renewable energy alternatives in regards to the distance between inputs and outputs. 수능
화석 연료는 투입과 생산 간 거리의 면에서 재생 가능 대체 에너지보다 더 경쟁력이 있다.

---

08 ★★☆
descriptive
[diskríptiv]

형 서술하는, 묘사하는

The term was meant to be purely _____.
그 용어는 순전히 서술적인 목적으로 쓴 것이었다.

---

09 ★★☆
festive
[féstiv]

형 축제의, 흥겨운

The entire country was caught up in a _____ mood.
온 나라가 축제 분위기에 휩싸였다.

---

10 ★★☆
sympathetic
[sìmpəθétik]
혭 동정심 있는, 공감하는

We feel _____ toward poor people.
우리는 가난한 사람들에게 동정심을 느낀다.

11 ★★☆
lively
[láivli]
혭 활기찬, 생기 있는

Faced with the choice of walking down an empty or a _____ street, most people would choose the street with life and activity. 모의 텅 빈 거리 혹은 활기찬 거리를 걷기라는 선택에 직면하면, 대부분의 사람들은 생활과 활동으로 가득한 거리를 선택할 것이다.

12 ★★☆
persuasive
[pərswéisiv]
혭 설득력 있는

Advertising relies heavily on the _____ power of imagery.
광고는 이미지의 설득력 있는 힘에 크게 의존한다.

13 ★★★
repetitive
[ripétətiv]
혭 반복적인

The social _____ sharing of the bad news contributes to realism. 수능 나쁜 소식의 반복되는 사회적 공유는 현실성에 기여한다.

14 ★★☆
skeptical
[sképtikəl]
혭 의심 많은, 회의적인

The student was _____ about the benefits of sitting closer to the front of the class. EBS
그 학생은 교실 앞쪽에 더 가까이 앉는 것의 이점에 대해 회의적이었다.

15 ★★★
accompany
[əkʌ́mpəni]
동 동행하다, 수반하다

He was glad to have a companion to _____ him on his long journey.
그는 장거리 여행에 동행할 동반자가 있어서 기뻤다.

16 ★★★
discover
[diskʌ́vər]
동 발견하다, 알아내다

Given the methodologies of science, the law of gravity was bound to be _____ed by somebody. 모의
과학의 방법론을 고려해 보면, 중력의 법칙은 누군가에 의해 반드시 발견되게 되어 있었다.

17 ★★★
disregard
[dìsrigáːrd]
명 무시, 묵살
동 무시[묵살]하다

To the listener, some words and expressions indicate a _____ for another's feelings. EBS
청자에게 몇몇 어휘와 표현은 상대방의 감정에 대한 무시를 나타낸다.

18 ★★★
foster
[fɔ́ːstər]
동 기르다, 발전시키다, 촉진하다

Dinosaurs are studied in classrooms each year because of the creative thinking it seems to _____ in students. 모의
공룡은 그것이 학생들에게 길러주는 것처럼 보이는 창의적 사고력 때문에 매년 교실에서 학습된다.

STEP 2
Word Pairs

관련어 '쌍'으로 암기

19
please
[pli:z]
동 (남을) 기쁘게[즐겁게] 하다

_____ the eye
눈을 즐겁게 하다

bother
[báðər]
동 괴롭히다, 성가시게 하다

get distance from whatever is _____ing me 모의
나를 괴롭히고 있는 그 어떤 것과도 거리를 두다

20
defend
[difénd]
동 지키다, 옹호하다, 변호하다

the children who _____ their possessions 모의
자신의 소유물을 지키는 아이들

doubt
[daut]
동 의심하다, 의혹을 품다

find a single reason to _____ the claim 모의
그 주장을 의심할 단 하나의 이유를 찾다

21
supporting
[səpɔ́:rtiŋ]
형 뒷받침하는, 원조하는

the cost of _____ someone 모의
누군가를 뒷바라지하는 비용

criticizing
[krítəsàiziŋ]
형 비판하는

read articles _____ the validity of IQ tests 모의
지능검사의 타당도를 비판하는 기사를 읽다

22
grateful
[gréitfəl]
형 고마워하는, 감사하는

receive warm _____ letters 모의
훈훈한 감사의 편지를 받다

regrettable
[rigrétəbl]
형 유감스러운, 후회되는

a most _____ mistake
매우 후회되는 실수

23
thrilled
[θrild]
형 아주 기쁜, 흥분한

feel _____ for being mentioned as one of the top graduates 모의 최우수 졸업생 중 한 명으로 호명되어 매우 기쁘다

bored
[bɔ:rd]
형 지루해하는, 따분해하는

a _____ expression
지루해하는 표정

24
irritated
[íritèitid]
형 짜증이 난, 화난

_____ at being awakened so early
너무 일찍 깨워서 짜증나는

excited
[iksáitid]
형 신이 난, 들뜬, 흥분한

be _____ by the majestic mountain peaks 모의
장엄한 산봉우리에 흥분하게 되다

25
peaceful
[pí:sfəl]
형 평화로운, 평온한

fall into a deep, _____ sleep
깊고 평화로운 잠에 빠지다

confused
[kənfjú:zd]
형 혼란스러운, 혼동하는, 분명하지 않은

a _____ state of mind 모의
혼란스러운 심리 상태

26
clear
[kliər]
형 분명한, 맑은, 투명한

be _____ about what you want to show 모의
보여 주고자 하는 것을 분명히 하다

unclear
[ənklír]
형 불확실한, 분명하지 않은

the _____ terms of the contract
계약의 명확하지 않은 조건

TIP clear의 다른 의미 동 치우다[제거하다] clear the desk 책상을 치우다 동 맑게 하다 clear the muddy water 흐린 물을 맑게 하다

27 **permanent**
[pə́ːrmənənt]
⑱ 영구적인, 영속적인

remain fixed and _____ 모의
고정된 상태로 영구적으로 남아 있다

temporary
[témpərèri]
⑱ 일시적인, 임시의

the proportion of _____ or permanent workers
모의 임시 직원 또는 정규 직원의 비율

TIP temporary와 관련된 어휘 temporary job 임시직 temporary shelter 임시 대피처 temporary storage 임시 저장

28 **rational**
[rǽʃənl]
⑱ 이성[합리]적인

_____ models of decision making 수능
의사 결정의 이성적인 모델

irrational
[irǽʃənl]
⑱ 비이성[비논리]적인

seemingly _____ choices 모의
비이성적인 것처럼 보이는 선택들

29 **joyful**
[dʒɔ́ifəl]
⑱ 즐거운, 아주 기뻐하는

a _____ reunion of all the family members
온 가족의 즐거운 재회

sorrowful
[sɑ́rəfəl]
⑱ 슬픈, 비탄에 잠긴

heartbroken and _____ EBS
비통하고 슬픈

30 **anxious**
[ǽŋkʃəs]
⑱ 걱정하는, 불안한

start to grow _____ as it gets dark 모의
어두워지자 불안해지기 시작하다

calm
[kɑːm]
⑱ 고요한, 평온한, 침착한

the _____ sea after a storm 모의
폭풍 후의 고요한 바다

의미가 **비슷한** 어휘 쌍

31 **fragile**
[frǽdʒəl]
⑱ 부서지기 쉬운, 허약한

_____ health
허약한 건강 상태

vulnerable
[vʌ́lnərəbl]
⑱ 공격받기 쉬운, 취약한, 연약한

uniquely _____ 수능
유례없이 공격받기 쉬운

32 **immediate**
[imíːdiət]
⑱ 즉각적인

_____ outputs 수능
즉각적인 생산물

instant
[ínstənt]
⑱ 즉시의, 즉각적인

_____ credibility 수능
즉각적인 신뢰성

품사가 **바뀌는** 어휘 쌍

33 **abound**
[əbáund]
⑧ 아주 많다, 풍부하다

_____ in iguanas 모의
이구아나가 아주 많다

abundant
[əbʌ́ndənt]
⑱ 풍부한

_____ food supply 모의
풍부한 식량 공급

 상식 다:품 **방 안의 코끼리(Elephant in the room)** 모두가 잘못됐다는 것을 알고 있지만, 먼저 말을 꺼내면 부정적인 결과를 초래할 것 같은 불안감 때문에 그 누구도 언급하지 않는 커다란 문제를 말한다.

Review

A 예비 영단어 또는 우리말 뜻 쓰기

1. precision _____
2. instant _____
3. abundant _____
4. skeptical _____
5. vulnerable _____
6. irritated _____
7. foster _____

8. 동행하다, 수반하다 _____
9. 무시, 묵살; 무시[묵살]하다 _____
10. 설득력 있는 _____
11. 동정심 있는, 공감하는 _____
12. 일시적인, 임시의 _____
13. 경쟁력 있는, 경쟁하는 _____
14. 힘들게, 힘겹게, 열심히 _____

B 내신 필수 밑줄 친 단어와 의미가 같은 표현 고르기

1. Amy felt overwhelmingly <u>thrilled</u> for being mentioned as one of the top five medical graduates of her school. 모의

   ① irritated   ② anxious   ③ excited   ④ bored

2. Before watching the video, they reported feeling <u>calm</u> and relaxed; afterward they were disturbed. 모의

   ① skeptical   ② peaceful   ③ sympathetic   ④ grateful

3. People tend to favor <u>immediate</u> outputs. 수능

   ① supporting   ② permanent   ③ temporary   ④ instant

4. A lot of the information is <u>confused</u> and none of it is confirmed.

   ① unclear   ② persuasive   ③ illegal   ④ descriptive

5. Introducing mental skills training early in athletes' careers may lay the foundation that will help them <u>develop</u> their full potential. 모의

   ① discover   ② foster   ③ disregard   ④ uncover

▶ 정답 p. 250

C 수능 필수 **문맥상 알맞은 단어 고르기**

모의 1. Since a great deal of day-to-day academic work is boring and competitive / repetitive , you need to be well motivated to keep doing it.

모의 2. Counselors often advise clients to get some emotional distance from whatever is bothering / pleasing them.

모의 3. How soon is too soon to start kids on a computer? If your baby is less than a year old, the answer is clear / unclear . That is because a baby's vision has not developed enough to focus on the screen, and they can't even sit up on their own.

수능 4. Jobs may not be permanent / temporary , and you may lose your job for countless reasons, some of which you may not even be responsible for.

모의 5. When considered in terms of evolutionary success, many of the seemingly rational / irrational choices that people make do not seem so foolish after all.

모의 6. When we don't want to believe a certain claim, we ask ourselves, "Must I believe it?" Then we search for contrary evidence, and if we find a single reason to defend / doubt the claim, we can disregard the claim.

모의 7. When subjects are told that an intelligence test gave them a low score, they choose to read articles supporting / criticizing the validity of IQ tests.

STEP 1
Single Words
기출 예문으로 핵심 어휘 학습

---

01 ★★☆

cooperative
[kouápərətiv]

형 협력하는, 협동하는

We would have a better life in a more equal and _____ society. 모의 우리는 더 평등하고 협력하는 사회에서 더 나은 삶을 살게 될 것이다.

---

02 ★☆☆

courageous
[kəréidʒəs]

형 용감한, 용기 있는

People are _____ enough to speak out against injustice.

사람들은 부당함에 반대하는 목소리를 낼 정도로 용감하다.

---

03 ★★☆

criticism
[krítəsizm]

명 비판, 비난

Temporocentrism and ethnocentrism tempt moderns into unjustified _____s of the peoples of the past. 수능

자기 시대 중심주의와 자기 민족 중심주의는 현대인들을 유혹해 과거의 민족들에 대한 정당하지 않은 비판에 빠지게 한다.

---

04 ★☆☆

interdependence
[ìntərdipéndəns]

명 상호 의존

Trade creates _____ between countries.

무역은 국가들 간의 상호 의존을 야기한다.

---

05 ★★☆

intuitively
[intjúːətivli]

부 직감[직관]적으로

The spotlight effect means _____ overestimating the extent to which others' attention is aimed at us. 모의

조명 효과는 다른 사람들의 주목이 우리에게 향해 있는 정도를 직관적으로 과대평가하는 것을 의미한다.

---

06 ★☆☆

irregular
[irégjulər]

형 불규칙한, 고르지 못한

She visited her parents at _____ intervals.

그녀는 불규칙한 간격을 두고 부모를 찾아뵈었다.

---

07 ★★☆

pretending
[priténdiŋ]

형 겉치레하는, 거짓의

Children often take on other roles, _____ to be someone else, happily imagining how other people think. 모의

아이들은 흔히 다른 역할을 맡아서 다른 누군가인 척하고, 즐거운 마음으로 다른 사람들이 어떻게 생각하는지를 상상한다.

---

08 ★★★

reject
[ridʒékt]

동 거부하다, 거절하다

Based on a complex sensory analysis, the final decision whether to swallow or _____ food is made. 수능

복합적인 감각 분석을 토대로, 음식을 삼킬지 거부할지에 대한 최종 결정이 이뤄진다.

---

09 ★★☆

mobility
[moubíləti]

명 이동성, 움직이기 쉬움,
사회적 유동성

Cultures with low acceptance of power distance allow more _____ within the social hierarchy. 모의

권력 거리에 대한 낮은 수용의 문화들은 사회 계층 내에서 더 많은 이동을 허용한다.

공부한 날 1회 | 월   일   2회 | 월   일   3회 | 월   일

---

10 ★☆☆

adventurous
[ædvéntʃərəs]

형 모험심이 강한, 대담한

For _____ tourists, there are trips into the mountains with a local guide.

모험심이 강한 여행자를 위해서는 지역 가이드와 함께 하는 산악 여행이 있다.

---

11 ★★☆

concerned
[kənsə́:rnd]

형 걱정하는, 관련된, 관심이 있는

If you're less _____ about how you deliver information than with how you receive it, you'll fail at delegation. 수능

만약 당신이 정보를 어떻게 받는가보다 정보를 어떻게 전달하는가에 관심을 더 적게 가진다면, 당신은 결국 임무 위임에 실패할 것이다.

---

12 ★★☆

gloomy
[glú:mi]

형 어두운, 우울한, 침울한

She thought about how her _____ face in the window reflected her mistake. 모의

그녀는 창에 비친 자신의 침울한 얼굴이 자신의 실수를 어떻게 비추고 있는지 생각해 보았다.

---

13 ★★★

guilty
[gílti]

형 유죄의, 죄책감이 드는

Sometimes the gods who send disease may not strike the _____ person himself, but rather one of his relatives. 수능

때때로 질병을 보내는 신들은 죄가 있는 사람 그 자신이 아니라, 오히려 그의 친척 중 한 명을 공격할지도 모른다.

---

14 ★★☆

sacred
[séikrid]

형 신성한, 성스러운

The sun was believed to be _____ in ancient Egypt. EBS

고대 이집트에서는 태양이 신성하다고 믿어졌다.

---

15 ★★☆

solemn
[sáləm]

형 엄숙한, 진지한, 장엄한

Those _____ but sweet organ notes had set up a revolution in her. 모의

그 장엄하지만 감미로운 오르간 음들은 그녀의 내면에서 변화를 일으켰다.

---

16 ★★☆

triumphant
[traiʌ́mfənt]

형 승리를 거둔, 의기양양한

There was a _____ note in his voice.

그의 목소리에는 의기양양한 어조가 담겨 있었다.

---

17 ★★☆

unrealistic
[ʌ̀nri:əlístik]

형 비현실적인

It seems _____ to expect people to visit a travel destination just because of an advertising campaign. 모의

단지 광고 홍보 때문에 사람들이 여행지를 방문할 것으로 기대하는 것은 비현실적인 것 같다.

---

18 ★★☆

sacrifice
[sǽkrəfàis]

명 희생, 제물

Goodness should be measured not by the _____ required but by its contribution to human flourishing. EBS

선의는 요구된 희생이 아니라 인류 번영에 대한 기여도를 통해 평가되어야 한다.

STEP 2
Word Pairs

관련어 '쌍'으로 암기

의미가 **대치되는** 어휘 쌍

19
support
[səpɔ́:rt]
동 지지하다, 지원하다, 부양하다

scientific theories _____ed by a tremendous amount of data EBS 엄청난 양의 자료들에 의해 지지되는 과학 이론들

contradict
[kɑ̀ntrədíkt]
동 모순되다, 부정하다, 반박하다

_____ the principle of institutional structure EBS
제도적 조직 원리에 모순되다

20
assistance
[əsístəns]
명 도움, 원조, 지원

provide critical _____ to decision making 모의
의사 결정에 결정적인 도움을 주다

interference
[ìntərfíərəns]
명 간섭, 참견, 방해

tolerate no _____
간섭을 용납하지 않다

21
connectedness
[kənéktidnis]
명 소속감, 유대감

build a sense of _____ among friends 모의
친구 간에 유대감을 형성하다

isolation
[àisəléiʃən]
명 고립, 분리, 격리

be raised in extreme social _____ 모의
극단적인 사회적 고립 상태에서 자라다

22
regretful
[rigrétfəl]
형 후회하는, 유감인, 서운해하는

a _____ face
서운해하는 표정

thankful
[θǽŋkfəl]
형 고맙게 여기는, 감사하는

accept and be _____ for the stability 모의
안정감을 받아들이고 고마워하다

23
hardship
[há:rdʃip]
명 어려움, 곤란, 고난

experience a _____ 모의
어려움을 겪다

success
[səksés]
명 성공, 성과

the road to _____ 모의
성공으로 가는 길

24
employ
[implɔ́i]
동 고용하다, 이용하다, 쓰다

be _____ed to describe accurately 수능
정확하게 설명하는 데 이용되다

avoid
[əvɔ́id]
동 피하다, 막다

_____ the trap of negative self-talk 모의
부정적인 자기 대화의 덫을 피하다

TIP 접미사 -er('행위자, ~하는 사람'의 의미) / 접미사 -ee('행위를 당하는 사람, ~된 사람'의 의미)가 붙는 단어
employer 고용주 interviewer 면접관 / employee 피고용자, 직원, 종업원 interviewee 면접을 받는 사람

25
panicked
[pǽnikt]
형 공포에 사로잡힌, 공황상태인

Northeast Asian countries _____ by the tsunami
쓰나미 공포에 휩싸인 동북아시아

relieved
[rilí:vd]
형 안심한, 안도한

be _____ to hear the announcement 수능
안내 방송을 듣고 안도하다

26
curious
[kjúəriəs]
형 궁금한, 호기심이 강한

_____, fully engaged mind 모의
호기심을 갖고 완전히 몰두한 마음

indifferent
[indífərənt]
형 무관심한, 무심한

realize how _____ we are about social issues EBS
사회적 문제들에 대해 우리가 얼마나 무관심한지를 깨닫다

27 cheerful
[tʃíərfəl]
⑱ 쾌활한, 명랑한, 즐거운

for _____ photographers 수능
즐거운 사진사들을 위해

upset
[ʌpset]
⑱ 화나는, 속상한, 엉망인

be likely to be _____ EBS
화가 날 가능성이 있다

TIP upset의 다른 의미 ⑧ 뒤엎다, 전복시키다, 망치다 upset the balance of the environment 환경의 균형을 해치다[뒤엎다]

의미가 **반대되는** 어휘 쌍

28 tense
[tens]
⑱ 긴장한, 긴장된, 팽팽한

a few _____ moments 모의
얼마간의 긴장된 순간

relaxed
[rilǽkst]
⑱ 편안한, 느긋한, 긴장을 푼

begin jokes to set a _____ atmosphere 모의
편안한 분위기를 만들기 위해 농담을 시작하다

29 furious
[fjúəriəs]
⑱ 격노한, 분노한, 맹렬한

be _____ at having been deceived
그동안 속아 온 것에 대해 격분하다

pleased
[pli:zd]
⑱ 기쁜, 좋아하는, 만족스러운

be _____ to introduce a program 모의
프로그램을 소개하게 되어 기쁘다

30 ashamed
[əʃéimd]
⑱ 부끄러워하는, 창피한

_____ of selling something worthless 모의
가치가 없는 것을 파는 것에 대해 부끄러워하는

proud
[praud]
⑱ 자랑스러워하는, 거만한

be _____ to represent this amazing club 수능
이 훌륭한 동아리를 대표하게 되어 자랑스럽다

31 reveal
[riví:l]
⑧ 드러내다, 밝히다, 폭로하다

_____ what information they are attending to
모의 어떤 정보에 그들이 주목하고 있는지를 드러내다

conceal
[kənsí:l]
⑧ 감추다, 숨기다

an intention to _____ the lack of reliability 모의
신뢰성 부족을 숨기기 위한 의도

32 encouraged
[inkə́:ridʒd]
⑱ 격려받은, 고무된

be _____ to grow export crops 수능
수출 작물을 재배하도록 독려되다

discouraged
[diskə́:ridʒd]
⑱ 낙담한, 낙심한

advise not to be _____ 수능
낙심하지 말라고 충고하다

33 allow
[əláu]
⑧ 허락하다, 인정하다

_____ researchers to describe whale social groups
수능 연구가들이 고래의 집단생활을 설명할 수 있도록 허락하다

forbid
[fərbíd]
⑧ 금지하다

_____ a patient from eating spicy foods
환자에게 매운 음식을 먹지 못하게 하다

 상식다:품 소프트 잡(Soft job) 본래 '쉬운 일'을 의미했으나 현재는 진입장벽이 낮고 고용 창출 효과가 큰 서비스업 직종을 의미한다. 누구에게나 기회가 주어 질 수 있어 포용적인 일자리 영역이라고 볼 수 있으며 나이나 학력 등으로 인한 차별이 적다는 점이 특징이다.

Review

A 예비 영단어 또는 우리말 뜻 쓰기

1. contradict _____

2. isolation _____

3. intuitively _____

4. reveal _____

5. sacred _____

6. sacrifice _____

7. indifferent _____

8. 간섭, 참견, 방해 _____

9. 걱정하는, 관련된, 관심이 있는 _____

10. 승리를 거둔, 의기양양한 _____

11. 감추다, 숨기다 _____

12. 엄숙한, 진지한, 장엄한 _____

13. 어려움, 곤란, 고난 _____

14. 금지하다 _____

B 내신 필수 밑줄 친 단어와 의미가 같은 표현 고르기

1. She walked back to her seat <u>pleased</u> with her academic performance. 모의

   ① furious　　　② thrilled　　　③ tense　　　④ upset

2. Much of the psychology profession is <u>employed</u> in managing and relieving sadness. 모의

   ① allowed　　　② used　　　③ forbidden　　　④ interested

3. We are <u>thankful</u> for the letter you have sent to us regarding our service. 모의

   ① indifferent　　　② guilty　　　③ grateful　　　④ triumphant

4. It has been said that eye movements are windows into the mind, because where people look <u>reveals</u> what environmental information they are attending to. 모의

   ① uncovers　　　② contradicts　　　③ avoids　　　④ conceals

5. The high school grounds were filled with well-dressed people, posing in fancy dresses and suits for <u>cheerful</u> photographers. 수능

   ① adventurous　　　② solemn　　　③ gloomy　　　④ joyful

▶ 정답 p. 250

C 수능 필수 문맥상 알맞은 단어 고르기

모의 1. The novel uncovers and constructs the | revealed / concealed | totality of life in the interiorized life story of its heroes.

모의 2. In the absence of a process that | allows / forbids | them to benchmark those who do things better or at least differently, teachers are left with that one perspective—their own.

모의 3. Social television systems enable social interaction among TV viewers in different locations. These systems are known to build a greater sense of | connectedness / isolation | among TV-using friends.

모의 4. Many successful people take the time just before bed to reflect on or write down three things that they are | regretful / thankful | for that happened during the day. Keeping a diary of things that they appreciate reminds them of the progress they made that day.

모의 5. Regardless of how badly their day went, keeping a diary serves as a key way to stay motivated, especially when they experience a | hardship / success |.

모의 6. Successful people typically | avoid / employ | that trap of negative self-talk because they know it will only create more stress.

모의 7. Modern research shows that the affective system provides critical | assistance / interference | to your decision making by helping you make rapid selections between good and bad, reducing the number of things to be considered.

STEP 1
Single Words
기출 예문으로 핵심 어휘 학습

---

01 ★☆☆

romantic

[roumǽntik]

형 낭만적인, 사랑에 빠진

Caught up in _____ nationalism, he co-founded the first theater in which actors performed in Norwegian. 모의

낭만적 민족주의에 사로잡혀, 그는 배우들이 노르웨이어로 공연하는 최초의 극장을 공동 설립했다.

---

02 ★★☆

selectively

[siléktivli]

A   B

부 선택적으로, 선별적으로

Lawyers utilize information _____ to support their arguments. 모의

변호사들은 그들의 논거를 뒷받침하기 위해 정보를 선택적으로 활용한다.

---

03 ★★★

stem

[stem]

명 (식물의) 줄기
동 생기다, 일어나다

The problems with our talking together _____ from an absence of words. EBS

우리가 함께 대화하는 것에 있어서의 문제는 발화(말)의 부재에서 기인한다.

---

04 ★★★

biased

[báiəst]

형 선입견을 가진, 편향된

_____ employers may still dislike hiring members of one group or another. 모의

편향된 고용주들은 어떤 한 집단이나 아니면 다른 어떤 한 집단의 구성원을 고용하기를 여전히 싫어할 수도 있다.

---

05 ★★☆

unchanged

[əntʃéindʒd]

형 바뀌지 않은, 변함없는

In the course of agricultural development, women's labor productivity remains _____ compared to men's. 모의

농업 발전의 과정에서 여성의 노동 생산성은 남성에 비해 정체되어 있다.

---

06 ★★☆

unexpected

[ʌnikspéktid]

형 뜻밖의, 예기치 않은

Animals tend to be disturbed by _____ and unpredictable events. 모의   동물들은 뜻밖의 예측 불가능한 사건들에 의해 동요하는 경향이 있다.

---

07 ★★★

dwindle

[dwíndl]

동 줄어들다

As the world's oil resources continue to _____, the competition to find an alternative fuel increases in intensity.

세계의 석유자원이 계속해서 줄어들고 있기 때문에 대체연료를 찾기 위한 경쟁이 치열해지고 있다.

---

08 ★★★

dispute

[dispjú:t]

명 논쟁, 분쟁
동 논쟁하다, 반박하다

Business always _____s scientific conclusions that might support regulation of a particular substance or activity. EBS

기업은 특정 물질이나 활동에 대한 규제를 지지할 수 있는 과학적인 결론에 항상 반박한다.

---

09 ★★★

acknowledge

[æknálidʒ]

동 인정하다, 승인하다,
인지하다

They interviewed people _____d as successful in a wide variety of areas. 모의

그들은 아주 다양한 분야에서 성공적인 것으로 인정받아 온 사람들을 인터뷰했다.

10 ★★☆

annoyed

[ənɔ́id]

형 짜증난, 화가 난

I was _____ with myself for giving in so easily.

나는 그처럼 쉽게 포기한 나 자신이 짜증스러웠다.

---

11 ★★☆

depressed

[diprést]

형 우울한, 의기소침한

People with low self-esteem have a higher-than-average risk of being _____. 모의

자존감이 낮은 사람은 우울해질 위험이 평균보다 높다.

---

12 ★★★

nervous

[nə́ːrvəs]

형 불안한, 긴장되는, 초조한

Try to accept your anxiety as a signal that you are _____ about public speaking. 모의

사람들 앞에서 말하는 것에 대해 당신이 긴장해 있다는 신호로 그 불안을 받아들이도록 노력하라.

---

13 ★★★

embarrassed

[imbǽrəst]

형 당황한, 창피한, 난처해하는

_____ at being seen in such an emotional mess, she turned her head away and hoped to hurry past. 모의

그렇게 감정적으로 엉망인 상태의 모습이 보이는 것에 당황하여, 그녀는 자신의 고개를 돌렸고 빨리 지나가기를 바랐다.

---

14 ★★★

distracted

[distrǽktid]

형 주의가 산만한

Our automatic, unconscious habits can keep us safe even when our conscious mind is _____. 모의

우리의 자동적이고 무의식적인 습관은 우리의 의식적인 마음이 산만할 때조차 우리를 안전하게 지켜줄 수 있다.

---

15 ★★☆

envious

[énviəs]

형 부러워하는, 질투심이 나는

He was _____ of his friend's toy gun. EBS

그는 친구의 장난감 총이 부러웠다.

---

16 ★★☆

frightened

[fráitnd]

형 깜짝 놀란, 겁먹은

I'm _____ of walking home alone in the dark.

나는 밤에 혼자 걸어서 집에 가는 것이 무섭다.

---

17 ★★☆

lonely

[lóunli]

형 외로운, 인적이 드문, 쓸쓸한

Justin was driving on a _____ stretch of farm road. 모의

Justin은 인적이 드문 길게 뻗어 있는 시골길에서 운전을 하고 있었다.

---

18 ★★☆

puzzled

[pʌ́zld]

형 당황한, 어리둥절해하는

Interviewees appeared more than _____. EBS

면접 대상자들은 매우 당황한 듯 보였다.

STEP 2
Word Pairs

관련어 '쌍' 으로 암기

의미가 **대치되는** 어휘 쌍

| 19 | **accept** [æksépt] | 동 받아들이다, 인정하다 | _____ critical feedback 모의 비판적인 의견을 받아들이다 |
| | **overlook** [óuvərlʊk] | 동 간과하다 | _____ the intellectual potential 모의 지적 잠재력을 간과하다 |

| 20 | **widely** [wáidli] | 부 널리, 폭넓게 | be _____ considered the best advertisement 모의 최고의 광고로 널리 여겨지다 |
| | **narrowly** [nǽrouli] | 부 좁은 범위로, 좁게, 가까스로 | focus _____ on the ball EBS 좁은 범위로 공에 집중하다 |

| 21 | **raising** [réiziŋ] | 명 높이기 | _____ awareness of children 수능 아이들의 의식을 높이는 것 |
| | **controlling** [kəntróuliŋ] | 명 통제하기 | a system of _____ external rewards 수능 외적인 보상을 통제하는 체제 |

| 22 | **frequent** [frí:kwənt] | 형 잦은, 빈번한 | face _____ periods of drought and freezing 모의 빈번한 가뭄과 혹한의 시기에 직면하다 |
| | **rare** [rɛər] | 형 드문, 보기 힘든, 희귀한 | a _____ job 모의 드문 직업 |

| 23 | **natural** [nǽtʃərəl] | 형 자연스러운, 자연의, 타고난 | a _____ reaction EBS 자연스러운 반응 |
| | **risky** [ríski] | 형 위험한, 무모한 | get out of this _____ situation 모의 이 위험한 상황으로부터 벗어나다 |

의미가 **반대되는** 어휘 쌍

| 24 | **appropriate** [əpróupriət] | 형 적절한, 적합한 | form an _____ representation EBS 적절한 설명을 하다 |
| | **inappropriate** [ìnəpróupriət] | 형 부적절한, 부적합한 | _____ precision 모의 부적합한 정밀성 |

| 25 | **accurately** [ǽkjurətli] | 부 정확히, 정밀하게 | _____ reflect self-worth 모의 자존감을 정확하게 반영하다 |
| | **inaccurately** [inǽkjəritli] | 부 부정확하게 | predict _____ 부정확하게 예측하다 |

| 26 | **tolerance** [tálərəns] | 명 용인, 관용, 인내 | through _____ 모의 관용을 통해서 |
| | **intolerance** [intálərəns] | 명 편협, 옹졸 | religious _____ 종교적 편협성 |

TIP 접두사 in-('부정'의 의미)이 붙는 단어 inability 무능력, 할 수 없음 inadequate 부적절한, 불충분한 indefinite 애매한, 불명확한
indirect 간접적인 injustice 부당함 innumerable 무수한 invalid 무효의, 타당하지 않은 invisible 볼 수 없는

| 27 | **brief** [briːf] | ⑲ 잠시의, 간단한, 짧은 | go away on a _____ trip 수능
짧은 여행을 가다 |
| | **detailed** [ditéild, díːteild] | ⑲ 상세한 | a _____ experiment plan 모의
상세한 실험 계획 |

| 28 | **increase** [inkríːs] | ⑧ 증가시키다, 늘다 | _____ the proportion of carbon 모의
탄소 비율을 증가시키다 |
| | **decrease** [dikríːs] | ⑧ 감소시키다, 줄다 | _____ overall production 모의
전체 생산량을 줄이다 |

| 29 | **strengthen** [stréŋkθən] | ⑧ 강화하다, 튼튼히 하다 | _____ credibility 모의
신뢰성을 강화하다 |
| | **weaken** [wíːkən] | ⑧ 약화시키다, 약해지다 | _____ employees' organizational commitment
모의 직원들의 조직에 대한 헌신도를 약화시키다 |

TIP 명사나 형용사와 결합해 동사를 만들어주는 접미사 -en('~의 상태를 증가시키다, ~이 되게 하다, ~을 가지게 하다'의 의미)
broaden 넓히다, 넓어지다   loosen 느슨하게 하다, 풀다   worsen 악화시키다, 악화되다   heighten 높이다, 고조시키다

| 30 | **testify** [téstəfài] | ⑧ 증언하다, 증명하다 | _____ to a happy and comfortable life EBS
행복하고 안락한 삶을 증명하다 |
| | **disprove** [disprúːv] | ⑧ 오류를 증명하다, 논박하다 | be _____d by the experiment EBS
실험에 의해 틀렸음이 입증되다 |

| 31 | **intelligent** [intélədʒənt] | ⑲ 총명한, 똑똑한 | try to think of an _____ answer 모의
현명한 대답을 생각해 내려고 노력하다 |
| | **unintelligent** [ʌnintélədʒənt] | ⑲ 우둔한, 영리하지 못한 | brutal and _____ discipline
잔인하고 어리석은 훈련 |

| 32 | **advantage** [ædvǽntidʒ] | ⑲ 이점, 장점 | the _____ of being proactive 모의
상황을 앞서서 주도하는 것의 장점 |
| | **disadvantage** [dìsədvǽntidʒ] | ⑲ 약점, 단점 | the _____ of delivering news online 모의
뉴스를 온라인으로 전달하는 것의 단점 |

의미가 비슷한 어휘 쌍

| 33 | **previous** [príːviəs] | ⑲ 이전의, 앞의 | references to a _____ tradition 모의
이전의 전통에 대한 참조 |
| | **prior** [práiər] | ⑲ 이전의, 우선하는 | at least 1 day _____ to the departure date 모의
출발일 최소 1일 전 |

 상식 다:품 앤드로지너스 룩(Androgynous Look) '앤드로지너스'는 그리스어로 '남성'을 뜻하는 '앤드로스(andros)'와 '여성'을 뜻하는 '지나케아(gynacea)'의 합성어로, 남성복과 여성복의 특징을 교차시켜 성별 구분을 초월한 현대적인 옷차림을 의미한다. 이 감각이 등장하면서 이전까지 의복에 부여됐던 성별 고정관념이 사라지고, 패션뿐만 아니라 화장과 머리 스타일 등의 영역에도 영향을 미치고 있다.

A 예비 영단어 또는 우리말 뜻 쓰기

1. biased _____	8. 약점, 단점 _____
2. dwindle _____	9. 편협, 옹졸 _____
3. embarrassed _____	10. 증언하다, 증명하다 _____
4. rare _____	11. 우둔한, 영리하지 못한 _____
5. inappropriate _____	12. 위험한, 무모한 _____
6. frightened _____	13. 주의가 산만한 _____
7. disprove _____	14. 부정확하게 _____

B 내신 필수 밑줄 친 단어와 의미가 같은 표현 고르기

1. They interviewed people <u>acknowledged</u> as successful in a wide variety of areas. 모의

   ① accompanied   ② appeared   ③ accepted   ④ allowed

2. User demand is expected to <u>increase</u> as the integration of the product becomes more prevalent.

   ① discover   ② avoid   ③ doubt   ④ grow

3. Too many writers interpret the term 'logical' to mean chronological, and it has become habitual to begin reports and papers with careful reviews of <u>previous</u> work. 수능

   ① appropriate   ② prior   ③ brief   ④ frequent

4. A major portion of Galileo's works was devoted to <u>disproving</u> Aristotle. EBS

   ① supporting   ② testifying   ③ approving   ④ contradicting

5. One reason for the <u>dwindling</u> wine consumption is the acceleration of the French meal. 모의

   ① overlooking   ② decreasing   ③ raising   ④ unchanging

▶ 정답 p. 251

C 수능 필수 문맥상 알맞은 단어 고르기

모의 1. We don't consider one of the major reasons why schools and colleges accept / overlook the intellectual potential of street smarts: the fact that we associate those street smarts with anti-intellectual concerns.

모의 2. We associate the educated life, the life of the mind, too narrowly / widely with subjects and texts that we consider inherently weighty and academic.

모의 3. The higher the expectations, the more difficult it is to be satisfied. We can increase the satisfaction we feel in our lives by controlling / raising our expectations.

모의 4. A career as a historian is a frequent / rare job, which is probably why you have never met one.

모의 5. A good way of relieving tension is an argument. It has advantage / disadvantage. When tempers are raised, unspoken truths usually come out. They may hurt a bit, especially at the time. Yet, at the end, you know each other a bit better.

모의 6. Most of the tensions and quarrels between children are natural / risky. Even when they seem to be constant, wise parents don't worry too much.

모의 7. People with low self-esteem often underestimate their abilities. And when they get negative feedback, such as a bad evaluation at work or a disrespectful remark from someone they know, they are likely to believe that it accurately / inaccurately reflects their self-worth.

01 ★★☆ **perception** [pərsépʃən]	명 지각, 인식	If you want to use your energy to work longer, change your _____ of how long you have been working. 모의 만약 당신이 더 오래 일하는 데 자신의 에너지를 사용하고 싶다면, 얼마나 오래 일했는지에 대한 인식을 바꾸면 된다.

02 ★★☆ **practical** [prǽktikəl]	형 실용적인, 유용한, 실제적인, 현실적인	We might describe science that has no known _____ value as basic science or basic research. 수능 우리는 아무런 알려진 실용적 가치를 지니지 않은 과학을 기초 과학 혹은 기초 연구로 기술할 수 있다.

03 ★★☆ **cheat** [tʃiːt]	동 속이다, 사기 치다, 부정행위를 하다	Humans are so averse to feeling that they're being _____ed. 모의 인간은 속고 있다는 느낌을 매우 싫어한다.

04 ★★★ **clarify** [klǽrəfài]	동 명백히 하다, 분명하게 하다	Big words are often used to confuse and impress rather than _____. 수능 과장된 말은 종종 명료하게 하기 위해서보다는 혼란시키고 관심을 끄는 데 사용된다.

05 ★☆☆ **dependency** [dipéndənsi]	명 의존, 종속	Crows are more intelligent than chickens because crows have a longer period of _____. 모의 까마귀는 더 긴 의존의 기간을 가지고 있기 때문에 닭보다 더 똑똑하다.

06 ★★☆ **dissimilar** [dissímələr]	형 같지 않은, 다른	Residents take _____ postures towards tourism's environmental influences. 수능 주민들은 관광산업의 환경에 대한 영향에 대해 다른 태도를 취한다.

07 ★☆☆ **favorable** [féivərəbl]	형 유리한, 호의적인	The long-term profitability picture may look more _____. EBS 장기적인 수익성 상황은 더 유리하게 보일 수 있다.

08 ★★★ **recognition** [rèkəgníʃən]	명 인정, 인식	The initial phase of any design process is the _____ of a problematic condition and the decision to find a solution to it. 모의 모든 디자인 과정의 첫 번째 단계는 문제 상황을 인식하고 그에 대한 해결책을 찾아내려는 결정이다.

09 ★★☆ **novel** [nával]	형 참신한, 새로운 명 (장편) 소설	Travel always gives me _____ experiences. EBS 여행은 항상 나에게 새로운 경험을 준다.

공부한 날 1회 | 월 일 2회 | 월 일 3회 | 월 일

10 ★★☆
delighted
[diláitid]
형 기뻐하는, 즐거워하는

He was greatly _____, but he could not help being disappointed in a corner of his mind. 모의
그는 매우 기뻤지만, 마음 한구석에서 실망하지 않을 수 없었다.

11 ★★★
exhausted
[igzɔ́:stid]
형 기진맥진한, 고갈된

He was so _____ afterward that he was in last place toward the end of his next race, the 3,200 meters. 모의
그는 그 후에 너무 기진맥진해서 다음 시합인 3200미터 경기 막판에는 꼴찌를 하고 있었다.

12 ★★★
frustrated
[frʌ́streitid]
형 좌절감을 느끼는, 실망한

You'll feel _____ that you have been working so hard to pay things off and yet you just added more debt to your list. 모의
당신은 빚을 갚기 위해 열심히 일해 왔지만, 당신의 빚 목록에 더 많은 빚을 더했을 뿐이라는 것에 대해 좌절감을 느끼게 될 것이다.

13 ★★☆
jealous
[dʒéləs]
형 질투하는, 시샘하는

The people who hate you are _____. EBS
당신을 싫어하는 그 사람들은 시샘한다.

14 ★★☆
admiring
[ædmáiəriŋ]
형 감탄하는,
대단하게 여기는

We sense the need for a great deal of _____ attention when we have been painfully exposed to earlier deprivation. 모의
우리는 더 일찍이 고통스럽게 박탈감을 겪게 되었을 때 우리를 대단하다고 보는 많은 관심의 필요를 느낀다.

15 ★★★
scared
[skɛərd]
형 무서워하는, 겁먹은

Jack didn't know if he was curious or just _____. 모의
Jack은 궁금한 건지 아니면 단지 겁이 나는 건지 몰랐다.

16 ★☆☆
stressed
[strest]
형 스트레스가 쌓인,
강세가 있는

Meeting someone when you are extremely _____ can create an inaccurate impression of you. 모의
극도로 스트레스를 받고 있을 때 어떤 사람을 만나는 것은 당신에 대한 정확하지 않은 인상을 만들어 낼 수 있다.

17 ★★☆
terrified
[térəfàid]
형 무서워하는, 깜짝 놀란

_____ by the poor medical treatment for female patients, she founded a hospital for women. 모의
여성 환자들에 대한 열악한 치료에 놀라서, 그녀는 여성을 위한 병원을 설립했다.

18 ★★☆
unpleasant
[ənplézənt]
형 불쾌한, 불편한

To want to spare children from having to go through _____ experiences is a noble aim. 모의
자녀가 불쾌한 경험을 겪지 않도록 해 주고자 하는 것은 고귀한 목적이다.

STEP 2
Word Pairs
관련어 '쌍' 으로 암기

의미가 대치되는 어휘 쌍

19 promote
[prəmóut]
동 촉진하다, 장려하다, 홍보하다

_____ the benefits of positive thinking 모의
긍정적 사고의 장점을 장려하다

eliminate
[ilímənèit]
동 제거하다, 없애다

_____ disease-causing microorganisms EBS
질병을 유발하는 미생물을 제거하다

20 destructive
[distrʌ́ktiv]
형 파괴적인, 해로운

_____ to self-esteem EBS
자존감에 해로운

instructive
[instrʌ́ktiv]
형 유익한, 교육적인, 교훈적인

a most _____ experience
대단히 유익한 경험

21 undermine
[ʌ́ndərmàin]
동 약화시키다, 손상시키다

_____ the reality of the Net 모의
인터넷의 실체를 손상시키다

uphold
[ʌphóuld]
동 유지하다, 옹호하다

_____ the attachment to the Rights of Man EBS
인간의 권리에 대한 지지를 옹호하다

22 ignore
[ignɔ́:r]
동 무시하다, 간과하다

_____ safety standards 모의
안전 기준을 무시하다

magnify
[mǽgnəfài]
동 확대하다, 과장하다

_____ objects 200 times EBS
물체를 200배로 확대하다

23 improve
[imprú:v]
동 개선하다, 향상하다

_____ the quality of the public facilities 수능
공공시설의 질을 개선하다

hurt
[hə:rt]
동 다치다, 해치다

_____ an individual's emotional well-being 모의
한 개인의 정서적 안녕을 해치다

의미가 반대되는 어휘 쌍

24 accelerate
[æksélərèit]
동 가속화하다, 촉진하다

_____ physical decline 모의
신체적 쇠약을 가속화하다

decelerate
[di:sélərèit]
동 속도를 줄이다, 둔화시키다

_____ the car
차의 속도를 줄이다

25 benefit
[bénəfit]
명 이점, 이익, 혜택

the _____ of the arrival of artificial intelligence
수능 인공 지능의 도래가 주는 이점

drawback
[drɔ́bæk]
명 결점, 문제점, 장애

_____s of quota sampling EBS
할당 표본 추출의 결점

26 availability
[əvèiləbíləti]
명 유용성, 가용성

changes in prey _____ 모의
먹이 가용성의 변화

unavailability
[ənəvèiləbíliti]
명 이용 불가능

the _____ of suitable equipment
적절한 장비의 이용 불가능

TIP unavailability의 다른 의미 명 만날 수 없음 a certain level of unavailability 일정 정도의 만날 수 없음
the unavailability of a key witness 주요 목격자의 부재

의미가 **비슷한** 어휘 쌍

27
autonomy
[ɔːtánəmi]
명 자율성, 자주성

promote _____ EBS
자율성을 증진하다

independence
[ìndipéndəns]
명 독립, 자립, 자주

find _____ appealing 모의
독립이 매력적이라고 생각하다

28
explicit
[iksplísit]
형 분명한, 명백한

give _____ permission EBS
명백한 허가를 제공하다

specific
[spisífik]
형 특정한, 구체적인, 분명한

the importance of setting _____ goals 모의
구체적인 목표 설정의 중요성

품사가 **바뀌는** 어휘 쌍

29
compete
[kəmpíːt]
동 경쟁하다

_____ for our attention 수능
우리의 주목을 받으려고 경쟁하다

competition
[kàmpətíʃən]
명 경쟁, 대회, 시합

high levels of _____ 모의
높은 경쟁 수준

30
diverse
[divə́ːrs]
형 다양한, 다른 종류의

importance of _____ marketing strategies 모의
다양한 마케팅 전략의 중요성

diversify
[divə́ːrsəfài]
동 다양화하다

_____ products EBS
제품을 다양화하다

> TIP 접미사 -ify('~하게 되다, ~이 되게 하다, ~이 되다'의 의미)가 붙는 단어 amplify 증폭시키다, 확대하다 clarify 명백히 하다
> identify 확인하다, 동일시하다 intensify 강화하다, 증대하다 specify 구체적으로 명시하다

31
critic
[krítik]
명 비평가, 평론가

an influential film _____ EBS
영향력 있는 영화 평론가

critical
[krítikəl]
형 비판적인, 중요한, 위기의

a _____ interpretation of civilization 수능
문명에 대한 비판적 해석

32
essence
[ésns]
명 본질, 핵심, 정수

the _____ of great novels 수능
위대한 소설의 필수 요소

essential
[isénʃəl]
형 필수적인, 본질적인

the _____ argument 수능
본질적인 논점

33
rely
[rilái]
동 의지하다, 신뢰하다

_____ on the knowledge 모의
지식에 의존하다

reliability
[rilàiəbíləti]
명 신뢰성, 신뢰도

improve the _____ of the information 모의
정보의 신뢰성을 높이다

 상식 다:품 ASMR (Autonomous Sensory Meridian Response) '자율 감각 쾌락 반응'의 약어로 시각, 청각 등을 이용하여 뇌를 자극해 심리적인 안정
을 유도하는 영상, 소리 등을 의미한다. ASMR을 느끼게 하는 자극은 ASMR 트리거(trigger)라고 하는데, 이는 사람마다 선호하는 자극이 달라 개인차
가 있다. 심리 치료에 효과가 있는지에 대한 여부는 과학적으로 증명되지 않았으나 온라인상에서 많은 인기를 끌고 있다.

Review

A 예비 영단어 또는 우리말 뜻 쓰기

1. clarify _____
2. instructive _____
3. jealous _____
4. explicit _____
5. magnify _____
6. compete _____
7. admiring _____

8. 본질, 핵심, 정수 _____
9. 파괴적인, 해로운 _____
10. 기뻐하는, 즐거워하는 _____
11. 유용성, 가용성 _____
12. 다양화하다 _____
13. 신뢰성, 신뢰도 _____
14. 유리한, 호의적인 _____

B 내신 필수 밑줄 친 단어와 의미가 같은 표현 고르기

1. Quota sampling does have its <u>drawbacks</u>. EBS

   ① interferences ② benefits ③ disadvantages ④ critics

2. The initial phase of any design process is the <u>recognition</u> of a problematic condition and the decision to find a solution to it. 모의

   ① competition ② acknowledgment ③ precision ④ essence

3. Anxiety <u>undermines</u> the intellect. 수능

   ① strengthens ② magnifies ③ weakens ④ accelerates

4. Some people think animals have less inherent value than humans because of their lack of reason, <u>autonomy</u>, or intellect. EBS

   ① independence ② availability ③ dependency ④ reliability

5. Governments can and often do employ awareness campaigns among the resident population to <u>promote</u> a welcoming attitude towards visitors, in order to foster a positive market image. 모의

   ① eliminate ② conceal ③ decrease ④ encourage

▶ 정답 p. 251

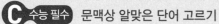 문맥상 알맞은 단어 고르기

모의 1. Numerous self-help books promote the benefits of positive thinking and positive behaviors, assigning negative affect in general, and sadness in particular, to the category of "problem emotions" that need to be promoted / eliminated .

모의 2. If I were to lie about my age on grounds of vanity, and my lie were discovered, even though no serious harm would have been done, I would have undermined / upheld your trust generally.

모의 3. All lying, when discovered, has indirect harmful effects. However, very occasionally, the benefits / drawbacks which arise from a lie might possibly outweigh these harmful effects. For example, if someone is seriously ill, lying to them about their life expectancy might probably give them a chance of living longer.

모의 4. Telling them the truth could possibly induce a depression that would accelerate / decelerate their physical decline.

모의 5. Sometimes our judgments of ourselves are unreasonably negative. Several studies have shown that people with low self-esteem tend to ignore / magnify their failures.

모의 6. People with low self-esteem have a higher-than-average risk of being depressed. This hurts / improves not only an individual's mental and emotional well-being but also his or her physical health and the quality of his or her social relationships.

모의 7. An individual should not always make himself or herself readily available to the person they are targeting for a longer-term relationship. A certain level of availability / unavailability will make you more of a mystery and a challenge.

STEP 1
Single Words
기출 예문으로 핵심 어휘 학습

---

01 ★★☆

accidental
[æksədéntl]

형 우연한, 돌발적인

Festinger realized that these social comparisons aren't entirely _____. 모의

Festinger는 이러한 사회적 비교가 완전히 우연한 것이 아니라는 것을 깨달았다.

---

02 ★★☆

conflicting
[kənflíktiŋ]

형 상반되는, 상충하는

We have two _____ theories, each of which can claim empirical evidence in its support but which come to opposite conclusions. 수능 우리는 두 개의 상충하는 이론들을 보게 되는데, 그 각각은 자신을 뒷받침해 주는 경험적 증거를 내세우지만, 각각의 이론은 정반대의 결론에 이르게 된다.

---

03 ★★☆

influential
[ìnfluénʃəl]

형 영향력 있는, 영향력이 큰

There can be broad, _____ factors that hold down the performance of everyone being judged. 수능

판단을 받고 있는 모든 사람의 업무 수행을 억제하는 광범위한, 영향을 미치는 요인이 있을 수 있다.

---

04 ★★☆

loose
[luːs]

형 헐거워진, 느슨한

The "urban villagers" possess _____ ties to the outside, restricting them within their boundaries. 모의

'도시의 촌사람들'은 외부와의 느슨한 결속으로 인해 자신들의 영역 안에 갇힌다.

---

05 ★★☆

objectively
[əbdʒéktivli]

부 객관적으로

Human reactions are so complex that they can be difficult to interpret _____. 모의

인간의 반응은 너무 복잡해서 객관적으로 해석하기가 어려울 수 있다.

---

06 ★★★

own
[oun]

형 자신의, 고유한
동 소유하다

One key social competence is how well or poorly people express their _____ feelings. 수능

한 가지 중요한 사교 능력은 사람들이 그들 자신의 감정을 얼마나 잘 표현하는가 혹은 못하는가 하는 것이다.

---

07 ★★★

compromise
[kámprəmàiz]

명 타협, 화해, 양보
동 타협하다

In the disputed cases, people may reach some negotiated _____. EBS

논란이 있는 상황들에서, 사람들은 협상된 어떤 타협안에 도달할지 모른다.

---

08 ★★★

patient
[péiʃənt]

형 인내심 있는
명 환자

Pets are important in the treatment of depressed or chronically ill _____s. 수능

애완동물은 우울증이 있거나 만성적인 질병이 있는 환자들의 치료에 중요하다.

---

09 ★★☆

hierarchy
[háiərɑ̀ːrki]

명 계층, 계급

It is relatively easy for individuals to move up the social _____ based on their individual efforts. 모의

개인이 그들의 개인적 노력을 토대로 사회 계층을 상승시키는 것이 상대적으로 쉽다.

10 ★★☆

encompass
[inkʌ́mpəs]

동 ~을 포괄하다, 아우르다, 에워싸다

This is a category that is too limited and context-specific to _____ all the different cultural products. 모의

이것은 모든 다양한 문화적 산물을 포괄하기에는 너무 제한적이며 상황에 한정된 범주이다.

11 ★★☆

impress
[imprés]

동 깊은 인상을 주다, 감명을 주다

Perhaps one's parents were hard to _____. 모의

어쩌면 어떤 이의 부모는 감명시키기가 어려웠을 것이다.

12 ★☆☆

realm
[relm]

명 영역, 왕국

Tourism takes place simultaneously in the _____ of the imagination and that of the physical world. 모의

관광은 상상의 영역 그리고 물리적인 세계의 영역에서 동시에 일어난다.

13 ★★☆

warehouse
[wérhàus]

명 창고, 저장소

Every human brain is a _____ of beliefs and assumptions about the world and how it works. EBS

모든 인간의 뇌는 세상과 그것이 돌아가는 방식에 관한 신념과 추측의 저장소이다.

14 ★★☆

stereotype
[stériətàip]

명 고정관념

They all suffer from weak place images, negative _____s and problematic perceptions. 모의

그것들 모두 취약한 장소 이미지, 부정적 고정관념, 그리고 문제가 있다는 인식으로 어려움을 겪는다.

15 ★★★

recess
[risés]

명 휴식, 휴업

At school they learned that children earn tickets for running the quarter-mile track during lunch _____. 수능

그들은 학교에서 점심시간의 휴식 때 4분의 1마일 트랙을 달려 표를 획득하는 것을 배웠다.

16 ★★☆

tribute
[tríbju:t]

명 헌사, 찬사, 경의

The couple paid _____ to the helicopter crew who rescued them.

그 부부는 그들을 구조한 헬리콥터 승무원에게 경의를 표했다.

17 ★★☆

register
[rédʒistər]

동 등록하다, 기록하다, 나타내다

Recipients can _____ their membership over the phone.

모의 수령인은 전화로 회원 등록을 할 수 있다.

18 ★★☆

dormitory
[dɔ́ːrmətɔ̀ːri]

명 기숙사

You need to follow the rules in the _____. 모의

당신은 기숙사의 규칙을 따라야 할 필요가 있다.

STEP 2
Word Pairs
관련어 '쌍'으로 암기

19

acceptable
[əkséptəbl]
(형) 받아들일 수 있는, 허용할 수 있는

socially _____ behavior 수능
사회적으로 용인될 수 있는 행위

intolerable
[intálərəbl]
(형) 참을 수 없는, 견딜 수 없는

an _____ discomfort 수능
참을 수 없는 불편함

TIP 접미사 -able('~할 수 있는'의 의미)이 붙는 단어   available 이용할 수 있는   believable 믿을 만한   durable 내구성이 강한
honorable 존경할 만한, 명예로운   memorable 기억에 남을   notable 주목할 만한   reliable 신뢰할 만한   remarkable 주목할 만한

20

neglecting
[nigléktiŋ]
(명) 무시하기

_____ an argument
주장을 무시하는 것

ensuring
[inʃúəriŋ]
(명) 보장하기

_____ equality of opportunity 모의
기회의 평등을 보장하는 것

21

deconstruct
[dìkənstrʌ́kt]
(동) 해체하다

_____ negative emotions 모의
부정적인 감정들을 해체하다

intensify
[inténsəfài]
(동) 심화시키다, 강화하다

_____ their search EBS
그들의 탐사를 강화하다

22

automatically
[ɔ̀:təmǽtikəli]
(부) 자동적으로, 무의식적으로

generate a verdict _____ 수능
무의식적으로 결정을 내리다

intentionally
[inténʃənəli]
(부) 의도적으로, 고의로

keep statements _____ vague
의도적으로 애매모호하게 진술하다

23

consistency
[kənsístənsi]
(명) 일관성, 한결같음

_____ in measurements of heart rate 모의
심박 수 측정에서의 일관성

variation
[vɛ̀əriéiʃən]
(명) 변화, 차이

cultural _____s EBS
문화적 차이

24

fair
[fɛər]
(형) 공정한, 적정한, 타당한

_____ housing 수능
공정 주택 거래

unjust
[ʌndʒʌ́st]
(형) 부당한, 불공평한

an _____ criticism 수능
부당한 비판

25

active
[ǽktiv]
(형) 활동적인, 적극적인

_____ engagement with children 모의
자녀들과 함께하는 적극적인 참여

inactive
[inǽktiv]
(형) 활동하지 않는, 소극적인

politically _____
정치적으로 소극적인

26

excess
[iksés]
(명) 지나침, 초과, 과잉

the _____ of curiosity 모의
호기심의 과잉

lack
[læk]
(명) 부족, 결핍

a general _____ of knowledge 수능
일반적인 지식의 부족

27	**superiority** [səpìərióːrəti]	명 우월성, 우세	the academic ＿＿＿＿＿ of scholars 모의 학자의 학문적 우월성
	inferiority [infìərióːrəti]	명 열등함, 열세	an ＿＿＿＿＿ complex about looks 외모에 대한 열등의식

TIP 접미사 -ity('성질'의 의미)가 붙는 단어 complexity 복잡성 purity 순수성, 순도 oddity 기이함 tranquility 고요함, 평온

의미가 **비슷한** 어휘 쌍

28	**mislead** [mislíd]	동 잘못된 방향으로 이끌다, 호도[오도]하다, 속이다	＿＿＿＿＿ public opinion 여론을 호도하다
	deceive [disíːv]	동 속이다, 기만하다	＿＿＿＿＿ predators 모의 포식자를 속이다

29	**intellect** [íntəlèkt]	명 지적 능력, 지성	use the full resources of ＿＿＿＿＿ 모의 지성의 모든 자원을 사용하다
	intelligence [intélədʒəns]	명 지능, 지성	a spatial ＿＿＿＿＿ test EBS 공간 지능 검사

30	**disturb** [distə́ːrb]	동 방해하다, 건드리다, 불안하게 하다	＿＿＿＿＿ the object's position 모의 물체의 위치를 방해하다
	interrupt [ìntərʌ́pt]	동 방해하다, 중단시키다, 끼어들다	be ＿＿＿＿＿ed by ringing phones 수능 전화벨 소리로 인해 방해를 받다

31	**extreme** [ikstríːm]	형 극도의, 극단적인	give an ＿＿＿＿＿ example 극단적인 예를 들다
	drastic [drǽstik]	형 과감한, 극단적인, 격렬한	take ＿＿＿＿＿ action 극단적인 조치를 취하다

32	**elastic** [ilǽstik]	형 탄력 있는, 융통성 있는	an ＿＿＿＿＿ principle 융통성 있는 원칙
	flexible [fléksəbl]	형 융통성 있는, 유연한	＿＿＿＿＿ pricing EBS 융통성 있는 가격 책정

품사가 **바뀌는** 어휘 쌍

33	**affect** [əfékt]	동 영향을 미치다	＿＿＿＿＿ whether a ball sails over the fences 수능 공이 펜스를 넘어가는지에 영향을 미치다
	affection [əfékʃən]	명 애착, 애정	by basic care and ＿＿＿＿＿ EBS 기본적인 보살핌과 애정으로

 상식 다:품 **알파세대(Generation Alpha)** 태생적으로 인공지능(AI), 로봇 등을 비롯한 기술적 진보를 경험하며 자라나는 세대를 일컫는다. 이 세대는 사람보다 기계와의 일방적 소통에 익숙해 사회성 및 정서 발달에 부정적인 영향을 미칠 수 있다는 우려가 있다.

Review

A 예비 영단어 또는 우리말 뜻 쓰기

1. recess _____

2. compromise _____

3. unjust _____

4. deceive _____

5. consistency _____

6. warehouse _____

7. influential _____

8. 영역, 왕국 _____

9. 의도적으로, 고의로 _____

10. 애착, 애정 _____

11. 헌사, 찬사, 경의 _____

12. 변화, 차이 _____

13. 고정관념 _____

14. 기숙사 _____

B 내신 필수 밑줄 친 단어와 의미가 같은 표현 고르기

1. The brains of both humans and dogs tend to intensify one sense at a time. 수능

   ① own   ② register   ③ strengthen   ④ mislead

2. As the human capacity to speak developed, so did our ability not only to trick prey and deceive predators but to lie to other humans. 모의

   ① deconstruct   ② cheat   ③ hurt   ④ compromise

3. Office workers are regularly interrupted by ringing phones, impromptu meetings, and chattering coworkers. 수능

   ① promoted   ② affected   ③ disturbed   ④ impressed

4. None of the ancient city walls encompassed a space wider than five kilometers in diameter. EBS

   ① defended   ② avoided   ③ revealed   ④ circled

5. Educators who flip their classes are flexible in their expectations of student timelines for learning and in their assessments of student learning. 모의

   ① patient   ② elastic   ③ inactive   ④ influential

▶ 정답 p. 252

C 수능 필수 문맥상 알맞은 단어 고르기

모의 **1.** From Dworkin's view, justice requires that a person's fate be determined by things that are within that person's control, not by luck. If differences in well-being are determined by circumstances lying outside of an individual's control, they are | fair / unjust |.

모의 **2.** We should seek to eliminate inequality of well-being by | ensuring / neglecting | equality of opportunity or equality of access to fundamental resources.

모의 **3.** If we are feeling negative, it can be very easy for us to stop wanting to stay | active / inactive | in our everyday life.

모의 **4.** Many people who suffer from depression are found sleeping in and having no motivation to go outside or exercise. Unfortunately, this | excess / lack | of exercise can actually compound many negative emotions.

모의 **5.** Exercise and movement is actually a very healthy and positive thing for you to do and a great way for you to begin to | deconstruct / intensify | your negative emotions so that they no longer affect your life and harm your relationships.

모의 **6.** The researchers expected to find that the subjects unconsciously targeted the same physiological intensity in each activity. Perhaps they would | automatically / intentionally | exercise at 65 percent of their maximum heart rate regardless of which machine they were using.

수능 **7.** The precision of the lines on the map, the | consistency / variation | with which symbols are used, the apparent certainty with which place names are written and placed, and the legend and scale information all give the map an aura of scientific accuracy and objectivity.

STEP 1
Single Words

기출 예문으로 핵심 어휘 학습

---

01 ★★☆

accordingly

[əkɔ́ːrdiŋli]

🔹 그에 따라, 그러므로

Gas lighting in homes soon disappeared, and the death rate from house fires decreased _____. 모의

가정에서 가스 조명은 곧 사라졌고, 주택 화재로 인한 사망률도 그에 따라 낮아졌다.

---

02 ★☆☆

conversely

[kənvɔ́ːrsli]

🔹 정반대로, 역으로

Massive structures, crammed into small sites, can _____ result in a congested cityscape. 모의

작은 부지로 밀어 넣은 거대한 구조물은 역으로 혼잡한 도시 경관을 야기한다.

---

03 ★★★

nevertheless

[nèvərðəlés]

🔹 그럼에도 불구하고

Although we may see some characters as outside ourselves, we are _____ able to enter into their behavior and their emotions. 수능 우리가 몇몇 등장인물들을 우리 자신과 관계없는 존재로 바라볼 수도 있지만, 그럼에도 우리들은 그들의 행동과 감정 속으로 몰입할 수 있다.

---

04 ★★☆

otherwise

[ʌ́ðərwàiz]

🔹 그렇지 않으면, 아니면

Perhaps they would have seen opportunities that they _____ missed; they would own all the airlines today. 모의

아마도 그들은 그렇지 않았다면 놓쳤을 기회를 볼 수 있었을 것이고, 오늘날 모든 항공사를 소유했을 것이다.

---

05 ★★☆

painful

[péinfəl]

🔹 아픈, 고통스러운

The dead silence in the car made the drive _____. 수능

차 속의 죽음과 같은 정적으로 인해 차를 타고 가기가 고통스러웠다.

---

06 ★★★

responsibility

[rispànsəbíləti]

🔹 책임

The beginning of growth comes when you begin to personally accept _____ for your choices. 모의

성장의 시작은 당신이 자신의 선택에 대한 책임을 스스로 받아들이기 시작할 때 일어난다.

---

07 ★★☆

fame

[feim]

🔹 명성

The desire for _____ has its roots in the experience of neglect. 모의 명성에 대한 욕망은 무시당한 경험에 그 뿌리를 두고 있다.

---

08 ★★☆

fortune

[fɔ́ːrtʃən]

🔹 운, 재산

She had the good _____ to have enlightened parents who considered the education of a daughter as important as that of a son. 모의

그녀는 딸의 교육도 아들의 교육만큼 중요하다고 여기는 깨어있는 부모를 두는 행운을 가졌다.

---

09 ★★☆

fruitless

[frúːtlis]

🔹 헛된, 결실[성과] 없는

To produce something worthwhile may require years of such _____ labor. 모의

가치 있는 것을 만들어 내는 것은 여러 해 동안의 그런 결실 없는 노동을 필요로 할지도 모른다.

발음+짤강

10 ★☆☆
vegan
[védʒən]
몡 엄격한 채식주의자

Everyone in the community was _____, and no one smoked or drank.
그 공동체의 모든 사람들은 채식주의자였고, 아무도 흡연하거나 술을 마시지 않았다.

11 ★★☆
relate
[riléit]
동 관련시키다, 관계가 있다

This _____s to a basic principle that children are taught in the offline world as well. 수능
이것은 아이들에게 오프라인 세계에서도 가르치는 기본 원칙과 관계가 있다.

12 ★☆☆
hilarious
[hiléəriəs]
형 재미있는, 유쾌한

She gave us a _____ account of her first days as a teacher.
그녀는 우리에게 교사로서의 첫날에 대한 재미있는 이야기를 들려주었다.

13 ★★☆
homogeneous
[hòumədʒí:niəs]
형 동종의, 동질의

Facilitating the construction of _____ social networks allows individuals to filter the overwhelming flow of information. 수능 동질적인 사회적 네트워크를 구축하는 것을 촉진하는 것은 개인들로 하여금 압도적인 정보의 흐름을 걸러낼 수 있게 한다.

14 ★★☆
regime
[reiʒí:m]
몡 정부, 정권, 체제, 제도

Everyone participates in shaping the political _____ and its institutions. EBS
모든 사람들이 정치적 체제와 그것의 제도를 형성하는 데 참여한다.

15 ★★☆
easygoing
[íːzigóuiŋ]
형 태평한, 느긋한

Type B personalities are laid-back and _____ as they are not highly competitive nor do they always fight the clock. EBS
B 유형의 성격을 가진 사람들은 경쟁심이 그다지 강하지 않고 항상 시간에 쫓기지도 않기에 느긋하고 태평하다.

16 ★★☆
remedy
[rémədi]
몡 치료(약), 요법, 해결책
동 치료하다, 개선하다

To this day honey and lemon is a soothing _____ for a cold.
오늘날까지 꿀과 레몬은 감기를 진정시키는 약이다.

17 ★★☆
messy
[mési]
형 지저분한, 엉망인

Whether you're neat or _____, your workspace may reveal a lot about your personality. 모의
당신이 깔끔하든 지저분하든 당신의 작업 공간은 당신의 성격에 대해 많은 것을 말해 줄 것이다.

18 ★★☆
suburban
[səbə́ːrbən]
형 교외의, 시외의

Surveys made it overwhelmingly clear that most people wanted to live in a _____ house with a garden.
조사 결과 대부분의 사람들이 정원이 있는 교외의 집에서 살고 싶어 한다는 것이 압도적으로 명백해졌다.

STEP 2
Word Pairs

관련어 '쌍' 으로 암기

의미가 대치되는 어휘 쌍

19	**concentrated** [kánsəntrèitid]	형 집중된, 밀집한	the dangers of _____ power 모의 집중된 권력의 위험성
	limited [límitid]	형 제한된, 한정된	a lack of flexibility and _____ tumbling skills 모의 유연성이 부족하고 제한된 텀블링 기술

20	**blended** [bléndəd]	형 섞인, 혼합된	a _____ color 혼합된 색
	subdivided [sʌ̀bdəváidid]	형 세분화된	a need for the nation to be _____ into "wards" 모의 국가가 '(지방 의회 구성단위가 되는) 구'로 세분되어야 할 필요성

> TIP **blended**와 관련된 어휘 blended learning 온라인과 오프라인 학습을 결합한 학습법 blended fabric 혼방 직물
> blended fruit juice 혼합 과실 음료

21	**resistant** [rizístənt]	형 저항하는, 저항력이 있는 명 저항자	be _____ to invasion by insects 수능 곤충들의 공격에 내성이 있다
	responsive [rispánsiv]	형 반응하는, 바로 대답하는	culturally _____ teaching 수능 문화적으로 반응하는 가르침

22	**rationalize** [ráʃənəlàiz]	동 합리화하다	_____ easily EBS 쉽게 합리화하다
	deny [dinái]	동 부인[부정]하다, 거절하다	_____ the impact 수능 영향력을 부인하다

23	**mental** [méntl]	형 정신적인, 정신의, 마음의	expectations about _____ capacity 수능 정신적인 능력에 대한 기대
	physical [fízikəl]	형 신체적인, 물질의, 물리의	in terms of _____ skills 모의 신체 능력의 측면에서

24	**satisfied** [sǽtisfàid]	형 만족스러운	the fundamental elements of a _____ life 모의 만족스러운 삶의 근본 요소들
	disappointed [dìsəpɔ́intid]	형 실망한, 낙담한	cannot help being _____ 모의 실망하지 않을 수 없다

25	**inseparable** [insépərəbl]	형 분리할 수 없는, 뗄 수 없는	an _____ relation 불가분의 관계
	free [fri:]	형 자유로운, 무료의, ~이 없는	_____ time without feelings of guilt 수능 죄책감을 느끼지 않는 자유로운 시간

의미가 반대되는 어휘 쌍

26	**dependently** [dipéndəntli]	부 의존적으로	_____ work with others 모의 의존적으로 다른 사람과 함께 일하다
	independently [ìndipéndəntli]	부 독립적으로	processing that can occur _____ 모의 독립적으로 일어날 수 있는 처리 과정

| 27 | **moral**
[mɔ́:rəl] | 형 도덕적인 | search for _____ actions 모의
도덕적 행동을 찾다 |
| | **immoral**
[imɔ́:rəl] | 형 비도덕적인 | not _____ but morality neutral 수능
비도덕적인 것이 아니라 도덕 중립적인 |

의미가 비슷한 어휘 쌍

| 28 | **apparent**
[əpǽrənt] | 형 분명한, 명백한 | _____ contradictions 모의
명백한 모순 |
| | **obvious**
[ábviəs] | 형 분명한, 명백한 | compensate for rather an _____ defect 수능
다소 분명한 결함을 보충하다 |

| 29 | **furnish**
[fə́:rniʃ] | 동 제공하다, 갖추다 | _____ bank guarantees and deposits EBS
은행 보증서와 착수금을 제공하다 |
| | **provide**
[prəváid] | 동 공급하다, 제공하다 | _____ a shelter 수능
피난처를 제공하다 |

| 30 | **swift**
[swift] | 형 신속한, 재빠른 | a _____ decision
신속한 결정 |
| | **rapid**
[rǽpid] | 형 빠른, 신속한 | the _____ acquisition of new information 모의
새로운 정보의 신속한 습득 |

| 31 | **equilibrium**
[ì:kwəlíbriəm] | 명 평형, 균형 | a balanced state of _____ 수능
평형이라는 균형이 잡힌 상태 |
| | **stability**
[stəbíləti] | 명 안정, 확고 | financial _____ and peace of mind 모의
재정적 안정과 마음의 평화 |

| 32 | **arbitrary**
[á:rbətrèri] | 형 임의적인, 자의적인,
멋대로인 | in an _____ way 모의
임의적인 방식으로 |
| | **random**
[rǽndəm] | 형 무작위의, 임의로 | a _____ sample
무작위 표본 |

> **TIP** 접미사 -ary('~(것)의, 연관이 있는'의 의미)가 붙는 단어 complimentary 칭찬하는, 무료의   elementary 기본적인, 초보의
> literary 문학의, 문학적인 solitary 혼자의, 단 하나의 stationary 움직이지 않는, 정지된

품사가 바뀌는 어휘 쌍

| 33 | **productive**
[prədʌ́ktiv] | 형 생산적인, 건설적인 | result in more efficient and _____ work 모의
더 효율적이고 생산적인 작업을 초래하다 |
| | **productivity**
[pròudʌktívəti] | 명 생산성 | the growth rate of labor _____ 수능
노동 생산성의 증가율 |

 상식 다:품 의자병(Sitting disease) 오래 앉아 있는 습관으로 인해 생기는 다양한 질환들을 가리키는 용어로, 허리디스크, 요통, 거북목 증후군, 손목터널증
후군 등을 들 수 있다. 의자병의 예방과 극복을 위해서는 앉아 있는 시간을 줄이고, 정해진 시간에 가벼운 스트레칭 등으로 몸을 풀며 공부하는 중간 자
세를 바꿔주는 것이 필요하다.

A 예비 영단어 또는 우리말 뜻 쓰기

1. remedy _____

2. accordingly _____

3. subdivided _____

4. furnish _____

5. homogeneous _____

6. arbitrary _____

7. fruitless _____

8. 분리할 수 없는, 뗄 수 없는 _____

9. 태평한, 느긋한 _____

10. 정부, 정권, 체제, 제도 _____

11. 생산적인, 건설적인 _____

12. 합리화하다 _____

13. 저항하는, 저항력이 있는;
    저항자 _____

14. 운, 재산 _____

B 내신 필수 밑줄 친 단어와 의미가 같은 표현 고르기

1. Although the property of brain plasticity is most <u>obvious</u> during development, the brain remains changeable throughout the life span. 모의

   ① unclear   ② fruitless   ③ apparent   ④ inseparable

2. New recruits are <u>furnished</u> with all the information needed to ease into their new roles.

   ① provided   ② concerned   ③ affected   ④ impressed

3. The one area in which the Internet could be considered an aid to thinking is the <u>rapid</u> acquisition of new information. 모의

   ① free   ② swift   ③ subdivided   ④ concentrated

4. Type B personalities are laid-back and <u>easygoing</u> as they are not highly competitive nor do they always fight the clock. EBS

   ① responsive   ② unchanged   ③ relaxed   ④ productive

5. The value of carbon sinks is that they can help create <u>equilibrium</u> in the atmosphere by removing excess CO_2. 모의

   ① productivity   ② balance   ③ variation   ④ regime

▶ 정답 p. 252

모의 1. He, who had an enduring interest in democracy, was prescient in understanding the dangers of concentrated / limited power, whether in corporations or in political leaders or exclusionary political institutions.

모의 2. Eventually, he saw a need for the nation to be blended / subdivided into "wards"—political units so small that everyone living there could participate directly in the political process.

모의 3. Some coaches erroneously believe that mental skills training (MST) can only help perfect the performance of highly skilled competitors. As a result, they shy away from MST, denying / rationalizing that because they are not coaching elite athletes, MST is less important.

모의 4. In fact, at high levels of competition, all athletes have the physical skills to be successful. Consequently, any small difference in physical / mental factors can play a huge role in determining performance outcomes.

모의 5. The audience members are not in the habit of observing closely the play of features of their fellow men—either in real life or at the movies. They are disappointed / satisfied with grasping the meaning of what they see.

모의 6. Things that in real life are imperfectly realized, merely hinted at, and entangled with other things appear in a work of art complete, entire, and free / inseparable from irrelevant matters.

모의 7. When people dependently / independently work with others, the wisdom of the crowd often turns into the stupidity of the group.

STEP 1
Single Words

기출 예문으로 핵심 어휘 학습

---

01 ★★☆

loyal
[lɔ́iəl]

형 충성스러운, 성실한

All the bosses who engaged in acts of care and concern have fiercely _____ employees. 모의

배려와 관심의 행동을 했던 모든 상사는 열렬히 충성스러운 부하 직원을 두고 있다.

---

02 ★★☆

integrity
[intégrəti]

명 진실성, 온전함

We all have an interest in maintaining the _____ of the ecosystem.

우리는 모두 생태계의 온전한 상태를 유지하는 것에 관심이 있다.

---

03 ★★☆

balanced
[bǽlənst]

형 균형 잡힌, 안정된

The moral deficiency is, in your view, _____ by a moral action. 모의   도덕성 부족은, 당신의 관점에서, 도덕적 행위에 의해 균형이 맞춰진다.

---

04 ★★☆

conventional
[kənvénʃənl]

형 기존의, 틀에 박힌, 전통적인

Another share will be invested in the shift from coal to more expensive fuels, like _____ gas. 수능

다른 몫은 석탄에서 재래식 가스와 같은 더 비싼 연료로의 이동에 투자될 것이다.

---

05 ★★☆

caring
[kéəriŋ]

형 배려하는, 보살피는
명 배려, 관심, 보살핌

Jane can't explain the impact of that moment, of the woman's unexpected kindness and unconditional _____. 모의

Jane은 그 여자의 예상치 못한 친절함과 무조건적인 관심과 그 순간이 준 충격을 설명할 수 없었다.

---

06 ★★★

achievement
[ətʃíːvmənt]

명 업적, 성취, 성공

A key factor in high _____ is bouncing back from the low points. 수능   대성공에서 중요한 요인은 최악의 상태에서 회복하는 것이다.

---

07 ★★☆

disclosure
[disklóuʒər]

명 폭로, 발각, 털어놓은 이야기

The amount of _____ increases over time. 모의

털어놓는 이야기의 양은 시간이 지나면서 증가한다.

---

08 ★★★

ethnic
[éθnik]

형 민족의, 인종의

I've seen couples from different _____ groups merge into harmonious relationships. 수능

나는 서로 다른 인종의 부부들이 조화로운 관계를 형성하는 것을 본 적이 있다.

---

09 ★★☆

concise
[kənsáis]

형 간결한

_____ expressions are better than long ones. EBS

간결한 표현이 긴 표현보다 더 낫다.

발음+짤강

10 ★★☆

☐☐☐ **metabolism**

[mətǽbəlìzm]

명 신진대사, 물질대사

What you do in the 15 to 30 minutes after eating your evening meal sends powerful signals to your _____. 수능

저녁 식사 후 15분에서 30분 후에 여러분이 하는 것이 여러분의 물질대사에 강력한 신호를 보낸다.

---

11 ★☆☆

☐☐☐ **retarded**

[ritá:rdid]

형 (지능) 발달이 더딘

Someone who is _____ is much less advanced mentally than most people of their age.

발달이 더딘 사람은 그들 나이의 대부분의 사람들보다 정신적으로 훨씬 덜 발달되어 있다.

---

12 ★★★

☐☐☐ **feedback**

[fí:dbæk]

명 반응, 의견, 피드백

Without an optimal amount of self-disclosure we deny an opportunity for others to know us and for ourselves to get appropriate _____. 모의   최적량의 자기 노출이 없다면 우리는 다른 사람들이 우리에 대해서 알 기회와 우리 자신이 적절한 피드백을 받을 기회를 받아들이지 않게 된다.

---

13 ★★★

☐☐☐ **render**

[réndər]

동 ~이 되게 만들다, 제공하다, 표현하다

They want to have the service _____ed to them in a manner that pleases them. EBS

그들은 그 서비스가 자신들을 기분 좋게 만드는 방식으로 제공되기를 원한다.

---

14 ★★☆

☐☐☐ **transition**

[trænzíʃən]

명 변천, 이행, 과도기

We need to ensure a smooth _____ between the old system and the new one.

우리는 구제도와 신설 제도 사이의 순조로운 이행을 확보할 필요가 있다.

---

15 ★★☆

☐☐☐ **federal**

[fédərəl]

형 연방의, 연방 정부의

A study of the 1974 Canadian _____ elections found that attractive candidates received many votes more than unattractive candidates. 수능   1974년 캐나다 연방 선거에 대한 연구는 매력적인 후보자들이 매력적이지 않은 후보자들보다 더 많이 득표했다는 것을 보여주었다.

---

16 ★☆☆

☐☐☐ **outlast**

[áutlæ̀st]

동 ~보다 오래 가다

These naturally dried flowers will _____ a bouquet of fresh blooms.

이 자연적으로 말린 꽃들은 신선한 꽃다발보다 오래 지속될 것이다.

---

17 ★★☆

☐☐☐ **respondent**

[rispándənt]

형 응답하는, 반응하는

명 응답자

The charts show how much of the information found using search engines is considered to be trustworthy by _____s.

수능   그 도표들은 검색 엔진을 사용해서 찾은 정보 중 얼마나 많은 것이 응답자들에 의해 신뢰할 만하다고 여겨지는지를 보여준다.

---

18 ★★☆

☐☐☐ **mortgage**

[mɔ́:rgidʒ]

명 주택 담보 대출, 융자

_____ rates are up again this month.

주택 담보 대출 금리가 이번 달에 또 올랐다.

STEP 2
Word Pairs

관련어 '쌍' 으로 암기

철자가 비슷한 어휘 쌍

loyalty [lɔ́iəlti]	몡 충실, 충성심	their _____ to a specific brand 모의 특정 브랜드에 대한 그들의 충성심
royalty [rɔ́iəlti]	몡 왕족, 왕위, 특허 사용료	in the presence of _____ 수능 왕족이 있는 곳에서

의미가 대치되는 어휘 쌍

convergence [kənvə́:rdʒəns]	몡 집합점, 집중성, 합류점	a _____ of strengths and values 모의 강점과 가치관의 합류점
divergence [divə́:rdʒəns]	몡 분기, 차이, 확산	a wide _____ of opinion 의견의 폭넓은 차이

determined [ditə́:rmind]	혱 결정된, 결심한, 단호한	a _____ effort to stop smoking 담배를 끊으려는 단호한 노력
hesitating [hézətèitiŋ]	혱 주저하는, 머뭇거리는	_____ over whether to join the fight 그 싸움에 참여할 것인지 말 것인지 머뭇거리는

의미가 반대되는 어휘 쌍

clumsy [klʌ́mzi]	혱 어설픈, 서투른, 눈치 없는	watch his _____ vacuuming job EBS 그의 서투른 진공청소기 청소 작업을 지켜보다
skillful [skílfəl]	혱 능숙한, 숙련된	_____ handling of the affair 능숙한 일 처리

reckless [réklis]	혱 무모한, 신중하지 못한	_____ driving EBS 신중하지 못한 운전
cautious [kɔ́:ʃəs]	혱 조심성 있는, 신중한	express _____ optimism 조심스러운 낙관론을 피력하다

precise [prisáis]	혱 정확한, 정밀한	the _____ location 수능 정확한 위치
imprecise [ìmprisáis]	혱 부정확한, 애매한, 모호한	an _____ picture of the past 모의 과거에 대한 부정확한 기억

consistent [kənsístənt]	혱 한결같은, 일관된	another _____ research finding 수능 또 다른 일관된 연구 결과
inconsistent [ìnkənsístənt]	혱 모순되는, 일관성 없는	_____ results 일관성 없는 결과들

internal [intə́:rnl]	혱 내부의	challenge your _____ status quo 수능 당신의 내적인 현재 상태에 대해서 도전하다
external [ikstə́:rnl]	혱 외부의	focus on _____ events EBS 외부 사건에 집중하다

TIP 접두사 in-('안으로'의 의미) / ex-('밖으로'의 의미)가 붙는 단어 inland 내륙의 insert 끼워 넣다 intake 섭취량, 유입량 inward 내부의 exhale 숨을 내쉬다 expel 퇴학시키다, 추방하다 explode 폭발하다, 터뜨리다 expose 드러내다, 노출시키다

의미가 비슷한 어휘 쌍

27

absurd
[æbsə́ːrd]
ㆍ형 불합리한, 터무니없는

an _____ and altogether destructive notion EBS
불합리하고 전적으로 해로운 개념

ridiculous
[ridíkjuləs]
ㆍ형 웃기는, 터무니없는

a _____ error 모의
터무니없는 오류

28

liable
[láiəbl]
ㆍ형 ~하기 쉬운, ~할 것 같은, 책임 있는

be _____ to be ruined EBS
파산하기 쉽다

prone
[proun]
ㆍ형 ~하는 경향이 있는

be _____ to listen to the success stories 모의
성공담을 듣는 경향이 있다

> TIP '~할 것 같은, ~하는 경향이 있는'을 나타내는 단어 apt / inclined ~하는 경향이 있는 disposed ~할 마음이 있는 likely ~할 것 같은

29

tragic
[trǽdʒik]
ㆍ형 비극적인, 비참한

a _____ death
비참한 죽음

miserable
[mízərəbl]
ㆍ형 비참한, 보잘것없는

_____ millionaires EBS
비참한 백만장자들

30

alternative
[ɔːltə́ːrnətiv]
ㆍ형 양자택일의, 대안의
ㆍ명 대용품, 대안

the sale of vegetarian meat _____s 수능
채식주의자 고기 대용품 판매

substitute
[sʌ́bstətjùːt]
ㆍ명 대체물, 대용물
ㆍ동 대신하다, 대체하다

a _____ for the actual rewards 모의
실제 보상을 대체하는 것

31

assessment
[əsésmənt]
ㆍ명 평가

plan common _____s 수능
공동 평가를 계획하다

evaluation
[ivæljuéiʃən]
ㆍ명 평가

our own apparent _____s EBS
우리 자신의 명백한 평가

품사가 바뀌는 어휘 쌍

32

efficient
[ifíʃənt]
ㆍ형 효율적인, 능률적인, 유능한

in the most _____ way EBS
가장 효율적인 방식으로

efficiency
[ifíʃənsi]
ㆍ명 효율성, 능률, 능력

economic _____ and adaptation 모의
경제적 효율과 적응

33

logic
[lάdʒik]
ㆍ명 논리, 논리학

its inner _____ of development EBS
그것의 내적인 발달 논리

logical
[lάdʒikəl]
ㆍ형 논리적인, 타당한

pick a particular road for a _____ reason 모의
논리적인 이유로 특정한 길을 택하다

 상식 다:품 클래시 페이크(Classy fake) '세련된'을 뜻하는 'classy'와 '가짜'를 뜻하는 'fake'를 합친 용어로, 진짜보다 더 가치 있는 '가짜'를 소비하는 현상을 의미한다. 의식주 전반과 사회 전 분야에서 가짜에 대한 관점이 변화하는 추세에서 비롯되었다. 동물을 보호하기 위해 인조 모피를 선호하고 식물성 재료로 만든 육류 제품이나 달걀 등이 그 예다. 이러한 형태의 소비를 적극적으로 하는 사람들은 페이크슈머(fakesumer)라고도 한다.

Review

A 예비 영단어 또는 우리말 뜻 쓰기

1. disclosure _____
2. outlast _____
3. assessment _____
4. clumsy _____
5. metabolism _____
6. conventional _____
7. render _____

8. 간결한 _____
9. 진실성, 온전함 _____
10. 연방의, 연방 정부의 _____
11. 주저하는, 머뭇거리는 _____
12. 주택 담보 대출, 융자 _____
13. 민족의, 인종의 _____
14. (지능) 발달이 더딘 _____

B 내신 필수 밑줄 친 단어와 의미가 같은 표현 고르기

1. In both 2010 and 2015, the sales of vegetarian meat <u>alternatives</u> were the lowest among the four types of ethical produce. 수능

① substitutes ② respondents ③ transitions ④ disclosures

2. Even if the whole population had been surveyed, to have given the result to two decimal points would have been <u>absurd</u>. 모의

① practical ② logical ③ ridiculous ④ precise

3. The more <u>prone</u> to anxiety a person is, the poorer his or her academic performance is. 수능

① determined ② liable ③ cautious ④ loyal

4. See if you can provide two possible interpretations for the verbal and nonverbal behavior observed and seek clarification of it in order to determine the accuracy of your <u>evaluation</u>. 모의

① achievement ② feedback ③ logic ④ assessment

5. Even more serious examples include describing rotting slums as 'substandard housing,' making the <u>miserable</u> conditions appear reasonable and the need for action less important. 수능

① conventional ② tragic ③ balanced ④ retarded

▶ 정답 p. 253

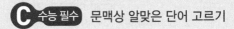

C 수능 필수 문맥상 알맞은 단어 고르기

모의 1. Deciding whether to spend Saturday afternoon relaxing with your family or exercising will be determined / hesitating by the relative importance that you place on family versus health.

2. The convergence / divergence of mobile technology and the Internet will continue to revolutionize the way businesses interact with consumers.

수능 3. Her only child had always been the focus of her attention and she was cautious / reckless not to lose him in the market.

수능 4. Inside a law court the precise / imprecise location of those involved in the legal process is an integral part of the design and an essential part of ensuring that the law is upheld.

모의 5. In perceiving changes, we tend to regard the most recent ones as the most revolutionary. This is often consistent / inconsistent with the facts. Recent progress in telecommunications technologies is not more revolutionary than what happened in the late nineteenth century in relative terms.

수능 6. Since there are three decades of evidence that dominating instruction with a system of controlling internal / external rewards may contribute to inferior learning, using a pedagogy based on theories of intrinsic motivation appears to be a more effective approach to enhancing learning among culturally diverse students.

수능 7. The two pie charts show how much of the information found using search engines is considered to be accurate or trustworthy by two groups of respondents / resistants in 2012.

01 ★★☆

specialization 명 전문화, 특수화
[spèʃəlizéiʃən]

Places differ in terms of population size, language, resources, environmental factors, industrial _____, local history, and human activities. 모의 지역은 인구 규모, 언어, 자원, 환경 요소, 산업의 전문화, 지역의 역사, 인간의 활동이라는 면에서 서로 다르다.

02 ★★☆

distrust 명 불신감
[distrást] 동 불신하다, 신뢰하지 않다

The silence and secrecy promotes _____. EBS
침묵과 비밀 상태로 인해 불신이 가중된다.

03 ★★★

compare 동 비교하다, 비유하다
[kəmpέər]

We find a story attached to that belief and _____ the story in our memory to the one we are processing. 모의
우리는 그 신념에 첨부된 이야기를 발견하여, 우리의 기억 속에 있는 그 이야기를 우리가 다루고 있는 이야기와 비교한다.

04 ★★☆

complaining 형 불평[불만]을 호소하는
[kəmpléiniŋ]

We spent much time in the social studies office _____ about a lack of time and playing the blame game. 수능
우리는 사회 교과 교무실에서 시간이 부족한 것에 대해 불평하면서 그리고 서로 비난하고 책임 전가를 하면서 많은 시간을 보냈다.

05 ★★☆

direction 명 방향, 지시, 감독
[dirékʃən]

It functions to indicate the _____ of a biologically significant improvement of circumstances. 수능
그것은 생물학적으로 상황에 대한 상당한 개선의 방향을 보여주는 기능을 한다.

06 ★★★

distance 명 거리, 간격, 원거리
[dístəns]

As the brain evolved, people who saw _____s to goals as shorter might have gone after what they wanted more often. 모의
뇌가 진화함에 따라, 목표물까지의 거리를 더 가깝게 본 사람들은 그들이 원했던 것을 더욱 자주 쫓을 수 있었을 것 같다.

07 ★☆☆

irresponsibility 명 무책임
[ìrispὰnsəbíləti]

It was an act of gross _____ to leave someone who wasn't properly trained in charge of the machine.
기계 다루는 것을 제대로 훈련받지 못한 사람을 방치한 것은 중대한 무책임의 행위였다.

08 ★★☆

management 명 관리, 경영
[mǽnidʒmənt]

The problem is _____ practices and a lack of concerted research. 모의 문제는 관리 관행과 공동 연구의 부족이다.

09 ★★☆

notion 명 개념, 관념, 생각
[nóuʃən]

The _____ that events always occur in a field of forces would have been completely intuitive to the Chinese. 수능
사건은 언제나 여러 힘이 작용하는 장에서 발생한다는 개념은 중국인에게 전적으로 직관적이었을 것이다.

발음+짤강

10 ★★☆

drought
[draut]

명 가뭄, 결핍

Having an adequate farming system helps farmers overcome long-term _____s. 모의
적절한 농경 체계를 가지는 것은 농부들이 장기적 가뭄을 극복하는 데 도움을 준다.

11 ★★☆

technical
[téknikəl]

형 기술적인, 전문적인

They are media which are both integrated and interactive and use digital code and hypertext as _____ means. 수능
그것들은 통합적이고 쌍방향이며 기술적 수단으로 디지털 코드와 하이퍼텍스트를 사용하는 매체이다.

12 ★★★

inevitable
[inévətəbl]

형 불가피한, 필연적인

Repetition of experience helps them build confidence and learn to cope with their _____ nervousness. 모의
반복된 경험은 그들이 자신감을 가지도록, 그리고 그들의 불가피한 불안감에 대처하는 것을 배우도록 돕는다.

13 ★☆☆

infant
[ínfənt]

형 유아의
명 유아, 아기

_____s who are able to sit alone are granted an entirely different perspective on the world. 모의
혼자서 앉을 수 있는 유아는 세상에 대한 완전히 다른 시각을 부여받게 된다.

14 ★★☆

drowsy
[dráuzi]

형 졸리는

The tablets may make you feel _____.
그 약은 당신을 졸리게 만들 수 있다.

15 ★★☆

retire
[ritáiər]

동 은퇴하다

Long _____d, he had no hobbies of his own. EBS
오래 전에 은퇴한 후, 그는 자신만의 취미가 없었다.

16 ★★☆

assent
[əsént]

명 승인, 찬성
동 동의[찬성]하다

Nodding your head is taken as a sign of _____. EBS
머리를 끄덕이는 것은 승인의 표시로 받아들여진다.

17 ★★☆

trustworthy
[trʌ́stwə̀rði]

형 신뢰할 수 있는

The goldsmiths earned much higher wages than workers of a similar skill because they were perceived to be _____. 모의
그 금 세공업자들은 신뢰할 만한 사람으로 여겨졌기 때문에, 유사한 기술을 갖고 있는 노동자들보다 훨씬 더 많은 임금을 받았다.

18 ★★☆

assert
[əsə́:rt]

동 주장하다, 단언하다

Students sometimes discourage themselves by _____ing that they will never have any practical use for the academic material. EBS 학생들은 학술 자료를 결코 실질적으로 필요로 하지 않을 것이라고 단언함으로써 때때로 스스로의 의욕을 떨어뜨린다.

STEP 2
Word Pairs

관련어 '쌍' 으로 암기

철자가 비슷한 어휘 쌍

| 19 | complement [kámpləmənt] | 명 보충물, 보완물 동 보충[보완]하다 [kámpləmènt] | _____ the natural features EBS 자연 지형을 보완하다 |
| | compliment [kámpləmənt] | 명 칭찬 동 칭찬하다 | take all _____ s at their face value 수능 모든 칭찬을 있는 그대로 받아들이다 |

| 20 | cub [kʌb] | 명 (짐승의) 새끼, 어린 짐승 | a female bear with _____ s EBS 새끼가 있는 암컷 곰 |
| | curb [kəːrb] | 명 억제, 구속 동 억제하다, 제한하다 | _____ a selfish instinct EBS 이기적인 본능을 억제하다 |

접사가 힌트를 주는 어휘 쌍

| 21 | undo [əndú] | 동 원상태로 돌리다, 매듭을 풀다 | _____ some of our actions EBS 우리 행동들의 일부를 원상태로 되돌리다 |
| | unemployed [ʌnemplóid] | 형 실직한, 실업의 명 실업자 | the long-term _____ 장기 실업자 |

| 22 | undoubtedly [ʌndáutidli] | 부 의심할 여지없이, 분명히 | _____ attack, criticize, and blame 모의 의심할 여지없이 공격하고, 비판하고, 비난하다 |
| | unpredictably [ʌnpridíktəbli] | 부 예측할 수 없게 | the disease that seems to strike _____ 예측할 수 없게 발병하는 것으로 보이는 질병 |

의미가 반대되는 어휘 쌍

| 23 | blunt [blʌnt] | 형 무딘, 뭉툭한 | a _____ knife 무딘 칼 |
| | sharp [ʃɑːrp] | 형 날카로운, 뾰족한 | short and _____ strokes of the brush 모의 짧고 날카로운 붓놀림 |

TIP   blunt의 다른 의미   형 직설적인   a blunt or more direct way 직설적이거나 더 직접적인 방식   a blunt answer 직설적인 대답

| 24 | humble [hʌ́mbl] | 형 겸손한, 소박한, 비천한 | _____ materials and poor beginnings 모의 시시한 재료들과 보잘것없는 발단 |
| | noble [nóubl] | 형 귀족의, 고귀한, 고결한 | a _____ aim 모의 고귀한 목적 |

| 25 | individual [ìndəvídʒuəl] | 형 개별적인, 단일의, 개개의 | provide more built-up space on _____ sites 모의 개별 부지에 더 많은 건물 밀집 공간을 제공하다 |
| | collective [kəléktiv] | 형 공동의, 집단적인 | focus on the group's _____ objectives 모의 집단의 공동 목표에 집중하다 |

| 26 | conscious [kánʃəs] | 형 의식하는, 자각하는 | on a _____ level 모의 의식적인 차원에서 |
| | unconscious [ənkánʃəs] | 형 무의식적인, 의식이 없는 | our automatic, _____ habits 모의 우리의 자동적이고 무의식적인 습관 |

발음+짤강

| 27 | **former**
[fɔ́ːrmər] | 휑 전자의, 과거의, 이전의 | the brains of the _____ primitives 수능
이전의 원시인들의 두뇌 |
| | **latter**
[lǽtər] | 휑 후자의, 후반의 | the _____ group 수능
후자 집단 |

| 28 | **surplus**
[sə́ːrplʌs] | 명 흑자, 과잉, 여분 | a trade _____
무역 흑자 |
| | **deficit**
[défəsit] | 명 적자, 부족 | the U.S. government's budget _____ EBS
미국 정부의 예산 적자 |

의미가 **비슷한** 어휘 쌍

| 29 | **breed**
[briːd] | 동 낳다, 양육하다, 번식하다 | the invention of hybrid _____ing of maize 수능
옥수수의 집종 번식 발명 |
| | **reproduce**
[rìprədúːs] | 동 재생하다, 번식하다,
복사하다 | _____ and become our ancestors EBS
번식하여 우리의 조상이 되다 |

| 30 | **falsify**
[fɔ́ːlsəfài] | 동 위조하다, 조작하다,
거짓임을 입증하다 | be arrested for _____ing information
정보를 조작한 혐의로 체포되다 |
| | **forge**
[fɔ́ːrdʒ] | 동 위조하다 | _____ a passport
여권을 위조하다 |

TIP '위조하다'와 관련된 단어   fake 위조하다, 속이다   counterfeit 위조하다, 모조하다   copy 복사하다, 베끼다, 모방하다   imitate 모방하다
replicate 모사하다, 복제하다   simulate ~한 체[척]하다, 가장하다

품사가 **바뀌는** 어휘 쌍

| 31 | **represent**
[rèprizént] | 동 대표하다, 나타내다 | _____ a party
당을 대표하다 |
| | **representative**
[rèprizéntətiv] | 휑 대표하는
명 대표자, 대리인 | the _____s for each ward in the capital 모의
수도에 있는 각 구의 대표들 |

| 32 | **dignity**
[dígnəti] | 명 위엄, 존엄성, 품위 | offend the human _____ EBS
인간의 품위를 손상시키다 |
| | **dignify**
[dígnəfài] | 동 위엄 있어 보이게 하다 | _____ the occasion
그 행사의 품위를 살려 주다 |

| 33 | **plea**
[pliː] | 명 애원, 탄원, 간청 | a _____ to industries to stop pollution
산업체들에 대한 공해 중단 간청 |
| | **plead**
[pliːd] | 동 간청하다, 변호하다 | _____ for forgiveness EBS
용서를 간청하다 |

 코그니사이즈(Cognicise) '인식 기능'을 뜻하는 'cognition'과 '운동'을 뜻하는 'exercise'의 합성어로, 근육운동을 하면서 동시에 두뇌를 사용하여 치매를 예방하도록 고안된 운동법이다. 하체 근육을 단련하는 스쿼트(squat) 동작을 하면서 뺄셈이나 끝말잇기를 하며 두뇌를 자극하는 등의 방식으로 이루어지며, 하루에 30분, 일주일에 최소 세 번 이상 하면 효과를 볼 수 있다고 한다.

Review

A 예비 영단어 또는 우리말 뜻 쓰기

1. notion _____

2. conscious _____

3. direction _____

4. drowsy _____

5. undoubtedly _____

6. surplus _____

7. infant _____

8. 애원, 탄원, 간청 _____

9. 가뭄, 결핍 _____

10. 승인, 찬성; 동의[찬성]하다 _____

11. 은퇴하다 _____

12. 무딘, 뭉툭한 _____

13. 적자, 부족 _____

14. 불가피한, 필연적인 _____

B 내신 필수 밑줄 친 단어와 의미가 같은 표현 고르기

1. Nobody would <u>assent</u> to the terms they proposed.

   ① dignify   ② assert   ③ agree   ④ retire

2. When space and food are scarce, the trout remain smaller and <u>reproduce</u> more slowly. 모의

   ① dwindle   ② breed   ③ forge   ④ complement

3. They hired a top lawyer to <u>plead</u> their case.

   ① doubt   ② disregard   ③ defend   ④ discover

4. The knot was fastened in such a way that it was impossible to <u>undo</u>.

   ① encompass   ② compromise   ③ intensify   ④ loosen

5. What is distinctive about science is the search for negative instances—the search for ways to <u>falsify</u> a theory, rather than to confirm it. 수능

   ① deconstruct   ② disprove   ③ compare   ④ distrust

▶ 정답 p. 253

C 수능 필수 문맥상 알맞은 단어 고르기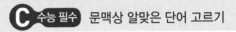

모의 **1.** The people who had made their selections of a study set after less conscious / unconscious examination were happier than those who made their purchase after a lot of careful examination.

수능 **2.** Both humans and rats adaptively adjust their eating behavior in response to deficits / surpluses in water, calories, and salt. Experiments show that rats display an immediate liking for salt the first time they experience a salt deficiency.

모의 **3.** A pile of dried-up brown needles had accumulated beneath the tree, and you can't imagine the pain those blunt / sharp spruce needles caused to my body.

수능 **4.** To say that we need to cub / curb anger and our negative thoughts and emotions does not mean that we should deny our feelings.

수능 **5.** The great climatic change the lake underwent and continued evaporation, exceeding the inflow of fresh water, reduced the lake to one-twentieth of its former / latter size.

EBS **6.** *Feng shui* has helped shape the characteristic Chinese landscape where buildings complement / compliment the natural features.

모의 **7.** The norms of scientific communication presuppose that knowledge isn't knowledge unless it has been authorized by disciplinary specialists. A scientific truth has little standing until it becomes a(n) collective / individual product.

STEP 1
Single Words
기출 예문으로 핵심 어휘 학습

01 ★☆☆

devotedly
[divóutidli]

(부) 헌신적으로, 열심히

She had nursed her father _____ until his death.
그녀는 아버지가 돌아가실 때까지 헌신적으로 간호했다.

02 ★★★

routine
[ru:tí:n]

(형) 일상적인
(명) 판에 박힌 일상

They stick to _____s for no reason other than the ease of a comfortable, predictable life. 수능
그들은 편안하고 예측 가능한 삶이 쉽다는 이유만으로 판에 박힌 일상을 고수한다.

03 ★★☆

revive
[riváiv]

(동) 되살리다, 부활시키다

They wanted to do something that might _____ their dying community. 모의
그들은 죽어가는 지역사회를 부흥시킬지도 모를 무엇인가를 하고 싶었다.

04 ★★★

indirect
[ìndərékt]

(형) 간접적인

It will be _____ when the government passes legislation that makes the desired activity more profitable. 수능
그것은 정부가 바람직한 활동을 더 수익성이 있게 만드는 법률을 통과시킨다는 점에서 간접적일 것이다.

05 ★☆☆

constancy
[kánstənsi]

(명) 불변, 항구성

The secret of success is _____ of purpose.
성공의 비결은 초지일관이다.

06 ★★☆

ethical
[éθikəl]

(형) 윤리적인, 도덕적인

This growing emphasis on _____ consumption is a trend that cannot be ignored. 모의
윤리적 소비에 대한 이런 커지는 중요성은 무시될 수 없는 추세이다.

07 ★★★

surprising
[sərpráiziŋ]

(형) 놀라운, 놀랄 만한

It is not _____ that humans use all their five senses to analyze food quality. 수능
인간이 음식의 질을 분석하기 위해 자신의 모든 오감을 사용하는 것은 놀랍지 않다.

08 ★☆☆

imitable
[ímitəbl]

(형) 모방할 수 있는, 본받을 만한

This translates into valuable resources that are neither perfectly _____ nor substitutable without great effort.
이것은 엄청난 노력 없이는 완벽하게 모방하거나 대체할 수 없는 귀중한 자원으로 해석된다.

09 ★★★

challenge
[tʃǽlindʒ]

(명) 도전
(동) 도전하다, 도전 의식을 북돋우다

The desire to make money can _____ and inspire us. 수능
돈을 벌고자 하는 욕구는 우리에게 도전 정신을 심어 주고 영감을 줄 수 있다.

발음+짤강

공부한 날 1회 │ 월   일   2회 │ 월   일   3회 │ 월   일

10 ★★★

reverse
[rivə́:rs]

형 반대의, 역전된
동 뒤바꾸다, 뒤집다, 되돌리다

Efforts are getting underway to reduce or _____ future global warming. EBS
미래의 지구 온난화를 약화시키거나 뒤엎기 위해서 노력들이 진행되고 있다.

11 ★★☆

archive
[á:rkaiv]

명 기록 보관소

Sometimes researchers have to search _____s of aerial photographs to get information from the past. 수능
때때로 연구원들은 과거로부터의 정보를 얻기 위해 항공사진의 기록 보관소를 뒤져야 한다.

12 ★★★

transfer [trǽnsfər] 명 이동, 전학, 환승
[trænsfə́:r] 동 옮기다, 이동하다, 갈아타다

Containers were used to _____ mature trees from their native countries of origin to the king's palace. EBS
용기들은 다 자란 나무들을 원산지 국가에서 왕의 궁전으로 옮기는 데 사용되었다.

13 ★☆☆

retort
[ritɔ́:rt]

동 말대꾸하다, 응수하다, 반박하다

Sam _____ed that it was my fault as much as his.
Sam은 그것은 자기 잘못만큼이나 내 잘못이기도 하다고 응수했다.

14 ★★☆

oval
[óuvəl]

형 계란형의, 타원형의
명 타원형

We see car wheels as round even though the retinal image is _____. EBS
우리는 망막의 상이 타원형이라 하더라도 자동차 바퀴를 둥근 것으로 간주한다.

15 ★★☆

revenge
[rivéndʒ]

명 복수, 보복
동 복수하다

He had been seeking a chance for _____.
그는 복수를 위한 기회를 찾고 있었다.

16 ★★☆

irrigation
[ìrəgéiʃən]

명 관개, 물을 끌어들임

At the time of its completion, it was the longest _____ tunnel in the world. 모의
완공 당시에, 그것은 세계에서 가장 긴 관개 터널이었다.

17 ★★☆

customary
[kʌ́stəmèri]

형 관례적인, 습관적인

Most people in the United States using US _____ units have resisted adopting the metric system. 수능
미국의 관습적 단위를 사용하는 미국의 대부분의 사람들은 미터법 채택에 저항해 왔다.

18 ★☆☆

itinerary
[aitínərèri]

명 여정, 여행 일정표

If you're interested in reaching the top, consider adding at least one extra day onto the climbing _____. EBS
당신이 정상에 도달하는 것에 관심이 있다면, 등산 일정에 최소한 하루를 더 추가하는 것을 고려하라.

STEP 2
Word Pairs

관련어 '쌍' 으로 암기

철자가 비슷한 어휘 쌍

19 arise
[əráiz]
동 일어나다, 생기다, 발생하다
the problems that _____ from this factor EBS
이런 요인으로부터 발생하는 문제들

arouse
[əráuz]
동 깨우다, 불러일으키다
_____ an empathetic reaction 수능
공감할 수 있는 반응을 불러일으키다

20 comparable
[kámpərəbl]
형 필적하는, 비교할 만한
no _____ advance in ethical behavior 모의
윤리적 행동에서는 그에 필적하는 진보가 없는

comparative
[kəmpærətiv]
형 비교적, 상당한, 상대적인
access it with _____ ease 모의
비교적 쉽게 그것에 접근하다

21 compulsory
[kəmpʌ́lsəri]
형 필수의, 의무적인, 강제적인
_____ education
의무 교육

compulsive
[kəmpʌ́lsiv]
형 강박적인, 강제적인
a _____ eating disorder
강박적인 섭식 장애

접사가 힌트를 주는 어휘 쌍

22 ultrasound
[ʌ́ltrəsàund]
명 초음파
an _____ scan
초음파 검사

ultraviolet
[ʌ̀ltrəváiəlit]
형 자외(선)의
명 자외선
be exposed to _____ (UV) light 모의
자외선에 노출되다

23 extraordinary
[ikstrɔ́ːrdənèri]
형 비범한, 엄청난, 보통이 아닌
witness _____ advances in medicine 모의
의학에서 엄청난 발전이 이루어지다

extraterrestrial
[èkstrətəréstriəl]
형 외계의, 지구 밖 생물체의
명 외계인, 우주인
_____ beings
외계인

TIP 접두사 ultra-('초(超)'의 의미) / extra-('~ 외의, ~을 넘어선'의 의미)가 붙는 단어 ultralight 초경량의 ultramodern 초현대적인
extracurricular 정규 교과 외의 extravert 외향적인 extrasensory 지각을 넘어선, 초감각적인

의미가 대치되는 어휘 쌍

24 retail
[ríːteil]
형 소매의
명 소매
prices in most _____ outlets 모의
대부분의 소매점에서의 가격

wholesale
[hóulsèil]
형 도매의, 대량의
명 도매
_____ prices
도매 가격

의미가 반대되는 어휘 쌍

25 relevant
[réləvənt]
형 관련된, 적절한
directly _____ to the topic EBS
주제와 직접적으로 관련된

irrelevant
[iréləvənt]
형 무관한, 부적절한
separate the essential from the _____ 수능
필수적인 것과 무관한 것을 걸러내다

26 agree
[əgríː]
동 동의하다, 합의하다
_____ to bring the task to completion 모의
그 일을 끝내기로 동의하다

disagree
[dìsəgríː]
동 동의하지 않다
_____ with the idea of exposing babies to computers 모의 아기들을 컴퓨터에 노출시키는 것에 대해 동의하지 않다

의미가 **비슷한** 어휘쌍

| 27 | **childish** [tʃáildiʃ] | 형 어린애 같은, (성인이) 유치한 | _____ handwriting 어린애 같은 필체 |
| | **childlike** [tʃáildlàik] | 형 아이 같은, 순진한 | _____ enthusiasm 아이 같은 열정 |

> **TIP** childish와 childlike의 의미 차이
> childish 부정적인 의미   be ashamed of our childish behavior 우리의 유치한 행동을 부끄럽게 여기다
> childlike 긍정적인 의미   a childlike innocence 아이 같은 순수함

| 28 | **inborn** [ínbɔ́ːrn] | 형 타고난, 선천적인 | an _____ tolerance for risk 수능 위험에 대해 타고난 내성 |
| | **innate** [inéit] | 형 타고난, 선천적인 | an _____ sense of justice 타고난 정의감 |

| 29 | **incessant** [insésnt] | 형 끊임없는, 쉴 새 없는 | the _____ traffic noise 끊임없는 교통 소음 |
| | **constant** [kánstənt] | 형 일정한, 끊임없는, 불변의 | be accompanied by _____ self-evaluation EBS 끊임없는 자기 평가가 수반되다 |

| 30 | **inflate** [infléit] | 동 부풀게 하다, 물가를 올리다 | an oxygen-_____d plastic bag 수능 산소로 부풀려진 비닐봉지 |
| | **swell** [swel] | 동 부풀다, 증가시키다 | _____ up to three times the normal size 보통 크기의 세 배까지 부풀다 |

품사가 **바뀌는** 어휘 쌍

| 31 | **assist** [əsíst] | 동 돕다, 거들다 | _____ the child to stay connected to the new story 모의 아이가 그 새로운 이야기와 연결된 상태를 유지하도록 도와주다 |
| | **assistant** [əsístənt] | 명 조수, 보조원 | _____ director 수능 조감독 |

| 32 | **consequence** [kánsəkwèns] | 명 결과, 영향, 중요성 | wholly unexpected _____s EBS 완전히 예상치 못한 결과 |
| | **consequently** [kánsəkwèntli] | 부 결과적으로, 따라서 | have _____ never been close 결과적으로 결코 가까워지지 않았다 |

| 33 | **definite** [défənit] | 형 분명한, 명확한 | in accordance with _____ rules 모의 명확한 규칙에 따라 |
| | **definitely** [défənitli] | 부 분명히, 절대로, 확실히 | _____ has its advantages as well 모의 분명히 이점도 있다 |

 상식 다:품   베블렌 효과(Veblen effect) 고급 사치품이 비쌀수록 잘 팔리는 것처럼 특정 계층의 과시욕 또는 허영심에 의해 가격이 오르는 물건에 대해 수요가 발생하는 현상을 의미한다. 이는 주로 상류층 소비자에게 나타나는데 그들은 주위의 시선을 의식하거나 자신의 계층을 과시하기 위해서 값비싼 물건을 소비한다.

Review

A 예비 영단어 또는 우리말 뜻 쓰기

1. definitely _____
2. oval _____
3. ethical _____
4. reverse _____
5. compulsory _____
6. arouse _____
7. revive _____

8. 관련된, 적절한 _____
9. 말대꾸하다, 응수하다, 반박하다 _____
10. 일상적인; 판에 박힌 일상 _____
11. 복수, 보복; 복수하다 _____
12. 관개, 물을 끌어들임 _____
13. 헌신적으로, 열심히 _____
14. 강박적인, 강제적인 _____

B 내신 필수 밑줄 친 단어와 의미가 같은 표현 고르기

1. As an investigator, I used eye-blocking behaviors to <u>assist</u> in the arson investigation of a tragic hotel fire in Puerto Rico. 모의

   ① help   ② arise   ③ inflate   ④ reverse

2. <u>Consequently</u>, psychological, social, as well as the physical diets provided by parents must all be healthy or the children learn to repeat the unhealthy patterns of their parents. 모의

   ① Devotedly   ② Similarly   ③ Definitely   ④ Accordingly

3. This is the daily experience of parents troubled by <u>constant</u> quarreling between toddlers. 모의

   ① random   ② incessant   ③ irregular   ④ arbitrary

4. Experienced martial artists use their experience as a filter to separate the essential from the <u>irrelevant</u>. 수능

   ① appropriate   ② unrelated   ③ consistent   ④ critical

5. Some researchers speculate that the urge to cooperate is simply <u>innate</u> in humans. EBS

   ① indirect   ② infant   ③ inborn   ④ inevitable

▶ 정답 p. 254

C 수능 필수 문맥상 알맞은 단어 고르기

수능 1. Buildings arise / arouse an empathetic reaction in us through these projected experiences, and the strength of these reactions is determined by our culture, our beliefs, and our expectations.

모의 2. This preliminary structural analysis and acquaintance with the site chosen for the sculpture is compulsory / compulsive before working on its design; it is a requirement for successful integration in the specific space.

모의 3. The study found that circular seating arrangements typically activated people's need to belong. This effect was revenged / reversed , however, when the seating arrangement was either angular (think L-shaped) or square. These seating arrangements tended to activate people's need for uniqueness.

모의 4. Some people agree / disagree with the idea of exposing three-year-olds to computers. They insist that parents stimulate their children in the traditional ways through reading, sports, and play—instead of computers.

모의 5. After enjoying a few years of comparable / comparative safety, disaster of a different kind struck the Great Auk.

모의 6. When farmers have direct access to consumers, they are able to keep more of each dollar earned from a sale, because the middle-man is eliminated. This increases profits to producers and keeps their farms competitive with the traditional retail / wholesale chain stores.

수능 7. Except for extraordinary / extraterrestrial exceptions, when people find ways to intervene using methods more powerful than our tendency toward equilibrium, our habits, behaviors, thoughts, and our quality of life stay pretty much the same too.

01 ★★☆

accommodate 동 숙박시키다, 수용하다

[əkámədèit]

The railway station can _____ a constant crowd of travelers. **EBS** 그 기차역은 끊임없는 여행객 무리들을 수용할 수 있다.

02 ★★☆

replace 동 대신하다, 대체하다

[ripléis]

The ancient distaff and spindle are examples that were _____d by the spinning wheel in the Middle Ages. **모의**
고대의 실을 감는 막대와 추가 중세에 물레로 대치된 예이다.

03 ★★☆

labor 명 노동, 근로
동 노동하다

[léibər]

The great musicians simply postponed the unpleasant manual _____ of committing their music to paper until it became absolutely necessary. **모의** 위대한 음악가들은 절대적으로 필요할 때까지 자신들의 음악을 종이에 옮기는 유쾌하지 않은 육체노동을 미루어두었을 뿐이었다.

04 ★★★

performance 명 수행, 성과, 공연

[pərfɔ́:rməns]

Interestingly, being observed has two quite distinct effects on _____. **수능**
흥미롭게도, 다른 누군가가 지켜보고 있다는 것은 수행에 두 가지 매우 상이한 영향을 미친다.

05 ★★☆

rank 명 계급, 지위, 줄
동 (등급·순위를) 매기다, 정렬시키다

[ræŋk]

As for men, the Republic of Korea and Singapore will _____ the first and the second highest, respectively, in life expectancy in the five countries. **모의** 남자의 경우는, 대한민국과 싱가포르가 5개국의 기대 여명에서 각각 첫째와 둘째의 등위를 기록할 것이다.

06 ★★☆

budget 명 예산, 비용

[bʌ́dʒit]

This point is well illustrated by the number of low-_____ movies that have succeeded with little or no advertising. **모의**
이 점은 거의 광고하지 않거나 전혀 광고하지 않고도 성공한 저예산 영화의 수에 잘 나타난다.

07 ★★☆

reputation 명 평판, 명성

[rèpjutéiʃən]

Ehret's _____ for scientific accuracy gained him many commissions from wealthy patrons. **수능**
과학적 정확성에 대한 Ehret의 명성은 그가 부유한 후원자로부터 많은 일을 위탁받게 했다.

08 ★★☆

preference 명 선호도, 애호

[préfərəns]

When you joined our program, you expressed a _____ not to receive mail from us. **EBS**
우리 프로그램에 등록했을 때, 당신은 우리에게서 메일을 받지 않는 것에 선호를 표시했다.

09 ★★☆

variability 명 가변성, 변동성

[vɛ̀əriəbíləti]

The changes were attributed to natural climatic _____.
그 변화들은 자연적 기후의 변동성에 기인했다.

발음+짤강

10 ★★☆

roar
[rɔːr]

동 으르렁거리다,
궁음을 내다

A mudflow _____ed down the east slope of the mountain.
EBS 이류(泥流)가 산의 동쪽 경사면으로 궁음을 내며 흘러내렸다.

11 ★★☆

tenant
[ténənt]

명 세입자, 거주자, 주민

A landlord had to do more than select _____s and collect rent money. EBS
집주인은 세입자를 선정하고 임차료를 걷는 것 이상의 일을 해야 했다.

12 ★☆☆

rust
[rʌst]

명 녹
동 녹슬다, 부식하다

The old padlock was red with _____.
낡은 자물쇠는 녹이 슬어서 빨갛게 되었다.

13 ★★★

congestion
[kəndʒéstʃən]

명 혼잡, 밀집, 정체

There is growing evidence that dependence on automobile travel contributes to transport-related carbon dioxide emissions and traffic _____. 모의 자동차를 통한 이동에 의존하는 것은 교통 관련 이산화 탄소 배출과 교통 혼잡의 원인이라는 증거가 늘어나고 있다.

14 ★☆☆

brute
[bruːt]

형 잔인한, 신체적인 힘에만
의존하는
명 짐승, 짐승 같은 사람

The man was a drunken _____.
그 남자는 술 취한 야수였다.

15 ★★☆

bulletin
[búlitən]

명 게시, 회보, 공고,
뉴스 속보

The government will issue an official _____ later this week.
정부는 이번 주 후반에 공식 회보를 발표할 것이다.

16 ★★★

poverty
[pávərti]

명 가난, 빈곤

People may inhabit very different worlds even in the same city, according to their wealth or _____. 모의
사람들은 자신의 부나 가난에 따라 심지어 같은 도시에서도 매우 다른 세상에서 살 수 있다.

17 ★★☆

burnout
[bə́ːrnàut]

명 극도의 피로, 쇠진,
연료 소진

Long and unpredictable work hours have led to _____ and frustration.
오랜 시간 동안 예측할 수 없는 근무 시간으로 인해 소진되고 좌절되었다.

18 ★★☆

satire
[sǽtaiər]

명 풍자, 해학

His blend of _____ and humor made for a highly specific writing style.
그의 풍자와 유머의 혼합은 매우 특별한 문체가 되는 데 기여했다.

STEP 2
Word Pairs

관련어 '쌍'으로 암기

| 19 | **gloss**
[glɑs] | 명 광택, 윤, 겉치레 | paper with a _____ on one side
한쪽 면에 광택이 나는 종이 |
| | **gross**
[grous] | 형 전체의, 엄청난, 역겨운 | _____ human inequality 수능
엄청난 인간 불평등 |

| 20 | **decay**
[dikéi] | 동 부패하다, 부식하다 | remove _____ed parts of the tooth EBS
치아의 부식된 부분을 제거하다 |
| | **decoy**
[díːkɔi] 명 유인하는 사람, 바람잡이
[dikɔ́i] 동 유인하다, 꾀어내다 | | _____ the enemy
적을 유인하다 |

| 21 | **empathize**
[émpəθàiz] | 동 공감하다, 감정이입을 하다 | a person's inability to _____ with others
다른 사람과 공감하지 못하는 사람 |
| | **emphasize**
[émfəsàiz] | 동 강조하다, 힘주어 말하다 | _____ the dangers of nuclear power EBS
원자력 발전의 위험성을 강조하다 |

| 22 | **monolingual**
[mànəlíŋgwəl] | 형 하나의 언어를 사용하는 | a _____ dictionary
단일어 사전 |
| | **bilingual**
[bailíŋgwəl] | 형 이중 언어를 사용하는 | _____ air traffic control EBS
이중 언어를 사용하는 항공 교통 관제 |

| TIP | 접두사 mono-('하나'의 의미) / bi-('이중'의 의미)가 붙는 단어 monologue 독백, 독백 형식의 극 monotone 단조로운; 단조로움
biannual 연 2회의 bicentenary 200주년 기념일 bimonthly 두 달에 한 번의, 월 2회의 |

| 23 | **caution**
[kɔ́ːʃən] | 명 신중, 조심, 경고 | approach the danger zone with extreme _____ 모의
극도로 신중하게 위험 지역에 접근하다 |
| | **precaution**
[prikɔ́ːʃən] | 명 예방책, 예방 조치 | safety _____s 모의
안전 예방책 |

| 24 | **prehistoric**
[prìːhistɔ́rik] | 형 선사 시대의 | _____ art EBS
선사 시대의 예술 |
| | **premature**
[prìːmətʃúər] | 형 시기상조의, 조숙한, 조산의 | a _____ judgement
너무 이른 판단 |

| 25 | **newbie**
[njúːbiː] | 명 (컴퓨터 사용의) 초보자,
신출내기 | a _____ cameraman
초보 촬영기사 |
| | **knowbie**
[nóubi] | 명 노우비(지식과 경험이 풍부한
인터넷 사용자) | a _____ that is a knowledgeable or experienced
user of the Internet 지식이나 경험이 풍부한 인터넷 사용자인 노우비 |

| 26 | **vacant**
[véikənt] | 형 비어 있는, ~이 없는 | in a tent on a street corner or _____ lot EBS
길모퉁이에 있는 텐트 안이나 공터 |
| | **occupied**
[ákjupàid] | 형 사용 중인, 차지된 | _____ time 모의
차지된 시간 |

| 27 | **static**
[stǽtik] | 형 고정된, 정지 상태의
명 잡음, 정전기 | _____ and lifeless EBS
움직임이 없고 생명이 없는 |
| | **dynamic**
[dainǽmik] | 형 역동적인, 활발한
명 힘, 원동력 | _____ and well-ordered minds 모의
역동적이고 질서가 잡힌 정신 |

의미가 비슷한 어휘 쌍

| 28 | **scatter**
[skǽtər] | 동 뿌리다, 흩어지게 하다 | _____ powder 모의
가루를 뿌리다 |
| | **sprinkle**
[spríŋkl] | 동 뿌리다 | _____ a few herbs on the pizza
피자에 약간의 허브를 뿌리다 |

| 29 | **scrutinize**
[skrú:tənàiz] | 동 세심히 살피다,
면밀히 조사하다 | be _____d by other scientists EBS
다른 과학자들에 의해 자세히 검토되다 |
| | **investigate**
[invéstəgèit] | 동 조사하다, 살피다 | _____ the patterns EBS
형태를 조사하다 |

| 30 | **forum**
[fɔ́:rəm] | 명 포럼, 공개 토론의 장, 토론회 | a _____ for discussion
토론의 장 |
| | **convention**
[kənvénʃən] | 명 집회, 회의, 협정 | _____ hall
회의장 |

| 31 | **gaze**
[ɡeiz] | 동 응시하다 | _____ at the night sky EBS
밤하늘을 응시하다 |
| | **stare**
[stɛər] | 동 빤히 쳐다보다, 응시하다 | _____ without blinking 모의
눈을 깜빡이지 않고 쳐다보다 |

TIP '응시하다'를 나타내는 단어   look 보다, 응시하다   peer (특히 잘 안 보여서) 유심히 보다[응시하다]   glare 노려[쏘아]보다

품사가 바뀌는 어휘 쌍

| 32 | **cruel**
[krú:əl] | 형 잔혹한, 잔인한 | unkind and _____ 모의
불친절하고 잔인한 |
| | **cruelty**
[krú:əlti] | 명 잔인함, 학대 | be accused of _____ to animals
동물 학대 죄로 기소되다 |

| 33 | **proper**
[prápər] | 형 적절한, 알맞은 | _____ nutrition 모의
적절한 영양 |
| | **propriety**
[prəpráiəti] | 명 적절성, 타당성, 예절 | doubt the _____ of the term
그 용어의 적절성을 의심하다 |

 블랙 스완(Black Swan) 절대 일어날 것 같지 않은 일이 일어나는 것을 의미한다. 원래는 서양 고전에서 '실제로는 존재하지 않는 어떤 것' 또는 '고정관념과는 전혀 다른 어떤 상상'이라는 은유적 표현으로 사용된 용어였으나, 17세기 한 생태학자가 호주 대륙에서 흑조를 발견함으로써 '예측 불가능한 상황이 실제 발생하는 것'이란 의미로 전이됐다.

A 예비 영단어 또는 우리말 뜻 쓰기

1. propriety _____

2. tenant _____

3. congestion _____

4. poverty _____

5. reputation _____

6. convention _____

7. static _____

8. 예방책, 예방 조치 _____

9. 풍자, 해학 _____

10. 녹; 녹슬다, 부식하다 _____

11. 숙박시키다, 수용하다 _____

12. 극도의 피로, 쇠진, 연료 소진 _____

13. 게시, 회보, 공고, 뉴스 속보 _____

14. 가변성, 변동성 _____

B 내신 필수 밑줄 친 단어와 의미가 같은 표현 고르기

1. I have <u>investigated</u> the situation and scheduled additional customer service training for staff. 모의

   ① scrutinized   ② decayed   ③ accommodated   ④ decoyed

2. The man will <u>scatter</u> seeds over the field.

   ① rust   ② sprinkle   ③ revenge   ④ swell

3. They silently <u>gazed</u> at the night sky studded with countless twinkling stars. EBS

   ① dignified   ② roared   ③ stared   ④ retorted

4. Prices on the stock market, which have been <u>static</u>, are now rising again.

   ① vacant   ② fixed   ③ cruel   ④ occupied

5. When we commit the "sin" of failing to take care of our bodies through <u>proper</u> nutrition, exercise, and rest, we're missing the mark of what life is all about. 모의

   ① dynamic   ② gross   ③ brute   ④ appropriate

▶ 정답 p. 254

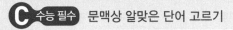 **수능 필수** 문맥상 알맞은 단어 고르기

모의 1. Recovering from a series of early failures, Edison regained his reputation / disrepute as a great inventor.

수능 2. Bristlecone pines grow faster in richer conditions, but die earlier and soon decay / decoy .

EBS 3. All the best spots are already vacant / occupied .

모의 4. Mobile flowers are visited more often by pollinating insects than their static / dynamic counterparts.

모의 5. The chimps all entered the enclosure with the fur on their backs spiking up and approached the danger zone with extreme caution / precaution , poking at the leaf bed with sticks rather than with their hands.

모의 6. Mary Ellen O'Toole, who is a retired FBI profiler, empathizes / emphasizes the need to go beyond a person's superficial qualities in order to understand them.

수능 7. My friend was disappointed that scientific progress has not cured the world's ills by abolishing wars and starvation; that gloss / gross human inequality is still widespread; that happiness is not universal.

8. Their criticisms seem prehistoric / premature considering that the results aren't yet known.

STEP 1
Single Words
기출 예문으로 핵심 어휘 학습

---

01 ★★★
popularity
[pɑ̀pjulǽrəti]

⑲ 인기, 평판, 대중성

City governments with downtown areas struggling with traffic jams are driving the growing _____ of car sharing. 모의
교통 체증에 고심하는 도심 지역을 가진 시 정부는 차량 공유의 늘어나는 인기를 추동하고 있다.

---

02 ★★★
imaginary
[imǽdʒənèri]

⑱ 상상의, 가상의

They remain, at least partly, in an _____ world. 모의
그들은 적어도 부분적으로는 상상 속의 세계에 머물러 있다.

---

03 ★★★
reasonable
[rí:zənəbl]

⑱ 적당한, 합리적인, 이성적인

At length, they settled the deal, and he was delighted to purchase the carving at a _____ price. 수능
마침내 그들은 거래를 성사시켰고, 그는 적절한 가격에 그 조각품을 사게 되어 기뻐했다.

---

04 ★★★
capital
[kǽpətl]

⑱ 주요한, 자본의
⑲ 수도, 자본, 대문자

We borrow environmental _____ from future generations with no intention or prospect of repaying. 수능
우리는 갚으려는 의도나 예상도 없이 미래의 세대들로부터 환경의 자본을 빌린다.

---

05 ★★☆
ignorance
[ígnərəns]

⑲ 무지, 무식

These attitudes are based on _____ and fear.
이러한 태도는 무지와 두려움에 기반을 두고 있다.

---

06 ★★☆
diversity
[divə́:rsəti]

⑲ 다양성

Any environment is unique with the _____ of its component elements and their appearance as a complete structure. 모의
어떤 환경이건 그 구성 요소들의 다양성과 완전한 구조물로서 그것들의 모습을 갖추어 고유하다.

---

07 ★☆☆
divisible
[divízəbl]

⑱ 나눌 수 있는

He argued that all matter was infinitely _____.
그는 모든 물질은 무한히 분리될 수 있다고 주장했다.

---

08 ★★☆
solidify
[səlídəfài]

⑧ 굳어지다, 굳히다

The game, with its colors and music and rotating blocks, prevented the initial traumatic memories from _____ing.
모의 색깔과 음악 그리고 회전하는 블록들이 있는 그 게임이 트라우마를 일으키는 초기 기억들이 굳어지는 것을 막았다.

---

09 ★★☆
curiosity
[kjùəriásəti]

⑲ 호기심

They suggested that _____ is stimulated by novelty and argued that novelty is in the eye of the beholder. 모의
그들은 호기심이 신기함에 의해 자극을 받는다고 말하며, 신기함은 보는 사람의 눈에 따라 다르다고 주장했다.

---

10 ★★☆

portray
[pɔ:rtréi]

(동) 표현하다, 그리다, 묘사하다

We have become used to describing machines that _____ emotional states as exemplars of "affective computing." 모의

우리는 감정 상태를 표현하는 기계들을 'affective computing(감성 컴퓨팅)'의 전형으로 묘사하는 것에 익숙해져 왔다.

---

11 ★☆☆

mural
[mjúərəl]

(명) 벽화

The _____ shows the development of human communication across time.

그 벽화는 시간 경과에 따른 인간의 의사소통의 발전을 보여준다.

---

12 ★★☆

pose
[pouz]

(명) 자세
(동) 자세를 취하다, 문제를 제기하다

You solve the problem not as you originally _____d it but as you later reconceived it. 모의

여러분은 여러분이 그 문제를 원래 제기했던 방식이 아닌 나중에 새롭게 생각했던 대로 문제를 해결한다.

---

13 ★★☆

manipulate
[mənípjulèit]

(동) 조종하다, 조작하다, 다루다

The external variables could be individually _____d. EBS

외부 변인들은 개별적으로 조작될 수 있었다.

---

14 ★★☆

potential
[pəténʃəl]

(형) 잠재적인
(명) 잠재력

It is much more difficult to estimate the consequences and _____ serious impact of their actions. 수능

자신들의 행동 결과와 잠재적인 중대한 영향을 추정하는 것은 훨씬 더 어렵다.

---

15 ★☆☆

horrify
[hɔ́:rəfài]

(동) 소름끼치게 하다, 무서워하게 하다

We made it our objective to _____ an audience to the maximum degree possible.

우리는 관객들을 가능한 한 최대한 놀라게 하는 것을 목표로 삼았다.

---

16 ★★★

prefer
[prifə́:r]

(동) ~을 더 좋아하다, 선호하다

You may be wondering why people _____ to prioritize internal disposition over external situations. 모의

당신은 사람들이 왜 외적 상황보다는 내적 기질을 우선시하기를 더 좋아하는지를 궁금해 할 것이다.

---

17 ★☆☆

preoccupation
[prìɑkjəpéiʃən]

(명) (어떤 생각·걱정에) 사로잡힘, 집착, 몰두

Their chief _____ was how to feed their families.

그들의 주된 관심사는 가족을 어떻게 먹여 살리는가였다.

---

18 ★★☆

enthusiasm
[inθú:ziæzm]

(명) 열광, 열정, 열의

Parental _____ for these motor accomplishments is not at all misplaced. 모의

이러한 운동기능의 성취에 대한 부모의 열성은 전혀 잘못된 것이 아니다.

STEP 2
Word Pairs

관련어 '쌍' 으로 암기

철자가 비슷한 어휘 쌍

19 devise
[diváiz]
(동) 고안하다, 발명하다
_____ creative and innovative ways [모의]
창의적이고 혁신적인 방법을 고안하다

device
[diváis]
(명) 장치, 기기
audio _____s [수능]
음향기기

20 geography
[dʒiágrəfi]
(명) 지리학
applications in _____ and environmental studies
[수능] 지리학과 환경 과학 분야에서의 응용 프로그램들

geology
[dʒiálədʒi]
(명) 지질학
be trained in _____ and history [EBS]
지질학과 역사학을 교육받다

21 anthropology
[ænθrəpálədʒi]
(명) 인류학
the hallmark of cultural _____ [모의]
문화 인류학의 특징

archaeology
[àːrkiálədʒi]
(명) 고고학
the advancement of _____ [모의]
고고학의 발전

TIP '학문'과 관련된 단어 biology 생물학 philosophy 철학 sociology 사회학 botany 식물학 geometry 기하학 astronomy 천문학

접사가 힌트를 주는 어휘 쌍

22 transform
[trænsfɔ́rm]
(동) (완전히) 바꾸다, 변형시키다
_____ both the lover and the beloved [EBS]
사랑하는 사람과 사랑받는 사람 둘 다를 완전히 바꿔놓다

transgenic
[trænsdʒénik]
(형) 이식 유전자를 가진
the _____ crop [모의]
이식 유전자를 가진 작물

23 phobia
[fóubiə]
(명) 공포증
a _____ of dogs [EBS]
개에 대한 공포증

aquaphobia
[ækwəfóubiə]
(형) 물 공포증의
(명) 물 공포증
a safe tube for people with _____
물 공포증이 있는 사람을 위한 안전한 튜브

의미가 반대되는 어휘 쌍

24 capable
[kéipəbl]
(형) 유능한, ~을 할 수 있는
what we should be _____ of doing before all men
[수능] 모든 사람들 앞에서 우리가 할 수 있어야 하는 것

incompetent
[inkámpətənt]
(형) 무능한, 쓸모없는
judge employees as _____ at the start [모의]
처음에 직원들을 무능하다고 판단해버리다

25 bless
[bles]
(동) 축복하다
be _____ed with good news [모의]
축복 어린 희소식이 전해지다

curse
[kəːrs]
(동) 저주하다, 악담을 퍼붓다
_____ her roundly for being late
늦었다고 그녀를 호되게 꾸짖다

의미가 비슷한 어휘 쌍

26 accuse
[əkjúːz]
(동) 고발하다, 기소하다, 비난하다
falsely _____ him of theft [EBS]
그를 절도 혐의로 잘못 고소하다

charge
[tʃɑːrdʒ]
(동) 고소하다, 기소하다
be _____d with resisting arrest
체포 저항 혐의로 기소되다

| 27 | **creep**
[kri:p] | 동 기어가다, 슬며시 움직이다 | begin to _____ into her mind **EBS**
그녀의 마음으로 기어들어 오기 시작하다 |
| | **sneak**
[sni:k] | 동 살금살금 움직이다 | _____ into the studio **EBS**
스튜디오에 몰래 들어가다 |

TIP '살금살금 움직이다[걷다]'를 나타내는 단어 slink 살금살금 움직이다 steal 살며시 움직이다 slip 슬며시 빠져나가다 pad 조용히 걷다 tiptoe 발끝으로 살금살금 걷다

| 28 | **refined**
[rifáind] | 형 정제된, 세련된 | its simple but _____ design **EBS**
그것의 단순하지만 세련된 디자인 |
| | **polished**
[páliʃt] | 형 세련된, 윤이 나는 | a _____ manner
세련된 몸가짐 |

| 29 | **description**
[diskrípʃən] | 명 설명, 서술, 묘사 | ways to convey ideas by poetic _____ **모의**
시적 묘사로 사상을 전달하는 방법 |
| | **explanation**
[èksplənéiʃən] | 명 설명, 해석 | detailed _____ **모의**
구체적인 설명 |

| 30 | **restrain**
[ristréin] | 동 제지하다, 억제하다 | take steps to _____ inflation
인플레이션을 억제하는 조치를 취하다 |
| | **restrict**
[ristríkt] | 동 제한하다, 한정하다 | _____ the sale of the drug **EBS**
그 약의 판매를 제한하다 |

| 31 | **daze**
[deiz] | 명 멍한 상태, 눈부심, 현혹
동 눈부시게 하다, 현혹시키다 | be in a _____
눈이 부시다 |
| | **dazzle**
[dǽzl] | 명 눈부심, 황홀함
동 눈부시게 하다, 현혹시키다 | the _____ of bright lights
밝은 빛의 눈부심 |

품사가 바뀌는 어휘 쌍

| 32 | **leak**
[li:k] | 동 누출되다, 새다, 유출하다 | water _____ing from a pipe
관에서 새는 물 |
| | **leakage**
[lí:kidʒ] | 명 누출, 새어나감 | a _____ of toxic waste
유독 폐기물의 누출 |

| 33 | **vigor**
[vígər] | 명 힘, 활력 | set the stage for more _____ **수능**
더 많은 활력을 얻을 수 있는 밑거름이 되다 |
| | **vigorous**
[vígərəs] | 형 활발한, 격렬한 | a _____ trade **EBS**
활발한 교역 |

 상식 다:품 **트랜스퍼스널 심리학(Transpersonal psychology)** 인간의 마음을 이해하고 정신 질환을 치료하기 위하여 지각되지 않는 외부로부터의 심리적 영향이나 초월적인 경험에 주목하는 심리학의 한 분야이다.

Review

A 예비 영단어 또는 우리말 뜻 쓰기

1. restrain _____
2. manipulate _____
3. devise _____
4. solidify _____
5. polished _____
6. geology _____
7. accuse _____

8. 표현하다, 그리다, 묘사하다 _____
9. 장치, 기기 _____
10. 무능한, 쓸모없는 _____
11. 이식 유전자를 가진 _____
12. (어떤 생각·걱정에) 사로잡힘, 집착, 몰두 _____
13. 나눌 수 있는 _____
14. 누출, 새어나감 _____

B 내신 필수 밑줄 친 단어와 의미가 같은 표현 고르기

1. The classic explanation proposes that trees have deep roots while grasses have shallow roots.

   ① preoccupation   ② perception   ③ recognition   ④ description

2. These thieving bees sneak into the nest of an unsuspecting "normal" bee (known as the host), and lay an egg near the pollen mass being gathered by the host bee for her own offspring. 모의

   ① leak   ② transform   ③ creep   ④ gaze

3. Several people were arrested but nobody was charged.

   ① accused   ② posed   ③ portrayed   ④ solidified

4. Apelles was unable to restrain himself, for he knew that the criticism was unjust and the man knew nothing about anatomy. 수능

   ① manipulate   ② control   ③ horrify   ④ curse

5. He was delighted to purchase the carving at a reasonable price. 수능

   ① refined   ② fair   ③ transgenic   ④ vigorous

▶ 정답 p. 255

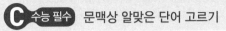

C 수능 필수 문맥상 알맞은 단어 고르기

수능 **1.** A human is much more capable / incompetent of operating instruments correctly and to place them in appropriate and useful positions. Rarely is a computer more sensitive and accurate than a human in managing the same geographical or environmental factors.

모의 **2.** One should not evaluate the tea's drinkability or taste merely because its leaves are not tightly rolled. It is common to find that people dislike / prefer the taste of looser rolled black teas over more expensive or more highly graded black teas that have been tightly rolled.

수능 **3.** In their work, they are asking critical questions about how the body is trained, disciplined, and manipulated / manifested in sports.

수능 **4.** Though some people have felt that only the lonely play with real / imaginary playmates, our research makes it very evident that it is often the highly superior and imaginative child who invents these creatures.

모의 **5.** Plants are bathed in an atmosphere composed of roughly three-quarters nitrogen, yet their growth is frequently developed / restricted by lack of nitrogen.

모의 **6.** Exercising moral imagination means using our intelligence to devise / device creative and innovative ways to help others.

모의 **7.** That might be a big risk, since news stories have a great deal of credibility with their audiences. If news coverage conceals / portrays subjects as socially deviant or otherwise morally unfit, the resulting stigma can be profound and enduring.

01 ★★★

atmosphere
[ǽtməsfiər]

뗑 대기, 공기, 분위기

Drones can gather relevant data that may provide new scientific knowledge about the _____ and the climate. 모의

드론은 대기와 기후에 관한 새로운 과학적 지식을 제공할 유의미한 자료를 모을 수 있다.

02 ★★☆

frantic
[fræntik]

뗑 (흥분·고통·공포 등으로) 제정신이 아닌, 광란의

The phone call was from a _____ customer in desperate need of help. EBS

그 전화는 도움이 절실히 필요하여 안절부절못하는 고객으로부터 걸려왔다.

03 ★★★

linger
[líŋgər]

똥 남아 있다, 꾸물거리다, 서성대다

The faint scent of pine that _____ s on the worn-thin dress is all that remains of someone's sixteenth summer. 수능

닳아서 얇아진 드레스에 남아 있는 옅은 소나무 향은 어떤 사람의 열여섯 살 여름의 모든 잔존물이다.

04 ★☆☆

lofty
[lɔ́:fti]

뗑 고귀한, 숭고한, 고상한

Many politicians start out with _____ principles, but only a few manage to maintain them.

많은 정치인들이 숭고한 원칙을 가지고 시작하지만, 소수의 정치인만이 그것을 유지하는 데 성공한다.

05 ★☆☆

freewheeling
[fríːwiːliŋ]

뗑 자유분방한

The early nurturing and later flowering of science required a large and competitive community to support _____ incentive.
수능 초기에 과학을 육성하고 나중에 꽃피우는 데는, 자유분방한 동기를 지지하는 크고 경쟁에 기반한 공동체가 필요했다.

06 ★★☆

attorney
[ətə́ːrni]

뗑 변호사

A defense _____ in the same trial constructs an argument to persuade the same judge or jury toward the opposite conclusion.
모의 동일한 재판의 피고 측 변호사는 동일한 판사나 배심원을 정반대의 결론으로 설득하기 위한 논거를 구성한다.

07 ★★☆

obsess
[əbsés]

똥 강박감을 갖다, 사로잡다, ~에 집착하게 하다

Everyone would agree that teenagers seem to be _____ ed with their clothing. EBS

십 대들이 옷에 집착하는 것 같다는 것을 누구나 인정할 것이다.

08 ★★☆

deadline
[dédlàin]

뗑 기한, 마감 일자[시간]

The _____ for registration is June 10. 모의

등록 마감일은 6월 10일이다.

09 ★☆☆

probe
[proub]

뗑 조사, 탐사
똥 조사하다, 탐색[탐사]하다

The staff offered the benefit of a _____ . EBS

지팡이는 탐사의 이점을 제공했다.

10 ★★☆
chamber
[tʃéimbər]
⑱ 실내의, 실내 음악의
⑲ 방, 회의실

He is due to deliver a speech in the senate _____.
그는 상원 회의실에서 연설을 할 예정이다.

11 ★★☆
glitter
[glítər]
⑲ 반짝임
⑲ 반짝이다, 화려하다

Her diamond necklace _____ed brilliantly under the spotlights.
그녀의 다이아몬드 목걸이는 환한 조명 아래 눈부시게 반짝였다.

12 ★★☆
parental
[pəréntl]
⑱ 부모의

A parent's admirable efforts not to play favorites can mean that no child gets the whole cake of _____ love. 수능
편애하지 않으려는 부모의 감탄할 만한 노력은 어떤 아이도 부모의 사랑이라는 완전한 케이크를 받을 수 없다는 것을 의미할 수 있다.

13 ★★☆
endorsement
[indɔ́ːrsmənt]
⑲ 지지, 보증

The campaign hasn't received any political _____s.
그 캠페인은 정치적 지지를 받지 못했다.

14 ★★☆
farewell
[fɛərwél]
⑲ 작별

I said a silent _____ to my home as I left for the city.
나는 도시로 떠나면서 집에 조용히 작별을 고했다.

15 ★★★
inherent
[inhíərənt]
⑱ 고유한, 본래부터의, 타고난

It is the _____ ambiguity and adaptability of language as a meaning-making system that makes the relationship between language and thinking special. 수능 언어와 사고의 관계를 특수하게 만드는 것은, 의미를 만들어내는 체계로서의 언어의 고유한 모호성과 적응성이다.

16 ★★☆
grumble
[grʌ́mbl]
⑲ 투덜거리다, 불평하다

He even _____d about his plants and flowers in the garden.
EBS 그는 심지어 정원에 있는 그의 식물과 꽃에 대해서도 불평했다.

17 ★★★
breakdown
[bréikdàun]
⑲ 고장, 실패, 붕괴, 몰락

Industrial diamonds are so important that a shortage would cause a _____ in the metal-working industry. 수능
공업용 다이아몬드는 너무나 중요해서 그것이 부족하면 금속 세공업의 붕괴를 초래할 것이다.

18 ★★★
collapse
[kəlǽps]
⑲ 붕괴, 실패
⑲ 붕괴되다, 무너지다

Soft ground caused a sudden _____ that killed six workers in early 1905. 모의
연약한 지반은 1905년 초반에 작업자 여섯 명의 목숨을 앗아간 갑작스러운 붕괴를 초래하였다.

STEP 2
Word Pairs

관련어 '쌍' 으로 암기

철자가 비슷한 어휘 쌍

19
spacious
[spéiʃəs]
형 널찍한, 넓은

the supply of more _____ rooms EBS
더 넓은 방의 제공

spatial
[spéiʃəl]
형 공간의, 공간적인

recall _____ representations EBS
공간 표상을 기억해 내다

20
intense
[inténs]
형 강렬한, 극도의, 극심한

the original _____ situation 수능
원래의 극심한 상황

intensive
[inténsiv]
형 (짧은 시간에) 집중적인

_____ physical therapy 모의
집중적인 물리치료

접사가 힌트를 주는 어휘 쌍

21
telescope
[téləskòup]
명 망원경

star-gazing _____s 모의
별을 관측하는 망원경

microscope
[máikrəskòup]
명 현미경

more advanced _____s 모의
더 발전된 현미경

TIP 접두사 tele-('멀리'의 의미) / micro-('작은'의 의미)가 붙는 단어 telepathy 텔레파시 telecommute 통신 시설을 이용하여 재택 근무하다
microchip 마이크로칩 microcosm 소우주, 작은 세계 microorganism 미생물

의미가 반대되는 어휘 쌍

22
mature
[mətʃúər]
형 성숙한, 성인이 된

go from helpless babies to _____ adults 모의
무력한 아기들에서 성숙한 어른들이 되다

immature
[ìmətʃúər]
형 미숙한, 다 자라지 못한

use _____, inappropriate neural networks EBS
미숙하고 부적절한 신경망을 사용하다

23
mortal
[mɔ́ːrtl]
형 죽을 운명의, 필멸의,
치명적인

a _____ illness
죽을 병

immortal
[imɔ́ːrtl]
형 불사의, 불멸의, 영원한

the _____ God
불멸의 신

24
partial
[páːrʃəl]
형 편파적인, 부분적인,
편애하는

a _____ witness
편파적인 증인

impartial
[impáːrʃəl]
형 공정한, 치우치지 않은

objective and _____
객관적이고 공정한

25
distinct
[distíŋkt]
형 뚜렷한, 분명한, 별개의

_____ differences in the ways of recording history
수능 역사를 기록하는 방식에 있어서 명확한 차이점들

indistinct
[indistíŋkt]
형 뚜렷하지 않은, 흐릿한,
희미한

an _____ figure in the distance
저 멀리 흐릿한 모습

의미가 비슷한 어휘 쌍

26
imprison
[imprízn]
동 투옥하다, 감금하다

_____ a convicted criminal EBS
유죄 판결을 받은 범죄자를 투옥하다

confine
[kánfain] 명 범위, 한계
[kənfáin] 동 가두다, 국한하다

_____ a convict in jail
죄수를 교도소에 감금하다

27	**temper** [témpər]	명 기질, 천성, 성질	a quick _____ [수능] 급한 성질
	temperament [témpərəmənt]	명 기질, 성질	a passive _____ [수능] 수동적인 기질
TIP	'기질'을 나타내는 단어		disposition 기질, 성격 nature 천성, 본성 character 성격, 성질, 기질 personality 개성, 성격, 인격 constitution 체질, 본질, 기질 mind 기질, 정신적 경향[특질]

| 28 | **ingest** [indʒést] | 동 섭취하다, 삼키다 | _____ proteins
 단백질을 섭취하다 |
| | **swallow** [swάlou] | 동 삼키다, 목구멍으로 넘기다 | _____ or reject food [수능]
 음식을 섭취하거나 거부하다 |

| 29 | **cease** [si:s] | 동 중지하다, 그만두다 | _____ being a servant
 하인이기를 그만두다 |
| | **halt** [hɔ:lt] | 동 멈추다, 중단시키다 | construction projects that are _____ed [EBS]
 중지된 건설 사업 |

품사가 바뀌는 어휘 쌍

| 30 | **compose** [kəmpóuz] | 동 작곡하다, 구성하다, 작문하다 | _____ their own scores [EBS]
 그들 자신의 음악 작품을 작곡하다 |
| | **composition** [kὰmpəzíʃən] | 명 작곡, 구성, 작문 | their facility and quickness of _____ [모의]
 그들의 작곡을 하는 솜씨와 신속함 |

| 31 | **passion** [pǽʃən] | 명 열정 | perfume the body to evoke _____ [EBS]
 몸을 향기로 가득 채워 열정을 불러일으키다 |
| | **passionate** [pǽʃənət] | 형 열정적인, 열렬한 | be _____ about his work up until the end [수능]
 마지막까지 그의 일에 대해 열정적이다 |

| 32 | **vapor** [véipər] | 명 증기 | water _____
 수증기 |
| | **evaporate** [ivǽpərèit] | 동 증발하다, 증발시키다 | constantly _____ the earth's moisture
 지구의 습기를 끊임없이 증발시키다 |

| 33 | **vice** [vais] | 명 악, 악덕, 범죄 | a terrible _____
 끔찍한 악 |
| | **vicious** [víʃəs] | 형 사나운, 악랄한, 사악한 | _____ and unpredictable ocean currents [모의]
 사납고 예측할 수 없는 해류 |

 상식 다:품 가르시아 효과(Garcia effect) 특정 음식물을 섭취하고 구토나 복통 같은 신체적 이상을 경험한 후, 해당 음식물이 원인이 아님에도 원인을 음식에서 찾고 지속적으로 섭취를 거부하는 현상을 의미한다.

Review

A 예비 영단어 또는 우리말 뜻 쓰기

1. inherent _____
2. impartial _____
3. temperament _____
4. breakdown _____
5. intense _____
6. distinct _____
7. spacious _____

8. 증발하다, 증발시키다 _____
9. 불사의, 불멸의, 영원한 _____
10. 남아 있다, 꾸물거리다, 서성대다 _____
11. 지지, 보증 _____
12. 작별 _____
13. 실내의, 실내 음악의; 방, 회의실 _____
14. 부모의 _____

B 내신 필수 밑줄 친 단어와 의미가 같은 표현 고르기

1. Their inability to forgive each other caused a complete <u>collapse</u> of communication.

   ① probe　　　② atmosphere　　　③ breakdown　　　④ attorney

2. In isolation, hope disappears, despair rules, and you can no longer see a life beyond the invisible walls that <u>imprison</u> you. 수능

   ① linger　　　② confine　　　③ obsess　　　④ glitter

3. Deforestation in the country is to be <u>halted</u>. EBS

   ① stopped　　　② dazzled　　　③ composed　　　④ evaporated

4. In fact, people have been using birth order to account for personality factors such as an aggressive behavior or a passive <u>temperament</u>. 수능

   ① vice　　　② passion　　　③ temper　　　④ composition

5. Here, based on a complex sensory analysis that is not only restricted to the sense of taste but also includes smell, touch, and hearing, the final decision whether to <u>swallow</u> or reject food is made. 수능

   ① ingest　　　② grumble　　　③ prefer　　　④ replace

▶ 정답 p. 255

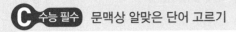 **수능 필수** 문맥상 알맞은 단어 고르기

EBS 1. A parent is not always ⌈partial / impartial⌋ and therefore cannot be an effective referee when children fight.

2. As the ship began to sink, they realized they were in ⌈mortal / immortal⌋ danger.

EBS 3. The phone call was from a ⌈calm / frantic⌋ customer in desperate need of help.

모의 4. Children go from helpless babies to ⌈mature / immature⌋ adults while our back is turned.

5. He's always ⌈complimenting / grumbling⌋ to me about how badly he's treated at work.

수능 6. While design and styling are interrelated, they are completely ⌈distinct / indistinct⌋ fields.

수능 7. Unfortunately, because of this avoidance, the child fails to develop his math skills and therefore improve the capabilities he has, and so a ⌈vicious / vigorous⌋ cycle has set in.

EBS 8. In the brains of experienced taxi drivers, the part that specializes in recalling ⌈spacious / spatial⌋ representations is unusually enlarged.

Single Words

기출 예문으로 핵심 어휘 학습

---

01 ★★☆
humanity
[hjuːmǽnəti]

명 인류, 인간성, 인간애

Studying history helps us ask and answer _____'s Big Questions. 모의

역사를 공부하는 것이 우리가 인류의 Big Questions를 묻고 답하는 데 도움을 준다.

---

02 ★★★
hydrogen
[háidrədʒən]

명 수소

If you have forgotten how many _____ atoms are in a molecule of water, quit hiding and take action. 모의

만약 당신이 물 분자에 얼마나 많은 수소 원자가 있는지를 잊어버렸다면, 숨기기를 그만두고 조치를 취하라.

---

03 ★★☆
mediate
[míːdièit]

동 중재하다, 조정하다

It helped elect many officials, _____d labor disputes, and affected public policy in Haiti. 수능

그것은 많은 공무원들을 선출하는 데 도움을 주었고, 노동 분쟁들을 조정했고, 아이티의 공공 정책에 영향을 끼쳤다.

---

04 ★★☆
contemplate
[kántəmplèit]

동 고려하다, 생각하다, 응시하다

We have to slow down a bit and take the time to _____ and meditate. 모의

우리는 조금 속도를 늦추고, 생각하고 명상할 시간을 가져야 한다.

---

05 ★★☆
embrace
[imbréis]

동 감싸다, 포옹하다, 받아들이다

Before my name was called, in the midst of the chaos, an unbelievable peace _____d me. 모의

내 이름이 불리기 전, 혼돈 속에서, 믿을 수 없는 평화가 나를 감쌌다.

---

06 ★★☆
abnormal
[æbnɔ́ːrməl]

형 비정상의

_____ behavior in zoo animals is often due to the stress of captivity.

동물원 동물들의 비정상적인 행동은 종종 감금된 스트레스 때문이다.

---

07 ★★☆
spouse
[spaus, spauz]

명 배우자

Your _____ perceives marital roles somewhat differently than you do. EBS

당신의 배우자는 부부의 역할을 당신과 다소 다르게 인식하고 있다.

---

08 ★★★
diabetes
[dàiəbíːtis]

명 당뇨병

Strength training can help combat depression, risk factors for heart disease, and _____. 수능

체력 훈련은 우울증, 심장 질환이나 당뇨병을 일으킬 수 있는 위험 요인들과 맞서 싸우는 데에 도움을 줄 수 있다.

---

09 ★★☆
terrain
[təréin]

명 지역, 지형

The hike covers three to four miles and includes moderately difficult _____. 모의

도보여행은 3~4마일을 이동하며 적당히 힘든 지역을 포함한다.

---

10 ★☆☆

dismal
[dízməl]

형 참담한, 형편없는, 음울한

The results, however, are _____ . EBS
하지만 그 결과는 참담하다.

11 ★★☆

potent
[póutnt]

형 유력한, 강력한

Movies were first seen as an exceptionally _____ kind of illusionist theatre. 수능
초기에 영화는 특별히 유력한 일종의 마술 공연장으로 보였다.

12 ★☆☆

maniac
[méiniæk]

형 광적인, 광란의
명 미치광이, 광적인 애호가

Johnson starts roaring like a _____, laughing like there's no tomorrow.
Johnson은 미친 사람처럼 으르렁거리기 시작했고, 내일은 없는 것처럼 웃었다.

13 ★★☆

dump
[dʌmp]

명 쓰레기 더미, 더러운 곳
동 버리다, 쾅 떨어뜨리다

These dogs could smell her even though a load of fish had been _____ed over her hiding place. 모의
이 개들은 그녀가 숨어 있는 곳 위에 생선을 잔뜩 버려두었더라도 그녀의 냄새를 맡을 수 있었다.

14 ★★☆

sewage
[súːidʒ]

명 하수, 오물

Industrial _____ continues to contaminate our beaches.
EBS 산업 하수가 우리의 해변을 계속해서 오염시킨다.

15 ★★★

academic
[ækədémik]

형 학문적인, 학업의

Overstructuring the child's environment may actually limit creative and _____ development. 수능
아이의 환경을 지나치게 구조화하는 것이 실제로 창의적 발달과 학문적 발달을 제한할지도 모른다.

16 ★★☆

dwell
[dwel]

동 살다, 거주하다

She _____ed in the city before moving to the countryside.
EBS 그녀는 시골로 이사를 가기 전에 도시에 거주했다.

17 ★★☆

cherish
[tʃériʃ]

동 소중히 여기다, 아끼다

Like fragments from old songs, clothes can evoke both _____ed and painful memories. 수능
옛날 노래에 나오는 구절처럼 옷은 소중한 추억과 가슴 아픈 기억을 모두 생각나게 할 수 있다.

18 ★★☆

prestigious
[prestídʒəs]

형 명망 있는, 일류의, 고급의

A lawyer working for a _____ law firm accompanied the CEO of a major client to negotiate a complex deal. 모의
한 명망 있는 법률회사에서 일하는 변호사가 복잡한 거래를 협상하기 위해 주 고객사의 최고 경영자와 동행했다.

STEP 2
Word Pairs

관련어 '쌍' 으로 암기

철자가 비슷한 어휘 쌍

| 19 | **contact** [kántækt] | 몡 접촉 | the importance of warm physical _____ 모의
 따뜻한 신체적 접촉의 중요성 |
| | **contract** [kántrækt] | 몡 계약(서) | the terms of his _____ EBS
 그의 계약 조건들 |

| 20 | **dose** [dous] | 몡 (약의) 1회 복용량, 투여량 | lower _____s of insulin EBS
 더 적은 투여량의 인슐린 |
| | **doze** [douz] | 몡 선잠, 낮잠 | fall into a _____
 깜빡 잠이 들다 |

접사가 힌트를 주는 어휘 쌍

| 21 | **foresee** [fɔrsí] | 동 예상하다, 예견하다 | _____ their child's eventual achievements EBS
 그들의 자녀의 최종적인 성공을 예견하다 |
| | **foresight** [fɔ́rsàit] | 몡 예지력, 선견지명 | a lack of _____ and common sense
 선견지명과 상식의 결여 |

| 22 | **foretell** [fɔrtél] | 동 예언하다, 예지하다 | _____ the future 수능
 미래를 예지하다 |
| | **forethought** [fɔ́rθɔ̀t] | 몡 (사전의) 숙고, 고려, 예상 | some _____ and preparation
 약간의 사전 숙고와 준비 |

TIP 접두사 fore-('~앞의, 이전에'의 의미)가 붙는 단어 forefather 조상, 선조 foremost 가장 중요한, 맨 앞에 위치한 forehead 이마 forefront 선두 foreman 현장 감독

의미가 반대되는 어휘 쌍

| 23 | **arrogant** [ǽrəgənt] | 혱 오만한, 거만한 | a rude, _____ young man
 무례하고 거만한 청년 |
| | **modest** [mádist] | 혱 겸손한, 보잘 것 없는, 검소한 | _____ attitude
 겸손한 태도 |

| 24 | **majority** [mədʒɔ́:rəti] | 몡 다수, 대부분, 과반수 | the _____ of native bird species 모의
 토종 조류 대다수 |
| | **minority** [minɔ́:rəti] | 몡 소수, 소수집단 | an ethnic _____
 소수 민족 |

의미가 비슷한 어휘 쌍

| 25 | **surround** [səráund] | 동 둘러싸다 | the society that _____s them EBS
 그들을 둘러싼 사회 |
| | **enclose** [inklóuz] | 동 에워싸다, 둘러싸다, 동봉하다 | a small backyard _____d by a high brick wall
 높은 벽돌담으로 둘러싸인 작은 뒷마당 |

| 26 | **display** [displéi] | 몡 전시, 표시
 동 전시하다, 나타내다 | _____ his huge collection 모의
 그의 많은 소장품을 전시하다 |
| | **exhibit** [igzíbit] | 몡 전시[전람]회
 동 전시하다, 보여 주다 | _____ collections of artistic ceramic works 수능
 예술적인 도자기 작품을 수집한 것을 전시하다 |

| 27 | **swamp**
[swɑmp] | 명 늪, 습지 | an Age of Coal _____ EBS
석탄 습지의 시대 |
| | **marsh**
[mɑːrʃ] | 명 늪, 습지 | various types of _____ vegetation
다양한 종류의 습지 식물 |

품사가 바뀌는 어휘 쌍

| 28 | **reception**
[risépʃən] | 명 접수처, 환영회,
(통신) 수신 상태 | pick up the best _____ 모의
최상의 수신 상태를 포착하다 |
| | **receptive**
[riséptiv] | 형 수용적인, 잘 받아들이는 | make us _____ to thoughts and knowledge EBS
사고와 지식을 우리가 잘 받아들이도록 만들다 |

| 29 | **courtesy**
[kə́ːrtəsi] | 명 공손함, 정중함 | want not only efficiency but _____ EBS
효율성뿐 아니라 정중함을 원하다 |
| | **courteous**
[kə́ːrtiəs] | 형 공손한, 정중한 | polite and _____ 모의
예의 바르고 공손한 |

| 30 | **disaster**
[dizǽstər] | 명 참사, 재난, 재해 | face unexpected natural _____s 모의
예기치 못한 자연 재해에 직면하다 |
| | **disastrous**
[dizǽstrəs] | 형 처참한, 파멸적인, 형편없는 | _____ cognitive static 수능
파멸적인 인지적 정지상태 |

TIP 형용사형 접미사 -ous('~의 성질을 가진'의 의미)가 붙는 단어 furious 격노한 glorious 영광스러운, 빛나는 industrious 근면한, 성실한 simultaneous 동시의 spontaneous 자발적인, 즉흥적인

| 31 | **sole**
[soul] | 형 유일한, 단 하나의 | the _____ aim
유일한 목표 |
| | **solitude**
[sɑ́lətjùːd] | 명 고독, 쓸쓸한 곳 | in absolute _____ 모의
절대적인 고독 속에서 |

| 32 | **retain**
[ritéin] | 동 유지하다, 보유하다 | _____ optimism 수능
낙관주의를 유지하다 |
| | **retention**
[riténʃən] | 명 유지, 보유, 기억력 | encourage _____ and hiring of older workers EBS
고령 근로자의 유지 및 고용을 권장하다 |

| 33 | **diminish**
[dimíniʃ] | 동 줄이다, 감소하다 | _____ the frequency 수능
빈도를 줄이다 |
| | **diminution**
[dìmənjúːʃən] | 명 감소, 축소 | a permanent _____ in value
영구적인 가치 하락 |

 상식 다:품 **덤스터 다이빙(Dumpster diving)** 대형 쓰레기통에 몸을 던져 물건이나 음식을 줍는 행위를 의미한다. 초기에는 가난한 사람이 폐기된 식료품이나 버려진 옷을 줍는 행위를 가리켰으나 점차 과잉생산과 소비를 반대하는 환경 운동의 성격을 띠게 되었다.

Review

A 예비 영단어 또는 우리말 뜻 쓰기

1. potent	_____	8. 살다, 거주하다	_____
2. contemplate	_____	9. 하수, 오물	_____
3. diabetes	_____	10. 지역, 지형	_____
4. dose	_____	11. 선잠, 낮잠	_____
5. swamp	_____	12. 소중히 여기다, 아끼다	_____
6. solitude	_____	13. 감소, 축소	_____
7. arrogant	_____	14. 참담한, 형편없는, 음울한	_____

B 내신 필수 밑줄 친 단어와 의미가 같은 표현 고르기

1. They model and subconsciously <u>embrace</u> much of their parents' behavior, so it becomes their own. 모의

   ① distrust　　　② accept　　　③ reject　　　④ grumble

2. Lying on the floor in the corner of the crowded shelter, <u>surrounded</u> by bad smells, I could not fall asleep. 모의

   ① enclosed　　　② lingered　　　③ mediated　　　④ dumped

3. The place mirrored his own <u>dismal</u> mood.

   ① triumphant　　　② cheerful　　　③ gloomy　　　④ maniac

4. There he <u>displayed</u> his huge collection without detailed explanation. 모의

   ① dwelled　　　② cherished　　　③ contemplated　　　④ exhibited

5. Dreams have been regarded as prophetic communications which, when properly decoded, would enable us to <u>foretell</u> the future. 수능

   ① retain　　　② diminish　　　③ foresee　　　④ obsess

▶ 정답 p. 256

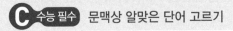

C 수능 필수 문맥상 알맞은 단어 고르기

EBS **1.** She plays a mediating / meditating role in the family.

2. Doctors are always trying to find a way to use as low a dose / doze of these drugs as possible in order to minimize these side effects.

EBS **3.** Getting a certificate makes us more arrogant / modest and reluctant to learn from the "unlicensed" individual, who is sometimes unusually excellent in that area.

모의 **4.** The customer service representatives in an electronics firm under major restructuring were told they had to begin selling service contrasts / contracts for their equipment in addition to installing and repairing them.

EBS **5.** In the stressed and overloaded state, your effectiveness is rapidly increased / diminished .

수능 **6.** Pets are used to great advantage with the institutionalized aged. In such institutions it is difficult for the staff to ignore / retain optimism when all the patients are declining in health. Animals, however, have no memories about what the aged once were and greet them as if they were children.

수능 **7.** Those who study rare plants are worried about recreational tree climbers. They fear that climbers may try to climb the biggest and tallest trees if they learn their exact locations. Any contact between humans and rare plants can be disastrous / favorable for the plants.

STEP 1
Single Words
기출 예문으로 핵심 어휘 학습

01 ★★☆
solvent
[sálvənt]
형 용해되는
명 용제, 용매

The _____ comes into direct contact with the beans, carrying the caffeine with it. 수능
그 용제는 그 콩들과 직접적으로 접촉하게 되며, 그것과 함께 카페인을 가져간다.

02 ★★★
regulation
[règjuléiʃən]
명 규칙, 규제

_____s and policies are designed to guarantee a diversity of sources of information. 모의
규제와 정책들은 정보의 원천의 다양성을 보장하도록 고안되어 있다.

03 ★☆☆
espouse
[ispáuz]
동 옹호하다, 지지하다

They _____ the belief that children are capable learners with many ideas and feelings about their world.
그들은 아이들이 자신의 세계에 대해 많은 생각과 감정을 가진 능력 있는 학습자라는 믿음을 지지한다.

04 ★★☆
reign
[rein]
명 통치, 군림
동 통치하다

Buffon was a famous zoologist and botanist during the _____ of the French monarch Louis XVI. 모의
Buffon은 프랑스 군주 루이 16세의 통치 기간에 유명한 동물학자이자 식물학자였다.

05 ★☆☆
spade
[speid]
명 삽, 스페이드 카드

The boys happily played in the sand with buckets and _____s.
소년들은 모래밭에서 양동이와 삽을 가지고 즐겁게 놀았다.

06 ★★★
coincidence
[kouínsidəns]
명 우연의 일치, 동시 발생

As if that was not _____ enough, more was to follow. 모의
마치 그것이 충분한 우연의 일치가 아닌 것처럼, 더한 것이 뒤따르게 되어 있었다.

07 ★★★
implement
[ímpləmənt]
명 도구, 기구
동 시행하다 [ímpləmènt]

Steps to protect forest areas should be _____ed without further delay.
산림지역을 보호하기 위한 단계를 더 이상 지체하지 않고 실행해야 한다.

08 ★★☆
prevail
[privéil]
동 이기다, 우세하다,
보급되다

Although conformity pressures can be powerful, majority opinion does not always _____. EBS
순응에 대한 압박이 강력하더라도, 다수의 의견이 항상 이기는 것은 아니다.

09 ★★☆
choke
[tʃouk]
동 숨이 막히다, 질식시키다,
억누르다

Pollution control and limits on use of nonrenewable resources, they claim, will _____ the economy. 모의
그들은 공해 방지와 재생 불가능한 자원의 사용에 대한 제한은 경제를 억압할 것이라고 주장한다.

발음+짤강

10 ★★☆
barefoot
[bérfùt]

형 맨발의
부 맨발로

Contrast his approach with that of the late Abebe Bikila, the Ethiopian who won the 1960 Olympic Marathon running _____. 모의 그의 접근 방식을 1960년 올림픽 마라톤에서 맨발로 달려 우승한 에티오피아인, 고 Abebe Bikila의 접근 방식과 대조해 보라.

11 ★★☆
detergent
[ditə́ːrdʒənt]

명 세제

The work is done by a machine that automatically regulates water temperature, measures out the _____, washes, rinses, and spin-dries. 모의 그 일은 자동으로 물의 온도를 조절하고, 세제를 덜어 내고, 빨고, 헹구고, 원심력으로 탈수하는 기계에 의해 행해지고 있다.

12 ★★★
exert
[igzə́ːrt]

동 (권력·영향력을) 행사하다, 발휘하다, 노력하다

Newton imagined that masses affect each other by _____ing a force. 수능 뉴턴은 질량이 힘을 발휘함으로써 서로에게 영향을 미친다고 생각했다.

13 ★★☆
mourn
[mɔːrn]

동 슬퍼하다, 애도하다

When her father passed away, she and her mother _____ed together. EBS 그녀의 아버지가 돌아가셨을 때, 그녀와 어머니는 함께 슬퍼했다.

14 ★★☆
sequence
[síːkwəns]

명 연속적인 사건들, 순서, 결과

Issues are resolved at each step in the process, and the final agreement is the sum of the _____. 모의 그 과정 속 각 단계에서 사안들은 해결되고, 최종 동의는 그 순서의 합이다.

15 ★★☆
deform
[difɔ́ːrm]

동 변형시키다, 기형으로 만들다

They have twisted and _____ed historical facts to serve their own purposes. 그들은 자신들의 목적을 위해 역사적 사실을 왜곡하고 변형시켰다.

16 ★★★
administer
[ədmínistər]

동 관리하다, 집행하다, (타격 등을) 가하다

These composers and others including music publishers founded a society to _____ their performing rights. 수능 이 작곡가들과 음악 발행인을 포함한 다른 사람들이 자신들의 공연 권리를 관리하기 위해 협회를 설립했다.

17 ★☆☆
ratio
[réiʃou]

명 비율

In terms of public healthcare spending, Japan shows a relatively higher _____ than Chile or Korea. EBS 공공 보건 지출의 측면에서는, 일본이 칠레나 한국보다 상대적으로 더 높은 비율을 보인다.

18 ★★☆
needy
[níːdi]

형 어려운, 궁핍한

He began fundraising online to build more tiny houses for the _____. 모의 그는 온라인에서 불쌍한 사람들을 위한 작은 집을 더 짓기 위하여 모금 운동을 하기 시작했다.

STEP 2
Word Pairs

관련어 '쌍' 으로 암기

접사가 힌트를 주는 어휘쌍

19	**pest** [pest]	명 해충, 유해 동물	a number of _____ problems 모의 많은 해충 문제
	pesticide [péstisàid]	명 살충제, 농약	encourage farmers to use less _____ 수능 농부들로 하여금 농약을 덜 사용하도록 장려하다

20	**homicide** [hámasàid]	명 살인	_____ by misadventure 과실 치사
	suicide [sjú:əsàid]	명 자살	a higher _____ rate 모의 더 높은 자살률

TIP 접미사 -cide('죽임, 살해'의 의미)가 붙는 단어   biocide 살생물제   genocide 대량[종족] 학살   insecticide 살충제   herbicide 제초제

21	**sphere** [sfiər]	명 구체, 구(球), 영역	a _____ that looks like Earth 지구처럼 생긴 구
	hemisphere [hémisfiər]	명 반구	the Northern _____ 모의 북반구

의미가 대치되는 어휘 쌍

22	**latitude** [lætətjù:d]	명 위도	at high _____s 모의 높은 위도에서
	longitude [lándʒətjù:d]	명 경도	_____ lines 모의 경도선

의미가 비슷한 어휘 쌍

23	**profound** [prəfáund]	형 마음에서 우러나는, 깊은, 심오한	_____ sadness 깊은 슬픔
	heartfelt [hártfèlt]	형 진심 어린	his _____ gesture of apology 모의 그의 진심 어린 사과의 표시

24	**psychic** [sáikik]	형 초자연적인, 심령의	a study of _____ phenomena 심령 현상에 대한 연구
	supernatural [sùpərnætʃərəl]	형 초자연적인, 불가사의한	the _____ subjects EBS 초자연적인 대상들

25	**sob** [sɑb]	동 흐느끼다, 흐느껴 울다	begin to _____ EBS 흐느끼기 시작하다
	weep [wi:p]	동 울다, 눈물을 흘리다, 슬퍼하다	_____ all by myself 모의 혼자 흐느껴 울다

26	**burial** [bériəl]	명 매장, 장례식	_____ grounds 모의 매장지
	funeral [fjú:nərəl]	명 장례식	a formal occasion such as a _____ 모의 장례식 같은 공식적인 행사

| 27 | **casualty** [kǽʒuəlti] | 몡 사상자, 피해자 | the _____ figures
사상자 수 |
| | **victim** [víktim] | 몡 피해자, 희생자 | the _____s of a plane crash 모의
비행기 추락의 희생자 |

품사가 바뀌는 어휘 쌍

| 28 | **mandate** [mǽndeit] | 툥 명령[지시]하다, 권한을 주다 | country that _____d seat belts 수능
안전벨트를 의무화한 나라 |
| | **mandatory** [mǽndətɔ̀:ri] | 혱 의무적인, 필수적인 | the _____ nutritional information 모의
의무적인 영양 정보 |

TIP '의무적인, 필수적인'을 나타내는 단어 obligatory 의무적인 compulsory 강제적인, 의무적인, 필수의 required 필수의

| 29 | **crime** [kraim] | 몡 범죄 | the distinctions between _____ and heroism 모의
범죄와 영웅주의의 차이 |
| | **criminal** [krímin l] | 혱 범죄의 | a dramatic decline in _____ activity 모의
범죄 활동의 극적인 감소 |

| 30 | **fate** [feit] | 몡 운명, 숙명, 죽음 | a person's _____ 모의
한 사람의 운명 |
| | **fatal** [féitl] | 혱 치명적인 | _____ road traffic accidents 모의
치명적인 도로 교통사고 |

| 31 | **tactic** [tǽktik] | 몡 전술, 전략 | a scare _____ 모의
겁주기 전술 |
| | **tactical** [tǽktikəl] | 혱 전술의, 전략적인 | a strategic and _____ mistake 모의
전략과 전술상의 실수 |

| 32 | **dismiss** [dismís] | 툥 묵살[일축]하다, 해고하다, 해산시키다 | _____ the argument 수능
주장을 일축하다 |
| | **dismissal** [dismísəl] | 몡 묵살, 해고, 해산 | unfair _____
부당 해고 |

| 33 | **renew** [rinjú:] | 툥 갱신하다, 재개하다 | _____ our lease 모의
임대 계약을 갱신하다 |
| | **renewal** [rinjú:əl] | 몡 재개발, 갱신, 재개 | urban design and _____ EBS
도시 설계와 재개발 |

 애빌린의 역설(Abilene paradox) 집단 내 구성원 모두가 실제로는 동의하지 않으나 분위기상 자신의 의사와 반대되는 결정에 마지못해 동의하는 역설적인 상황을 의미한다. 구성원들은 집단의 의견에 반대하는 것은 잘못이라고 생각하여 집단 사고에 동조하게 되는데, 결과적으로는 모두가 원하지 않는 결정을 내린 것이다.

Review

A 예비 영단어 또는 우리말 뜻 쓰기

1. exert _____
2. pesticide _____
3. espouse _____
4. implement _____
5. sequence _____
6. reign _____
7. mandate _____

8. 반구 _____
9. 변형시키다, 기형으로 만들다 _____
10. 용해되는; 용제, 용매 _____
11. 세제 _____
12. 전술의, 전략적인 _____
13. 묵살, 해고, 해산 _____
14. 이기다, 우세하다, 보급되다 _____

B 내신 필수 밑줄 친 단어와 의미가 같은 표현 고르기

1. We overestimate the risk of being the <u>victims</u> of a plane crash, a car accident, or a murder. 모의

   ① spouses ② casualties ③ tenants ④ representatives

2. Emily Holmes asked a group of adults to watch a video featuring eleven clips of traumatic content including graphic real scenes of human surgery and <u>fatal</u> road traffic accidents. 모의

   ① criminal ② supernatural ③ tactical ④ mortal

3. He laughed and wiped away the tear stains from my face—his <u>heartfelt</u> gesture of apology for such a long-delayed present. 모의

   ① needy ② barefoot ③ profound ④ solvent

4. In the United States, we are all familiar with the <u>mandatory</u> nutritional information placed on food products. 모의

   ① compulsory ② dismal ③ prestigious ④ receptive

5. She slumped down onto the floor and began to <u>sob</u>. EBS

   ① dismiss ② undermine ③ uphold ④ weep

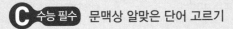 문맥상 알맞은 단어 고르기

모의 1. He began fundraising online to build more tiny houses for the needy / wealthy , and in a month, he had collected more than $80,000.

EBS 2. Disaster preparation is mandatory / voluntary , and preparation requires planning.

수능 3. Minorities tend not to have much power or status and may even be espoused / dismissed as troublemakers, extremists or simply 'weirdos'.

모의 4. We recently ceased / renewed our lease with plans to stay for another year.

모의 5. For years business leaders have portrayed environmental protection and jobs as mutually exclusive. Pollution control, protection of natural areas and endangered species, and limits on use of nonrenewable resources, they claim, will choke / support the economy and throw people out of work.

모의 6. Coaches should exert / exempt extra effort in getting to know the parents of their players, and by so doing, determine ways by which parents are willing to help their children and the team in general.

모의 7. The World Health Organization (WHO) has declared a sleep loss epidemic throughout industrialized nations. It is no evidence / coincidence that countries where sleep time has declined most dramatically over the past century are those suffering the greatest increase in rates of physical diseases and mental disorders.

STEP 1
Single Words

기출 예문으로 핵심 어휘 학습

01 ★★☆
adverse
[ædvə́ːrs]
형 불리한, 불운한, 반대의

He inherited his family business under _____ circumstances.
EBS 그는 불리한 상황 속에서 그의 가업을 물려받았다.

02 ★☆☆
eccentric
[ikséntrik]
형 별난, 기이한
명 괴짜

She noted his _____ appearance.
그녀는 그의 별난 모습을 주목했다.

03 ★★☆
municipal
[mjuːnísəpəl]
형 지방 자치제의

Such contamination may result from airborne transport from remote power plants or _____ incinerators. 수능
그러한 오염은 멀리 떨어진 발전소 혹은 지방 자치 단체의 소각로로부터 공기를 통해 전파된 결과로 발생할 수 있다.

04 ★★★
obedient
[oubíːdiənt]
형 순종적인, 복종하는

Laws of space and time invariable and inescapable in work with actuality become _____. 수능
현실성을 가진 일에서는 변하지 않고 피할 수 없는 공간과 시간의 법칙들이 순종적으로 된다.

05 ★★★
candidate
[kǽndidèit]
명 후보자

Attractive _____s received more than two and a half times as many votes as unattractive _____s. 수능
매력적인 후보자들이 매력적이지 않은 후보자들보다 두 배 반 이상의 득표를 했다.

06 ★★☆
intrude
[intrúːd]
동 침범하다, 방해하다, 개입하다

Some residents are concerned that a golfing theme park _____s on green belt land.
일부 주민들은 골프 테마파크가 그린벨트 지역에 침범하는 것을 우려하고 있다.

07 ★★☆
proportion
[prəpɔ́ːrʃən]
명 비율, 부분

The _____ of journeys by automobile has declined from 38% to 32%. 모의 자동차 이용 비율은 38%에서 32%로 감소되었다.

08 ★★☆
protest
[próutest]
명 항의, 반대, 시위
동 항의하다, 이의를 제기하다
[prətést]

_____s, crime, wars, and disasters provide the most natural material for news reports. EBS
시위, 범죄, 전쟁, 그리고 재난은 뉴스 보도에 가장 자연스러운 자료를 제공한다.

09 ★☆☆
carefree
[kɛ́rfrì]
형 근심 걱정 없는, 속 편한

I remember my _____ student days.
나는 내 근심 걱정 없는 학창 시절을 기억한다.

공부한 날 1회 ˙ 월 일   2회 ˙ 월 일   3회 ˙ 월 일

10 ★★☆
strenuous
[strénjuəs]
형 굽히지 않는, 몹시 힘든, 격렬한

Extremes of heat and humidity reduce workers' desire to engage in _____ physical work. EBS
극도의 열기와 습기는 격렬한 육체 노동에 종사하려는 노동자들의 욕구를 줄인다.

11 ★★☆
participant
[pɑːrtísəpənt]
명 참가자

_____s may forget to be nervous as they have so much else to think about. 모의
참가자는 그 외에 생각할 것이 많기 때문에 불안감을 잊을지도 모른다.

12 ★★☆
carriage
[kǽridʒ]
명 탈것, 마차, 객차

The first automobile was called a "horseless" _____. 모의
최초의 자동차는 '말이 없는' 마차라고 불렸다.

13 ★☆☆
dine
[dain]
동 식사를 하다, 만찬을 들다

When I _____ with my son, we always seek the table with the best view.
내가 아들과 함께 식사할 때, 우리는 항상 가장 전망이 좋은 테이블을 찾는다.

14 ★☆☆
patch
[pætʃ]
명 헝겊 조각, 밭, 작은 구획

He and I would search through _____es of clover at our grandparents' house for hours. 모의
그와 나는 몇 시간 동안 우리 할아버지 집에 있는 클로버 밭을 샅샅이 뒤지곤 했다.

15 ★★★
aggressive
[əgrésiv]
형 적극적인, 공격적인

One might say, "I'm not very successful in business, because I'm the youngest child and thus less _____ than my older brothers." 수능 사람들은 "나는 막내라서 형들보다 덜 적극적이어서 사업에 그다지 성공적이지 못해."라고 말할 수도 있다.

16 ★★☆
resume
[rézumèi] 명 이력서
[rizúːm] 동 재개하다, 다시 시작하다

When this chimp was reunited with his fellows outside the enclosure, they quickly _____d their normal activities. 모의 이 침팬지가 울타리로 둘러싸인 구역 밖에서 동료들과 재회했을 때, 그들은 빠르게 일상적인 활동을 재개했다.

17 ★★★
agriculture
[ǽgrəkλltʃər]
명 농업

In the less developed world, the percentage of the population involved in _____ is declining. 수능
저개발 세계에서, 농업에 종사하는 인구 비율은 감소하고 있다.

18 ★★★
alert
[ələ́ːrt]
형 민첩한, 조심하는
동 경고하다, 주의하다

An incident in Japan in the 1950s _____ed the world to the potential problems of organic mercury in fish. 수능
1950년대에 일본에서 한 사건이 물고기에 들어 있는 유기 수은의 잠재적 문제에 대해 전 세계에 경종을 울렸다.

STEP 2
Word Pairs
관련어 '쌍' 으로 암기

철자가 비슷한 어휘 쌍

19 fist
[fist]
명 주먹, 움켜 쥠

pump my _____ in the air 모의
주먹을 허공에 흔들다

gist
[dʒist]
명 요점, 요지

the _____ of science 모의
과학의 핵심

20 rash
[ræʃ]
명 발진, 뾰루지

break out in a _____
발진이 생기다

rush
[rʌʃ]
명 돌진, 분주함, 급박, 흥분

abandon it in a _____ 모의
성급하게 그것을 포기하다

21 bypass
[báipæ̀s]
명 우회 도로

a _____ to keep heavy traffic out of the town
시내에서 교통 체증을 막기 위한 우회 도로

passerby
[pæ̀sərbái]
명 행인, 지나가는 사람
(pl. passersby)

sell doughnuts and coffee to a _____ 모의
지나가는 사람에게 도넛과 커피를 팔다

접사가 힌트를 주는 어휘 쌍

22 audible
[ɔ́ːdəbl]
형 들리는, 들을 수 있는

barely _____
거의 들리지 않는

auditory
[ɔ́ːditɔ̀ːri]
형 청각의, 귀의

be encoded in an _____ form 모의
청각 형태로 암호화되다

TIP 접두사 audi-('듣다'의 의미)가 붙는 단어 audience 청중 audition 오디션; 오디션을 보다 auditorium 강당, 객석

23 physics
[fíziks]
명 물리학

a new direction for _____ 수능
새로운 물리학의 방향

physicist
[fízisist]
명 물리학자

exchange email with other _____s 수능
다른 물리학자들과 이메일을 주고받다

의미가 대치되는 어휘 쌍

24 physician
[fizíʃən]
명 의사, 내과 의사

become assistant to the _____ EBS
그 내과 의사의 조수가 되다

surgeon
[sə́ːrdʒən]
명 외과 의사

a plastic _____
성형외과 의사

25 simultaneously
[sàiməltéiniəsli]
부 동시에, 일제히

take place _____ 모의
동시에 일어나다

subsequently
[sʌ́bsikwəntli]
부 나중에, 후에, 이어서

be _____ called Minamata disease 수능
나중에 미나마타병으로 불리다

의미가 반대되는 어휘 쌍

26 stable
[stéibl]
형 안정된, 안정적인

_____ patterns 모의
안정적인 패턴

unstable
[ənstéibəl]
형 불안정한

the _____ qualities of childhood 모의
어린 시절의 불안정한 특성

의미가 비슷한 어휘 쌍

| 27 | **allocate** [ǽləkèit] | 동 할당하다, 배분하다 | a clearly _____ d place 모의
명확하게 할당된 위치 |
| | **assign** [əsáin] | 동 할당하다, 배정하다 | be _____ ed an office 모의
사무실을 배정받다 |

| 28 | **ambiguous** [æmbíɡjuəs] | 형 애매모호한, 여러 가지로 해석할 수 있는 | _____ words
애매모호한 단어들 |
| | **vague** [veig] | 형 모호한, 애매한, 막연한 | too _____ to be expressed in words 수능
말로 표현하기에는 너무나 모호한 |

| 29 | **durable** [djúərəbl] | 형 내구성이 있는, 오래가는 | _____ silver and gold coins EBS
내구성이 있는 은화와 금화 |
| | **sturdy** [stə́ːrdi] | 형 튼튼한, 견고한 | make them _____ 수능
그들을 튼튼하게 만들다 |

| 30 | **eager** [íːɡər] | 형 열렬한, 간절히 바라는 | be _____ to be the best mom 모의
최고의 엄마가 되기를 간절히 바라다 |
| | **keen** [kiːn] | 형 열망하는, 간절히 바라는 | be _____ on going to the party tonight
오늘 밤 그 파티에 몹시 가고 싶다 |

| 31 | **frown** [fraun] | 동 얼굴을 찌푸리다, 찡그리다 | be more likely to _____ EBS
얼굴을 찌푸릴 가능성이 더 크다 |
| | **glare** [glɛər] | 동 노려보다, 쏘아보다 | _____ at us EBS
우리를 노려보다 |

| 32 | **tariff** [tǽrif] | 명 관세, 가격표 | a country with high _____ s EBS
높은 관세가 있는 국가 |
| | **toll** [toul] | 명 통행료 | the _____ booth 모의
도로 요금소 |

TIP '세금'과 관련된 단어 tax 세금 duty (특히 국내로 들여오는 물품에 대한) 세금 customs 관세 levy 세금, 추가 부담금
excise (국내) 소비세, 물품세

품사가 바뀌는 어휘 쌍

| 33 | **intend** [inténd] | 동 의도하다, ~할 작정이다 | _____ to follow a literary career 수능
문예 경력을 이어갈 작정이다 |
| | **intent** [intént] | 명 의도, 의지, 의향 | long-term strategic _____ 모의
장기적인 전략적 의도 |

 크라우드 소싱(Crowd sourcing) '대중'을 뜻하는 '크라우드(crowd)'와 '외부 하청(outsourcing)'의 합성어로, 기업 활동의 일부 과정에 대중을 참여시키는 것을 의미한다. 기업으로서는 참신한 아이디어와 대중의 실질적인 의견을 들을 수 있고, 대중은 피드백 참여에 관한 보수를 받을 수 있다.

Review

A 예비 영단어 또는 우리말 뜻 쓰기

1. intent _____
2. alert _____
3. sturdy _____
4. obedient _____
5. allocate _____
6. municipal _____
7. strenuous _____

8. 청각의, 귀의 _____
9. 나중에, 후에, 이어서 _____
10. 비율, 부분 _____
11. 우회 도로 _____
12. 헝겊 조각, 밭, 작은 구획 _____
13. 요점, 요지 _____
14. 이력서; 재개하다, 다시 시작하다 _____

B 내신 필수 밑줄 친 단어와 의미가 같은 표현 고르기

1. The harshness of bristlecone pines' surroundings is a vital factor in making them strong and <u>sturdy</u>. 수능

   ① reasonable　　② imitable　　③ durable　　④ audible

2. They are <u>eager</u> to immerse themselves in diverse knowledge that helps them do their job better. EBS

   ① keen　　② eccentric　　③ adverse　　④ stable

3. He had been invited by one company to spend a month there and had been <u>assigned</u> an office and a research assistant. 모의

   ① dined　　② allocated　　③ intruded　　④ frowned

4. When this chimp was reunited with his fellows outside the enclosure, they quickly <u>resumed</u> their normal activities. 모의

   ① intended　　② restarted　　③ protested　　④ alerted

5. The worst that we fear is much less terrible than our <u>vague</u>, unarticulated fear. 모의

   ① aggressive　　② carefree　　③ ambiguous　　④ obedient

▶ 정답 p. 257

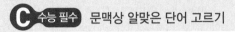 **수능 필수** 문맥상 알맞은 단어 고르기

수능 1. Thank you for years of reliable delivery of a first-rate newspaper. If our situation changes, we will call you to halt / resume delivery. In the meantime, we will expect delivery to stop no later than the end of this week.

모의 2. Stable / Unstable patterns are necessary lest we live in chaos; however, they make it difficult to abandon entrenched behaviors, even those that are no longer useful, constructive, or health creating.

모의 3. Buying a new gadget might give you a rash / rush , but it's probably temporary.

수능 4. Multitasking is about multiple tasks alternately sharing one resource (the CPU), but in time the context was flipped and it became interpreted to mean multiple tasks being done simultaneously / subsequently by one resource (a person).

모의 5. After receiving a gift from me, a bright-eyed young boy, Michael, reached into his pocket, retrieved something, and held it hidden in his closed fist / gist . "Now I want to give *you* something," he smiled, extending his hand to me.

모의 6. A vendor in a city set up shop and sold doughnuts and coffee to bypasses / passersby .

EBS 7. These children are obedient / disobedient and polite.

EBS 8. Extremes of heat and humidity reduce workers' desire to engage in carefree / strenuous physical work.

01 ★★★

factor
[fæktər]
⊗ 요인, 요소

Although organisms interact with their surroundings in many ways, certain _____s may be critical to a particular species' success. 모의 유기체들이 여러 방식으로 그들의 환경과 상호 작용을 하지만, 어떤 요인들은 특정한 종들의 성공에 매우 중요할 수도 있다.

02 ★☆☆

folklore
[fóuklɔ̀:r]
⊗ 민속, 전통 문화

The _____ festival for children is full of activities that connect them with the past.
어린이를 위한 민속 축제는 그들을 과거와 연결하는 활동들로 가득 차 있다.

03 ★☆☆

propaganda
[prɑ̀pəɡǽndə]
⊗ (정치 지도자·정당 등에 대한 허위·과장된) 선전 (활동)

They were charged with distributing enemy _____.
그들은 적의 선전을 유포한 혐의로 기소되었다.

04 ★★☆

formula
[fɔ́:rmjulə]
⊗ 공식, 방식

Each event requires different expenditures, so there is no set _____ for the budget. EBS
각각의 행사는 서로 다른 경비를 필요로 하므로, 예산에는 정해진 방식이 없다.

05 ★★☆

reptile
[réptil]
⊗ 파충류

Recognition of their unique beauty may require setting aside any preconceptions people may have about insects or _____s. 모의 그것들의 고유한 아름다움을 알아보려면 곤충류 혹은 파충류에 대해 사람들이 가질지 모르는 어떤 편견이라도 내려놓아야 할지도 모른다.

06 ★☆☆

utensil
[ju:ténsəl]
⊗ 가정용품, 기구, 용구

It sells a wide range of household _____s as well as a selection of unusual jewelry.
그곳은 특이한 보석류뿐만 아니라 다양한 종류의 가정용 기구도 판매한다.

07 ★★★

resemble
[rizémbl]
⊗ 닮다, 비슷하다

Reading _____s driving on the road. 모의
독서는 도로에서 운전하는 것과 비슷하다.

08 ★★☆

fortress
[fɔ́:rtris]
⊗ 요새, 견고한 장소

It is the only _____ city in India still functioning. 모의
그곳은 아직도 제 역할을 하고 있는 인도의 유일한 요새 도시이다.

09 ★★☆

enlightenment
[inláitnmənt]
⊗ 계발, 이해, 깨달음

At that point, I experienced a dazzling moment of _____.
그때, 나는 눈부신 깨달음의 순간을 경험했다.

10 ★★☆
peep
[piːp]
동 엿보다, 훔쳐보다

She _____ed through the curtains at the sleeping boy and ended up staring at him for a couple of minutes.
그녀는 커튼 사이로 자고 있는 소년을 엿보더니 결국 몇 분 동안 그를 응시했다.

11 ★★☆
mighty
[máiti]
형 강력한, 힘센, 웅장한

He quickly learned to respect the _____ waters of the ocean. 모의 그는 대양의 강력한 파도를 존중하는 법을 빨리 배웠다.

12 ★★★
enrich
[inrítʃ]
동 질을 높이다, 풍요롭게 하다

Our jobs become _____ed by relying on robots to do the tedious work. 모의
지루한 일을 하는 것은 로봇에게 의존함으로써 우리의 일은 질이 높아지게 된다.

13 ★★☆
offspring
[ɔ́fsprìŋ]
명 자손, 자녀, (동식물의) 새끼

The contemporary child must travel much further than the _____ of primitive man to acquire the world view of his elders. 수능
현대의 아이는 어른의 세계관을 획득하기 위해 원시인의 아이보다 더 멀리 여행을 해야 한다.

14 ★★☆
framework
[fréimwə̀rk]
명 틀, 구조, 구성

A hypertext connection will not necessarily have a place in your own unique conceptual _____. 모의
하이퍼텍스트 연결은 여러분 자신의 고유한 개념적 틀 속에 반드시 자리 잡고 있는 것은 아닐 것이다.

15 ★★☆
skyscraper
[skáiskrèipər]
명 고층 건물, 마천루

The robot can dig tunnels and build _____s. 모의
로봇은 터널을 파고 고층 건물을 지을 수 있다.

16 ★☆☆
frugal
[frúːgəl]
형 검소한, 절약하는

He had very regular working habits and a _____ lifestyle.
그는 매우 규칙적인 업무 습관과 검소한 생활 방식을 가지고 있었다.

17 ★★☆
contrary
[kántreri]
형 정반대의, 상반되는
명 정반대

On the _____, scientists want to test their own ideas and give an accurate explanation of some aspect of nature. 모의
그와는 반대로, 과학자는 자기 자신의 생각을 검증해 보고 자연의 어떤 측면에 대해 정확한 설명을 하고 싶어 한다.

18 ★★☆
sarcastic
[saːrkǽstik]
형 빈정대는, 비꼬는

Communicators determine if a speaker is _____ by comparing the verbal and nonverbal message. 모의
의사 전달자들은 언어적 메시지와 비언어적 메시지를 비교하여 화자가 빈정대는 것인지를 판단한다.

STEP 2
Word Pairs

관련어 '쌍' 으로 암기

철자가 비슷한 어휘 쌍

19

spare
[spɛər]
형 여분의, 남는

provide _____ parts and materials 수능
여분의 부품과 재료들을 제공하다

spear
[spiər]
명 창

build a boat and fashion a _____ EBS
배를 건조하고 창을 만들다

TIP spare와 관련된 어휘 spare cash 여분의 현금   spare tire (자동차 타이어의 펑크에 대비한) 스페어타이어   spare time 여가
spare room 손님용 예비 침실   spare part 예비 부품   spare key 스페어 키, 여분의 열쇠

20

wield
[wi:ld]
동 휘두르다, 잘 다루다, 행사하다

_____ a very powerful pen 모의
매우 뛰어난 필력을 발휘하다

yield
[ji:ld]
동 생산하다, 양보하다, 굴복하다

_____ control to journalists 모의
기자들에게 통제권을 양도하다

접사가 힌트를 주는 어휘 쌍

21

refuge
[réfju:dʒ]
명 도피, 피난, 피난처

a _____ from public attention 수능
대중의 관심으로부터의 도피

refugee
[rèfjudʒí:]
명 피난민, 망명자

speak with a _____ 모의
피난민과 이야기하다

의미가 비슷한 어휘 쌍

22

outstanding
[àutstǽndiŋ]
형 뛰어난, 우수한

a few _____ pieces of equipment EBS
몇 개의 우수한 장비들

superb
[supə́:rb]
형 최고의, 훌륭한, 멋진

his grandson's _____ victory 모의
그의 손자의 훌륭한 승리

23

peculiar
[pikjú:ljər]
형 특이한, 독특한

one _____ brief and muffled bark EBS
하나의 특이한 짧고 낮은 짖는 소리

odd
[ɑd]
형 이상한, 특이한, 홀수의

an _____ sensation 모의
이상한 기분

24

crucial
[krú:ʃəl]
형 중대한, 결정적인

a _____ factor in success EBS
성공에 있어서 중대한 요인

decisive
[disáisiv]
형 중대한, 결정적인

a _____ component of creative imagination 모의
창의적인 상상력의 결정적인 요소

25

damp
[dæmp]
형 축축한, 눅눅한, 습한

a _____ wooden surface 모의
눅눅한 나무 표면

humid
[hjú:mid]
형 습한, 눅눅한

_____ settings 모의
습한 환경

26

tremble
[trémbl]
동 흔들리다, 진동하다, 떨다

_____ uncontrollably 모의
감당할 수 없을 정도로 떨다

quake
[kweik]
동 흔들리다, 진동하다, 떨다

_____ with fear
두려움에 몸을 떨다

| 27 | **utmost**
[ʌ́tmòust] | 혱 최대의, 최고의, 극도의 | evaluate with _____ care **EBS**
최대한 주의를 기울여 평가하다 |
| | **supreme**
[səprí:m] | 혱 최고의, 최우수의, 최대한의 | a _____ effort
최대한의 노력 |

품사가 바뀌는 어휘 쌍

| 28 | **affirm**
[əfə́:rm] | 동 확언하다, 단언하다,
주장하다 | _____ a particular theory **수능**
특정 이론을 확언하다 |
| | **affirmative**
[əfə́:rmətiv] | 혱 긍정의, 확언적인, 적극적인 | an _____ answer
긍정적인 대답 |

| 29 | **capture**
[kǽptʃər] | 동 붙잡다, 획득하다, 포획하다 | _____ the creature **EBS**
그 동물을 잡다 |
| | **captive**
[kǽptiv] | 혱 사로잡힌, 포획된, 감금된
명 포로 | _____ breeding programs **EBS**
포획 사육 프로그램 |

| 30 | **signify**
[sígnəfài] | 동 중요하다, 의미하다 | _____ a radical change
급진적인 변화를 의미하다 |
| | **significant**
[signífikənt] | 혱 중요한, 의미 있는, 상당한 | publicize _____ discoveries **수능**
중요한 발견을 홍보하다 |

| 31 | **complex**
[kəmpléks, kámpleks] | 혱 복잡한, 복합적인 | a _____ mixture **수능**
복잡한 혼합물 |
| | **complexity**
[kəmpléksəti] | 명 복잡성, 복잡함 | limit the _____ of the ideas **수능**
생각의 복잡성을 제한하다 |

TIP '콤플렉스'와 관련된 표현
Oedipus complex 오이디푸스 콤플렉스 (아들이 아버지를 질투하며 어머니에 대해 품는 사모의 뜻)
Electra complex 엘렉트라 콤플렉스 (딸이 아버지에게 무의식적으로 애정을 갖게 되는 현상)

| 32 | **dense**
[dens] | 혱 밀집한, 빽빽한 | _____ bamboo thickets **모의**
빽빽한 대나무 숲 |
| | **density**
[dénsəti] | 명 밀도, 농도 | high building _____ **모의**
높은 건축 밀도 |

| 33 | **weird**
[wiərd] | 혱 기이한, 이상한, 기묘한 | a _____ influence **EBS**
기묘한 영향력 |
| | **weirdo**
[wíərdou] | 명 괴짜, 기묘한 사람 | a _____ whose dress or behavior seems eccentric
복장이나 행동이 별나 보이는 괴짜 |

상식 다:품 **파노플리 효과(Panoplie effect)** 특정 제품을 소비함으로써 자신을 해당 제품을 사용하는 특정 집단이나 계급과 동일시하고 이상적 자아의 이미지를 획득했다고 믿으며 심리적 만족감을 얻는 것을 의미한다. 소비를 통해 자신의 가치를 인정받고자 하는 대중들의 과시욕과 인정 욕구를 반영한다.

Review

A 예비 영단어 또는 우리말 뜻 쓰기

1. enlightenment _____
2. yield _____
3. damp _____
4. fortress _____
5. utensil _____
6. refugee _____
7. affirm _____

8. 공식, 방식 _____
9. 검소한, 절약하는 _____
10. 엿보다, 훔쳐보다 _____
11. 휘두르다, 잘 다루다, 행사하다 _____
12. 밀집한, 빽빽한 _____
13. 빈정대는, 비꼬는 _____
14. 파충류 _____

B 내신 필수 밑줄 친 단어와 의미가 같은 표현 고르기

1. When she heard the dogs barking fiercely on the floor just above her, she trembled uncontrollably for fear of being caught. 모의
   ① resembled　　　② yielded　　　③ wielded　　　④ quaked

2. The floor became damp. EBS
   ① repetitive　　　② mighty　　　③ wet　　　④ frugal

3. They produced outstanding results. EBS
   ① contrary　　　② superb　　　③ weird　　　④ complex

4. Tackling prolonged negative place images is crucial for developing tourism in Africa, the Middle East, Latin America, Eastern Europe and Asia. 모의
   ① dense　　　② captive　　　③ affirmative　　　④ critical

5. Evelyn found her baby daughter, Julie, tossing feverishly and giving out odd little cries. 모의
   ① peculiar　　　② spare　　　③ significant　　　④ supreme

▶ 정답 p. 257

C 수능 필수 문맥상 알맞은 단어 고르기

모의 1. Think of it as the robot-assisted human, given superpowers through the aid of technology. Our jobs become declined / enriched by relying on robots to do the tedious work while we work on increasingly more sophisticated tasks.

모의 2. Suddenly, a boy riding a bicycle slipped on the damp / dump wooden surface, hitting Rita at an angle, which propelled her through an open section of the guard rail.

EBS 3. The author must evaluate with limited / utmost care whether a sad ending is truly justified.

수능 4. In much of social science, evidence is used only to affirm / deny a particular theory—to search for the positive instances that uphold it.

EBS 5. We'll spend approximately five hours in the refuge / refugee , searching for birds.

수능 6. The product warranty says that you provide spare / spear parts and materials for free, but charge for the engineer's labor.

모의 7. Journalists can provide credibility, status, and a guaranteed large audience that many citizens do not feel they can get any other way. However, to access those benefits, subjects must wield / yield control to journalists over how their stories are told to the public.

STEP 1
Single Words
기출 예문으로 핵심 어휘 학습

01 ★★☆
sprint
[sprint]
명 전력 질주, 단거리 경기
동 전력 질주하다

We _____ed and bounded off the dunes. EBS
우리는 전력 질주하여 모래 언덕을 박차고 뛰어올랐다.

02 ★★☆
cope
[koup]
동 대처하다, 대응하다

Repetition of experience helps them learn to _____ with their inevitable nervousness. 모의
반복된 경험은 그들이 불가피한 불안감에 대처하는 것을 배우도록 돕는다.

03 ★★★
encounter
[inkáuntər]
동 맞닥뜨리다, 부딪히다

The most normal and competent child _____s what seem like insurmountable problems in living. 수능
가장 정상적이고 유능한 아이라 하더라도 살면서 극복할 수 없는 문제들처럼 보이는 것을 만난다.

04 ★★☆
glacier
[gléiʃər]
명 빙하

It would be of no use to try to destroy _____s. 모의
빙하를 파괴하려는 것은 아무런 소용이 없을 것이다.

05 ★★★
constitute
[kánstətjùːt]
동 구성하다, 간주하다, 제정하다

Our total set of values and their relative importance to us _____ our value system. 모의
우리의 일련의 전체 가치와 우리에게 있어 그것(가치)들의 상대적 중요성으로 우리의 가치 체계는 구성된다.

06 ★★☆
behalf
[biháf]
명 측, 편, 이익

The media should be providing the most intense scrutiny on our _____, so the public can see the other side of things. 수능
언론은 우리를 대신해 매우 자세히 조사하여, 대중들이 다른 측면을 볼 수 있도록 해야 한다.

07 ★★☆
habitual
[həbítʃuəl]
형 습관적인, 평소의

It has become _____ to begin reports and papers with careful reviews of previous work. 수능
보고서와 논문을 이전 작업에 대한 주의 깊은 재검토로 시작하는 것이 습관이 되었다.

08 ★★☆
interval
[íntərvəl]
명 간격, 틈

Schedule _____s of productive time and breaks so that you get the most from people. 모의
사람들로부터 최상의 것을 얻어 내기 위해 생산 시간과 휴식 시간들의 간격을 계획하라.

09 ★★☆
perplex
[pərpléks]
동 당혹하게 하다, 혼란시키다

When we are genuinely _____ed about what we ought to do, we have to try to figure out what our conscience is saying to us. EBS 우리가 무엇을 해야 할지에 대해 진정으로 당혹스러워할 때 우리는 우리의 양심이 우리에게 말하는 것을 알아내려고 노력해야 한다.

10 ★★☆
heatstroke
[híːtstròuk]

몧 열사병, 일사병

Feeling thirsty is the initial symptom of _____.
갈증을 느끼는 것은 열사병의 초기 증상이다.

11 ★★☆
mere
[miər]

헝 단순한, 단지 ~에 불과한

Language offers something more valuable than _____ information exchange. 수능
언어는 단순한 정보의 교환보다 더 가치 있는 것을 제공한다.

12 ★★☆
autonomous
[ɔːtánəməs]

헝 자주적인, 자율의

People are not enthusiastic about riding in such _____ vehicles themselves. 모의
사람들은 그러한 자율 자동차를 본인이 스스로 타는 것에 대해서는 열광하지 않는다.

13 ★★★
postpone
[poustpóun]

통 연기하다, 미루다

I heard the test was _____d. 모의
나는 시험이 연기됐다고 들었다.

14 ★★☆
warrior
[wɔ́ːriər]

몧 용사, 전사

In a world ruled by powerful kings and bloodthirsty _____s, the Greeks even developed the idea of democracy. 모의
강력한 왕이나 피에 굶주린 전사에 의해 지배되는 세상에서 그리스인들은 심지어 민주주의에 대한 생각도 발전시켰다.

15 ★★☆
await
[əwéit]

통 기다리다, 대기하다

The decisions are _____ing your action. 수능
그 결정들은 당신이 행동하기만을 기다리고 있다.

16 ★★☆
extinguish
[ikstíŋgwiʃ]

통 (불을) 끄다, 진화하다, 없애다, 끝내다

Power, or domination, cannot be _____ed. EBS
권력, 즉 지배는 사라질 수 없다.

17 ★★☆
canal
[kənǽl]

몧 수로, 운하

The mangrove forest alongside the _____ thrilled me as we entered its cool shade. 수능
수로를 따라 우거진 맹그로브 숲의 시원한 그늘로 들어가자 그 광경은 나를 전율하게 했다.

18 ★★★
awareness
[əwéərnis]

몧 의식, 자각, 인식

Her _____ for astronomy came to life when her father began to teach her about the stars with the use of his own telescope.
모의 그녀의 아버지가 자신의 망원경을 이용해서 그녀에게 별에 관해 가르치기 시작했을 때 천문학에 대한 그녀의 의식이 활기를 띠게 되었다.

105

STEP 2
Word Pairs

관련어 '쌍' 으로 암기

19 merchandise
[mə́ːrtʃəndàiz]
명 물품, 상품

deal in wool, silk, and other _____ 수능
양털, 비단, 그리고 다른 상품 장사를 하다

merchant
[mə́ːrtʃənt]
명 상인, 무역상

a successful _____ 모의
성공한 상인

20 encircle
[insə́ːrkl]
동 에워싸다

the town _____d by fortified walls
요새화된 담으로 둘러싸인 마을

entitle
[intáitl]
동 자격을 주다, 제목을 붙이다

be _____d to look wherever they want 수능
그들이 원하는 곳은 어디든지 볼 수 있는 권한이 있다

21 evoke
[ivóuk]
동 일깨우다, 불러일으키다

_____ memories 모의
추억을 불러일으키다

invoke
[invóuk]
동 호소하다, 기원하다, 빌다

_____ God's blessing
신의 축복을 빌다

22 provoke
[prəvóuk]
동 유발하다, 불러일으키다

_____ a deep attachment EBS
깊은 애착을 불러일으키다

revoke
[rivóuk]
동 취소하다, 폐지하다

_____ a license
면허를 취소하다

23 bias
[báiəs]
명 편견

gender _____ 모의
성에 대한 편견

prejudice
[prédʒudis]
명 편견, 선입견

be hindered by racial _____ EBS
인종적인 편견에 가로막히다

TIP '편견, 선입견'과 관련된 단어 partiality 편애, 편파 preconception 편견, 선입견 prejudgment 예단, 미리 판단하기
discrimination 차별, 편견 favoritism 편애, 편파 unfairness 불공평, 부정 injustice 불평등, 부당함

24 blaze
[bleiz]
동 눈부시게 빛나다, 활활 타다

_____ down from a clear blue sky
맑고 푸른 하늘에서 눈부시게 빛나다

glow
[glou]
동 빛나다, 타다

_____ in a silvery color
은빛으로 빛나다

25 disobey
[dìsəbéi]
동 불복종하다, 거역하다, 반항하다

_____ orders
명령에 불복종하다

violate
[váiəlèit]
동 침해하다, 위반하다

_____ the normal relationship 모의
일반적인 관계를 위반하다

26 enact
[inǽkt]
동 제정하다, 규정하다

_____ a law
법률을 제정하다

establish
[istǽbliʃ]
동 설립하다, 제정하다

be _____ed by the Copyright Act 수능
판권법에 의해 제정되다

| 27 | **financial** [finǽnʃəl] | 형 금융의, 재정의 | the _____ support EBS
재정 지원 |
| | **monetary** [mánətèri] | 형 화폐의, 통화의, 금융의 | a stable _____ system EBS
안정된 통화 제도 |

품사가 바뀌는 어휘 쌍

| 28 | **endure** [indjúər] | 동 참다, 인내하다, 견디다 | _____ three weeks without electricity EBS
전기 없이 3주를 견디다 |
| | **endurance** [indjúərəns] | 명 참을성, 인내, 지구력 | perform better in _____ exercises 수능
지구력 운동에서 더 잘 작동하다 |

| 29 | **refer** [rifə́r] | 동 언급하다, 참조하다 | _____ to it as merely functional 수능
그것을 단순히 기능적인 것으로 언급하다 |
| | **reference** [réfərəns] | 명 언급, 참조, 참고 | a _____ guide EBS
참고 안내서 |

| 30 | **occupy** [ákjupài] | 동 거주하다, 차지[점유]하다 | _____ such areas EBS
그런 지역에 거주하다 |
| | **occupant** [ákjupənt] | 명 거주자, 점유자 | a previous _____ of the house
그 집의 이전 거주자 |

TIP '거주자'를 나타내는 단어 resident 거주자, 투숙객 inhabitant 거주자, 주민 dweller 거주자, 주민 tenant 거주자, 세입자, 임차인

| 31 | **oppose** [əpóuz] | 동 반대하다, 대항하다 | _____ the death penalty
사형제에 반대하다 |
| | **opponent** [əpóunənt] | 명 반대자, 상대 | view tough _____s as challenges EBS
힘든 상대를 도전으로 여기다 |

| 32 | **boast** [boust] | 동 자랑하다, 떠벌리다 | _____ of the achievements of their children 모의
그들의 자녀들의 성취를 뽐내다 |
| | **boastful** [bóustfəl] | 형 자랑하는, 뽐내는 | sound _____
뽐내는 것처럼 들리다 |

| 33 | **tact** [tækt] | 명 재치, 눈치, 요령 | resolve conflicts with _____
재치 있게 갈등을 해결하다 |
| | **tactful** [tǽktfəl] | 형 재치 있는, 요령 있는 | a _____ way of telling the truth
진실을 말하는 요령 있는 방법 |

 상식 다:품 비포서비스(Before service) 애프터서비스(After service)의 반대 개념으로, 고객이 요청하기 전에 기업이 먼저 고객의 불만을 해결해주거나 제품이나 서비스에 어떤 장애가 발생하기 전에 미리 예방해 고객의 호의를 얻는 서비스이다. 판매 이전에 잠재 수요자와 접촉하여 소비자가 필요로 하는 부속품을 먼저 제공하거나 소비자가 많이 모이는 곳으로 찾아가 무상 점검 및 소모품을 교환해주는 방식 등으로 서비스가 이루어진다.

Review

A 예비 영단어 또는 우리말 뜻 쓰기

1. merchandise _____
2. glacier _____
3. cope _____
4. perplex _____
5. opponent _____
6. constitute _____
7. postpone _____

8. 자격을 주다, 제목을 붙이다 _____
9. 수로, 운하 _____
10. 맞닥뜨리다, 부딪히다 _____
11. 언급, 참조, 참고 _____
12. 기다리다, 대기하다 _____
13. 측, 편, 이익 _____
14. 참다, 인내하다, 견디다 _____

B 내신 필수 밑줄 친 단어와 의미가 같은 표현 고르기

1. 20,000 people <u>encircled</u> the Pentagon with handsewn ribbons. EBS

   ① swallowed　　② surrounded　　③ signified　　④ sprinted

2. The person will tend to feel guilty when his or her own conduct <u>violates</u> that principle. 수능

   ① encounters　　② constitutes　　③ disobeys　　④ extinguishes

3. A social service body may reject an unemployed man's request for <u>monetary</u> handouts and suggest training instead. EBS

   ① tactful　　② boastful　　③ mere　　④ financial

4. They found that they could understand and predict events better if they reduced passion and <u>prejudice</u>, replacing these with observation and inference. 수능

   ① tact　　② bias　　③ endurance　　④ awareness

5. The life-plus-70-years standard was set by the Copyright Term Extension Act of 1998, which increased the 50-year limit <u>established</u> by the 1976 Copyright Act. 수능

   ① enacted　　② coped　　③ blazed　　④ perplexed

▶ 정답 p. 258

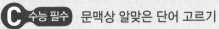 **수능 필수** 문맥상 알맞은 단어 고르기

모의 **1.** The habitual / temporary acts we automatically do are related to our intention and these acts can be helpful in keeping us from danger in our lives.

모의 **2.** A new study published in *Science* reveals that people generally approve of driverless cars programmed to sacrifice their passengers in order to save pedestrians, but these same people are not enthusiastic about riding in such manual / autonomous vehicles themselves.

수능 **3.** Gregorio Dati was a successful merchandise / merchant of Florence, who entered into many profitable partnerships dealing in wool, silk, and other merchandise / merchant .

모의 **4.** These great musicians generally did their composition mentally without reference to pen or piano, and simply accelerated / postponed the unpleasant manual labor of committing their music to paper until it became absolutely necessary.

수능 **5.** Like fragments from old songs, clothes can evoke / revoke both cherished and painful memories.

모의 **6.** They have the strength and stamina to win not just the physical game but the mental game in order to close out their occupants / opponents in major tournaments.

수능 **7.** Slow muscle fibers are muscle cells that can sustain repeated contractions but don't generate a lot of quick power for the body. They perform better in endurance / strength exercises, like long-distance running, which require slow, steady muscle activity.

Single Words

기출 예문으로 핵심 어휘 학습

---

01 ★★☆

indulge
[indʌ́ldʒ]

⑤ 충족시키다, 채우다, 탐닉하다

He _____d his dream of becoming a professional athlete, even though he showed few natural abilities. EBS

그는 타고난 재능을 거의 보여주지 못했음에도 프로 선수가 되려는 꿈을 이뤘다.

---

02 ★★☆

eligible
[élidʒəbl]

⑧ 적격의, 자격이 있는

Anyone over the age of 18 is _____ for the contest, with the exception of professional photographers. 모의

전문적인 사진작가를 제외하고 18세 이상이면 누구나 그 대회에 참가할 자격이 있다.

---

03 ★★☆

decent
[díːsnt]

⑧ 괜찮은, 품위 있는

It had once been a _____ community, a nice place to live.

그곳은 한때 괜찮은 공동체였고 살기 좋은 곳이었다.

---

04 ★★★

auditorium
[ɔ̀ːditɔ́ːriəm]

⑨ 강당

Laughter started to pass through the _____ from front to back. 모의   웃음소리가 강당의 앞에서 뒤로 퍼져 나가기 시작했다.

---

05 ★★☆

primitive
[prímətiv]

⑧ 원시의, 초기의
⑨ 원시인

Among _____s, because of their supernaturalistic theories, the prevailing moral point of view gives a deeper meaning to disease. 수능   원시인들 사이에서는, 그들의 초자연적인 생각 때문에, 지배적인 도덕적 관점이 질병에 대해 더 깊은 의미를 제공한다.

---

06 ★★☆

eloquent
[éləkwənt]

⑧ 유창한, 설득력 있는

Coates is well known as an _____ writer on race, and he posts about that frequently. 모의

Coates는 인종 문제에 대해 설득력 있는 글을 쓰는 사람으로 잘 알려져 있고 그는 그것에 관해 자주 글을 올린다.

---

07 ★★☆

infer
[infə́ːr]

⑤ 추론하다, 추측하다

Babies can _____ invisible properties based on what things look like. EBS

아기들은 사물의 보이는 모습에 근거해서 보이지 않는 특성들을 추론할 수 있다.

---

08 ★★☆

stubborn
[stʌ́bərn]

⑧ 완고한, 고집스러운

Perhaps the teacher appears _____ because she wants to develop self-discipline in students. 모의

아마 그 선생님은 학생들이 자신을 단련하는 법을 발전시키기를 원하기 때문에 완고하게 보였을 것이다.

---

09 ★★★

endeavor
[indévər]

⑨ 노력, 시도
⑤ 노력하다, 시도하다

The extended copyright protection frustrates new creative _____s such as including poetry and song lyrics on Internet sites. 수능   연장된 판권 보호는 인터넷 사이트에 시와 노래 가사를 함께 넣는 것과 같은 새로운 창의적인 노력을 좌절시킨다.

10 ★☆☆
paralysis
[pərǽləsis]
명 마비

The _____ may affect mainly the legs, or all four limbs, or just one side of the body.

마비는 주로 다리나 사지에 영향을 미치거나 몸의 한쪽에만 영향을 미칠 수 있다.

11 ★★☆
depth
[depθ]
명 깊이

Trees have a few small roots which penetrate to great _____ . 모의

나무는 상당한 깊이까지 침투하는 약간의 작은 뿌리들을 가지고 있다.

12 ★★☆
intact
[intǽkt]
형 온전한, 손상되지 않은, 그대로인

The motive to own a successful business is strong enough, but many barriers remain _____ . EBS

성공적인 사업체를 소유하려는 동기는 충분히 강하지만, 많은 장벽들이 그대로 남아 있다.

13 ★★★
authority
[əθɔ́:rəti]
명 권위, 권력, 권한

The new mayor used his _____ thoughtfully. EBS

새로운 시장은 자신의 권력을 사려 깊게 사용했다.

14 ★★☆
beverage
[bévəridʒ]
명 음료

Outside food and _____s are allowed but make sure to take your trash with you. 모의

외부 음식과 음료 반입은 허용되지만 쓰레기는 꼭 가져가십시오.

15 ★★☆
invert
[invə́:rt]
동 뒤집다, 도치시키다

One common error in stamp manufacturing is an _____ed design element. EBS

우표의 제조에 있어서 빈번히 발생하는 한 가지 오류는 거꾸로 된 도안 요소이다.

16 ★★★
catastrophe
[kətǽstrəfi]
명 대참사, 재앙

Four years ago, we experienced one of the biggest environmental _____s in our history.

4년 전, 우리는 우리 역사상 가장 큰 환경 재앙 중 하나를 경험했다.

17 ★★☆
faculty
[fǽkəlti]
명 (대학) 학부, 교수진, 능력, 재능

Mitchell became a _____ member at Vassar College, making her the first female astronomy professor in the United States. 모의 Mitchell은 Vassar College의 교수진의 일원이 되었는데, 그렇게 하여 그녀는 미국의 최초의 천문학 여교수가 되었다.

18 ★★☆
charity
[tʃǽrəti]
명 자선단체, 자비

All exhibits are for sale, and all money raised will be donated to _____ . 수능

모든 전시품은 판매되며, 마련된 기금은 모두 자선단체에 기부될 것이다.

STEP 2
Word Pairs
관련어 '쌍'으로 암기

철자가 비슷한 어휘 쌍

| 19 | **shed** [ʃed] | 동 (피·눈물 등을) 흘리다, 떨어뜨리다, (빛·소리·냄새를) 발산하다 | _____ light on why corporate training often fails 모의 왜 기업의 훈련이 종종 실패하는지를 분명히 보여주다 |
| | **shred** [ʃred] | 동 조각조각으로 찢다, 째다 | _____ all the curtains and cushions 모의 커튼과 방석들을 모두 조각조각 찢다 |

> **TIP** shed와 관련된 표현 shed light on ~을 비추다, 밝히다 shed a disguise 가면을 벗다, 정체를 드러내다
> shed sweat[tears] 땀[눈물]을 흘리다 shed weight 살을 빼다

| 20 | **legislate** [lédʒislèit] | 동 법률을 제정하다 | _____ to protect people's right to privacy 사람들의 사생활 권리를 보호하는 법을 제정하다 |
| | **legitimate** [lidʒítəmət] 형 합법의, 정당한 [lidʒítəmeit] 동 합법화하다 | | file _____ claims EBS 합법적인 보상금을 청구하다 |

의미가 비슷한 어휘 쌍

| 21 | **coarse** [kɔːrs] | 형 거친, 상스러운 | a _____ woolen cloth 거친 모직물 |
| | **rough** [rʌf] | 형 거친, 난폭한 | a ship traveling through _____ seas 수능 거친 바다를 항해하던 배 한 척 |

| 22 | **colleague** [káliːg] | 명 동료 | agree with Richard Ryan and his _____s 수능 Richard Ryan과 그의 동료들에게 동의하다 |
| | **companion** [kəmpǽnjən] | 명 친구, 동료, 동반자 | her sole _____ EBS 그녀의 유일한 친구 |

| 23 | **worship** [wə́ːrʃip] | 명 예배, 숭배 | ancestor _____ 조상 숭배 |
| | **reverence** [révərəns] | 명 경의, 숭배 | deep _____ for nature 자연에 대한 깊은 숭배 |

| 24 | **yearn** [jəːrn] | 동 갈망하다, 동경하다 | _____ for friendship 모의 우정을 갈망하다 |
| | **itch** [itʃ] | 동 (~하고 싶어서) 못 견디다, 가렵다 | be _____ing to get back to work 다시 일을 하고 싶어서 몸이 근질거리다 |

| 25 | **stumble** [stʌ́mbl] | 동 비틀거리다, 넘어지다 | _____ on Bill's sleeping bag 모의 Bill의 침낭 위로 넘어지다 |
| | **stagger** [stǽgər] | 동 비틀거리다 | _____ out of bed 비틀거리며 침대에서 나오다 |

| 26 | **subdue** [səbdjúː] | 동 억누르다, 진압하다, 정복하다 | _____ an urge 충동을 억누르다 |
| | **suppress** [səprés] | 동 참다, 억누르다, 진압하다 | _____ emotions such as anger 수능 분노와 같은 감정을 억제하다 |

27	**atom** [ǽtəm]	명 원자	hydrogen _____s 모의 수소 원자
	molecule [mάləkjùːl]	명 분자	a _____ of water 모의 물 분자

28	**precious** [préʃəs]	형 귀중한, 값비싼	_____ metals 모의 귀금속
	valuable [vǽljuəbl]	형 소중한, 귀중한	a _____ resource 모의 귀중한 자원

TIP '가치 없는, 쓸모없는'을 나타내는 단어 valueless 무가치한, 하찮은   worthless 가치 없는, 쓸모없는   useless 쓸모없는, 헛된
unhelpful 도움이 안 되는, 쓸모없는   meritless 장점이 없는

품사가 바뀌는 어휘 쌍

29	**racial** [réiʃəl]	형 인종의	social and _____ justice 수능 사회적, 인종적 정의
	racist [réisist]	명 인종 차별주의자	attract the most attention from the _____s 인종 차별주의자들로부터 가장 많은 주목을 끌다

30	**afford** [əfɔ́ːrd]	동 ~할[살] 여유가 있다	no matter what you can _____ 모의 당신이 무엇이든 살 여유가 있다 하더라도
	affordable [əfɔ́ːrdəbl]	형 감당할 수 있는, 적당한	be _____ far into the future 수능 먼 미래까지 감당할 수 있다

31	**convert** [kənvə́ːrt]	동 바꾸다, 전환하다	_____ feed into food EBS 먹이를 식량으로 전환하다
	convertible [kənvə́ːrtəbl]	형 바꿀 수 있는, 전환 가능한	a _____ sofa 침대로 전환 가능한 소파

32	**grief** [griːf]	명 큰 슬픔, 비탄	negative emotions like _____ 수능 슬픔과 같은 부정적인 감정
	grieve [griːv]	동 비통해하다, 몹시 슬퍼하다	learn how to _____ EBS 애통해하는 방법을 배우다

33	**strife** [straif]	명 분쟁, 투쟁, 갈등	due to political _____ EBS 정치적 투쟁으로 인해
	strive [straiv]	동 애쓰다, 노력하다, 분투하다	_____ to earn the approval EBS 승인을 얻기 위해 애쓰다

 상식다:품 에이징 인 플레이스(Aging in place) 노인이 요양 시설에 격리되지 않고 자신이 살던 집이나 지역사회에서 여생을 보내는 것을 의미한다. 전 세계적으로 고령화 현상이 심각해지면서 노인의 건강한 노후를 지원하기 위해 활발히 논의되고 있는 개념이다.

A 예비 영단어 또는 우리말 뜻 쓰기

1. decent _____
2. primitive _____
3. yearn _____
4. invert _____
5. eloquent _____
6. shred _____
7. intact _____

8. 법률을 제정하다 _____
9. 추론하다, 추측하다 _____
10. 대참사, 재앙 _____
11. 충족시키다, 채우다, 탐닉하다 _____
12. 비통해하다, 몹시 슬퍼하다 _____
13. 완고한, 고집스러운 _____
14. 강당 _____

B 내신 필수 밑줄 친 단어와 의미가 같은 표현 고르기

1. We can strive to understand what in Eastern philosophy is called 'the way of things.' 수능

   ① stagger   ② endeavor   ③ infer   ④ indulge

2. Remember most people do yearn for friendship, just as you do. 모의

   ① invert   ② impress   ③ itch   ④ intrude

3. Precious metals have been desirable as money across the millennia not only because they have intrinsic beauty but also because they exist in fixed quantities. 모의

   ① Primitive   ② Intact   ③ Eloquent   ④ Valuable

4. The Buddhists adapted their practices to include the Confucian custom of ancestor worship.

   ① reverence   ② charity   ③ authority   ④ faculty

5. This is very different from the case of someone who suppresses emotions such as anger out of a feeling that they need to present a facade of self-control, or out of fear of what others may think. 수능

   ① sheds   ② evokes   ③ subdues   ④ converts

▶ 정답 p. 258

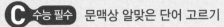 수능 필수 문맥상 알맞은 단어 고르기

모의 1. If the employee knew that individual rewards were possible, he would be more likely to [grieve / strive] to outperform expectations.

모의 2. Mice were attracted by the food and they [shedded / shredded] all the curtains, screens, and cushions.

모의 3. Anyone over the age of 18 is [eligible / ineligible] for the contest, with the exception of professional photographers.

모의 4. The hunters, armed only with [modern / primitive] weapons, were no real match for an angry mammoth. Many were probably killed or severely injured in the close encounters that were necessary to slay one of these gigantic animals.

수능 5. Many present efforts to guard and maintain human progress draw too heavily, too quickly, on already overdrawn environmental resource accounts to be [affordable / unaffordable] far into the future without bankrupting those accounts.

수능 6. The desire to make money can challenge and inspire us. Even so, it is not the money *per se* that is [valuable / valueless], but the fact that it can potentially yield more positive experiences.

모의 7. Politics cannot be [encouraged / suppressed], whichever policy process is employed and however sensitive and respectful of differences it might be. In other words, there is no end to politics.

STEP 1
Single Words
기출 예문으로 핵심 어휘 학습

01 ★★★
widespread
[wáidspréd]
혱 널리 퍼진, 광범위한

Apocalypse Now, a film produced and directed by Francis Ford Coppola, gained _____ popularity. 수능
Francis Ford Coppola가 제작하고 감독한 영화인 'Apocalypse Now'는 폭넓은 인기를 얻었다.

02 ★★☆
celebrity
[səlébrəti]
몡 유명 인사, 인기도, 명성

Fame would be dependent on _____, on the degree to which the people rejoiced in the poet and his work. 수능
명성은 인기도, 즉 사람들이 그 시인과 그의 작품을 기뻐하는 정도에 의해 좌우될 것이었다.

03 ★★☆
janitor
[dʒǽnitər]
몡 관리인, 수위, 문지기

Instead of _____s, the school had the students clean up the classrooms at the end of the day.
학교 측은 관리인 대신에 학생들이 일과가 끝날 때쯤 교실을 청소하도록 했다.

04 ★★★
elaborate
[ilǽbərət]
혱 정교한, 공들인

These do not need to be _____ setups. 모의
이것들은 공들인 계획이 될 필요는 없다.

05 ★☆☆
treaty
[trí:ti]
몡 조약

The two leaders agreed in September to continue efforts to conclude the _____ by the end of the year.
양국 정상은 9월에 올해 말까지 이 조약을 체결하기 위한 노력을 계속하기로 합의했다.

06 ★★☆
emulate
[émjulèit]
동 모방하다, 따라 하다, 겨루다

It seems difficult to use the available "search engines" to _____ efficiently the mixture of predictable and surprising discoveries. 수능 예측 가능한 발견과 놀라운 발견들이 섞여 있는 것을 효과적으로 따라 하기 위해 이용 가능한 '검색 엔진'을 사용하는 것이 어려워 보인다.

07 ★☆☆
jest
[dʒest]
몡 농담, 조롱

Many a true word is spoken in _____.
농담 속에 진담이 많다.

08 ★★★
throughout
[θru:áut]
전 도처에, 내내

The creativity that children possess needs to be cultivated _____ their development. 수능
아이들이 지닌 창의력은 그들의 성장 기간 내내 육성되어야 할 필요가 있다.

09 ★★☆
optional
[ápʃənl]
혱 선택적인, 임의의

Pet owners' costumes are _____ but encouraged. 모의
애완동물 주인의 참가 의상은 선택 사항이지만 (입을 것을) 권장합니다.

10 ★★★

alter
[ɔ́ːltər]

동 바꾸다, 변경하다

An ecosystem that is _____ed or damaged in some way will be out of balance with the biome for that area. 모의
어떤 면에서 변형되거나 손상을 입은 생태계는 그 지역의 생물군계와 균형을 이루지 못하게 될 것이다.

11 ★☆☆

uproot
[əprút]

동 뿌리째 뽑다, 근절하다

Not far away a tree was _____ed. 모의
멀지 않은 곳에서 나무가 뿌리째 뽑혔다.

12 ★★☆

patriot
[péitriət]

명 애국자

He proves that a true _____ is one who defends his or her country's finest ideals.
그는 진정한 애국자가 자기 나라의 가장 좋은 이상을 지키는 사람이라는 것을 증명한다.

13 ★★☆

expire
[ikspáiər]

동 만료되다, 만기가 되다

The patent for the computer mouse _____d in 1980. EBS
컴퓨터 마우스의 특허는 1980년에 만료되었다.

14 ★★★

amplify
[ǽmpləfài]

동 증폭시키다, 확대하다

He invented an _____ing system that enabled radio receivers to pick up distant signals. 모의
그는 라디오 수신자들이 원거리 신호를 받을 수 있게 해 주는 증폭 장치를 발명했다.

15 ★★☆

solidarity
[sɑ̀lədǽrəti]

명 연대, 결속, 단결

Cosmopolitan networks offer little _____ and have little capacity to comfort and sustain members. 모의
범세계적인 네트워크는 결속력을 거의 주지 못하고 구성원들을 위로하고 지탱할 능력이 거의 없다.

16 ★★☆

ambitious
[æmbíʃəs]

형 야심 있는

As a child I wasn't particularly academic or _____, and certainly didn't work very hard at my studies. 모의
어릴 때 나는 특별히 학구적이거나 야심이 있지 않았고, 분명히 공부를 그다지 열심히 하지도 않았다.

17 ★★☆

insure
[inʃúər]

동 보험에 들다

Businesses can _____ against exchange rate fluctuations.
기업들은 환율 변동에 대비하여 보험에 들 수 있다.

18 ★★☆

patron
[péitrən]

명 후원자, 단골손님, 지지자

Machaut presented beautifully decorated copies of his music and poetry to his noble _____s. 모의
Machaut는 아름답게 장식된 자신의 음악과 시의 사본을 자신의 귀족 후원자들에게 바쳤다.

STEP 2
Word Pairs

관련어 '쌍'으로 암기

철자가 **비슷한** 어휘 쌍

| 19 | **momentary** [móuməntèri] | 형 순간적인, 잠깐의 | _____ pleasure EBS
순간적인 즐거움 |
| | **momentous** [mouméntəs] | 형 중대한, 중요한 | achieve a _____ shift EBS
중대한 이동을 이루어내다 |

| 20 | **observation** [àbzərvéiʃən] | 명 관찰, 감시, 정보, 의견 | interesting _____ and details EBS
흥미로운 정보와 세부 사항 |
| | **observance** [əbzə́ːrvəns] | 명 준수, 지킴 | strict _____ of the rules
규칙의 엄격한 준수 |

TIP 명사형 접미사 -ance('상태, 행동'의 의미)가 붙는 단어 appearance 출현, 외관 annoyance 짜증, 성가심 assistance 원조 defiance 반항, 도전 entrance 입구 guidance 지도, 안내 insurance 보험 reluctance 마지못해 함, 꺼림

의미가 **비슷한** 어휘 쌍

| 21 | **enhance** [inhǽns] | 동 향상시키다, 높이다 | _____ the quality of our professional career 수능
우리가 하는 전문적 일의 질을 높이다 |
| | **boost** [buːst] | 동 신장시키다, 북돋우다 | _____ enthusiasm for the task 모의
그 과업에 대한 열정을 신장시키다 |

| 22 | **enlist** [inlíst] | 동 참가하다, 입대하다, 협조를 얻다 | _____ in the army
육군에 입대하다 |
| | **enroll** [inróul] | 동 입학하다, 등록하다 | _____ students in full-time schooling EBS
전일제 학교 교육에 학생들을 등록하다 |

| 23 | **revenue** [révənjùː] | 명 수입, 수익 | sell products for _____ 모의
수익을 위해 제품을 판매하다 |
| | **receipts** [risíːts] | 명 수입금, 수령액 | gross _____
총 수입액 |

| 24 | **soak** [souk] | 동 적시다, 젖다, 흡수하다 | _____ the beans overnight in water
콩을 하룻밤 물에 담그다 |
| | **steep** [stiːp] | 형 가파른, 비탈진
동 적시다, 담그다 | _____ herbs in hot water
허브를 뜨거운 물에 담그다 |

| 25 | **transparent** [trænspɛ́ːərənt] | 형 맑은, 투명한, 비쳐 보이는 | the _____ air 모의
맑은 공기 |
| | **sheer** [ʃiər] | 형 순수한, 얇은, 비치는 | _____ white silk chiffon
순백색 실크 쉬폰 |

| 26 | **thrust** [θrʌst] | 동 (거칠게) 밀치다, 찌르다 | _____ a chair forward EBS
의자를 앞으로 세게 밀치다 |
| | **shove** [ʃʌv] | 동 밀치다, 떠밀다 | _____ to get a better view
더 잘 보려고 밀치다 |

| 27 | **thorn**
[θɔːrn] | 몡 가시, 고통을 주는 것 | pull out a _____
가시를 빼다 |
| | **spike**
[spaik] | 몡 대못, 뾰족한 것 | a row of iron _____s on a wall
담에 한 줄로 박혀 있는 쇠못 |

품사가 바뀌는 어휘 쌍

| 28 | **access**
[ǽkses] | 몡 접근, 이용
동 접근하다, 이용하다 | _____ the nutrients we need 모의
우리가 필요로 하는 영양분에 접근하다 |
| | **accessible**
[æksésəbl] | 혱 접근성이 있는, 접할 수 있는 | more _____ to outsiders EBS
외부자에게 더 접근성이 있는 |

| 29 | **dispose**
[dispóuz] | 동 배치하다, 처리하다 | _____ of scraps in the containers 모의
종잇조각을 용기에 처리하다 |
| | **disposable**
[dispóuzəbl] | 혱 처분할 수 있는, 일회용의 | buy _____ diapers for babies 모의
아기용 일회용 기저귀를 사다 |

| 30 | **remark**
[rimáːrk] | 몡 의견, 주목
동 말하다, 언급하다 | _____ with surprise 수능
놀라면서 말하다 |
| | **remarkable**
[rimáːrkəbl] | 혱 주목할 만한, 뛰어난 | have a number of _____ physical adaptations 모의
많은 뛰어난 신체적 적응 장치들이 있다 |

> **TIP** '말하다'를 나타내는 단어 comment 논평하다 note 언급하다 observe 말하다 state 말하다, 진술하다
> announce 발표[선언]하다 declare 선언하다, 분명히 말하다

| 31 | **prosper**
[práspər] | 동 번영하다, 번창하다 | _____ economically 수능
경제적으로 번창하다 |
| | **prosperous**
[práspərəs] | 혱 번영한, 번창한 | the key ingredient to a _____ democracy
번영하는 민주주의의 핵심 요소 |

| 32 | **theft**
[θeft] | 몡 도둑질, 절도 | identity _____ 모의
신원 도용 |
| | **thieve**
[θiːv] | 동 훔치다 | _____ a specially adapted bag
특수하게 개조된 가방을 훔치다 |

| 33 | **thrift**
[θrift] | 몡 절약, 검약 | the values of _____ and self-reliance
절약과 자립의 가치 |
| | **thrive**
[θraiv] | 동 번영하다, 발전하다 | have _____d on our planet for millions of years 모의
수백만 년 동안 우리 지구에서 번창해 오다 |

 상식 다:품 플라스틱 어택(Plastic attack) 잘 썩지 않아 환경오염의 주범으로 꼽히는 플라스틱이 무분별하게 사용되는 것을 막기 위해, 매장에서 물건을 산 후 과대 포장된 플라스틱과 비닐 등을 분리해서 버리고 오는 운동이다. 유통 과정에서 불필요한 일회용품의 사용을 줄이도록 유통업체에 경각심을 주기 위해 진행한다.

Review

A 예비 영단어 또는 우리말 뜻 쓰기

1. elaborate		8. 모방하다, 따라 하다, 겨루다	
2. solidarity		9. 널리 퍼진, 광범위한	
3. patriot		10. 관리인, 수위, 문지기	
4. uproot		11. 보험에 들다	
5. thrust		12. 절약, 검약	
6. alter		13. 만료되다, 만기가 되다	
7. momentary		14. 가파른, 비탈진; 적시다, 담그다	

B 내신 필수 밑줄 친 단어와 의미가 같은 표현 고르기

1. Selling focuses mainly on the firm's desire to sell products for revenue.

   ① patriot　　② receipts　　③ solidarity　　④ patron

2. When we remark with surprise that someone "looks young" for his or her chronological age, we are observing that we all age biologically at different rates. 수능

   ① alter　　② comment　　③ emulate　　④ recognize

3. Informational feedback works much like praise for efforts, and similarly boosts enthusiasm for the task and later performance. 모의

   ① enlists　　② endeavors　　③ enhances　　④ enrolls

4. To make a perfect cup of tea, the tea bag must be soaked in hot water for no more than three minutes.

   ① steeped　　② thrived　　③ prospered　　④ disposed

5. Wombats dig with their front feet, thrusting the soil out with their hind feet. EBS

   ① thieving　　② choking　　③ amplifying　　④ shoving

▶ 정답 p. 259

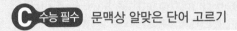

모의 1. You may find a great coworker or best friend in someone, so don't eliminate a person from your life based on a brief observance / observation .

모의 2. Nature is a beautiful harmony of systems whereby every system's output is a useful input for other systems. This cycle is the fundamental reason why life has thieved / thrived on our planet for millions of years.

모의 3. Pet owners' costumes are compulsory / optional but encouraged.

모의 4. An ecosystem that is altered / retained or damaged in some way will be out of balance with the biome for that area.

모의 5. Tarsiers are little primates not much bigger than rats. All tarsiers are completely nocturnal and have a number of common / remarkable physical adaptations for this lifestyle.

모의 6. Groups of early humans who developed stable relationships and practiced this sort of mutual altruism were in a better position to decrease / prosper and multiply.

모의 7. This dynamic can be illustrated with the example of parents who place equal value on convenience and concern for the environment. They may experience value conflict if they buy recyclable / disposable diapers for their babies.

모의 8. As a child I wasn't particularly academic or ambitious / unambitious , and certainly didn't work very hard at my studies.

01 ★★★

☐☐☐ **tolerate**
[tάlərèit]

동 참다, 인내하다

Animals that are regularly disturbed by visitors are more likely to _____ your intrusion than those that have had little contact with humans. 모의 방문객들에 의해 일상적으로 방해를 받는 동물들은 인간과의 접촉이 거의 없었던 동물들보다 여러분의 침입을 참을 가능성이 더 크다.

02 ★☆☆

☐☐☐ **spur**
[spə:r]

명 자극, 격려, 고무
동 자극하다

The sight of others acting in a socially responsible manner can _____ an observer to help in two ways. EBS
타인이 사회적으로 책임이 있는 방식으로 행동하는 것을 보는 것은 보는 사람으로 하여금 두 가지 방식으로 (남에게) 도움을 주도록 자극할 수 있다.

03 ★★☆

☐☐☐ **anchor**
[ǽŋkər]

명 닻, 앵커
동 닻을 내리다, 정박하다

Sailors have scarcely one chance in a thousand of dropping _____ in the right place. 모의
선원들은 적소에 닻을 내릴 기회를 천 번 중에 한 번도 거의 가지지 못한다.

04 ★★☆

☐☐☐ **launch**
[lɔ:ntʃ]

동 출시하다, 시작하다, 발사하다

It takes time to develop and _____ products. 모의
제품을 개발하고 출시하는 것은 시간이 걸린다.

05 ★★☆

☐☐☐ **fluctuate**
[flʌ́ktʃuèit]

동 변동하다, 오르내리다

Expenditure as a percentage of the gross domestic product _____d between 3.8% and 4.7% of GDP. EBS
국내 총생산 비율 대비 지출액은 GDP의 3.8%와 4.7% 사이에서 오르내렸다.

06 ★★☆

☐☐☐ **distorted**
[distɔ́:rtid]

형 비뚤어진, 왜곡된

When an underwater object is seen from outside the water, it appears _____. EBS
물속에 있는 물체를 물 밖에서 보면, 그것은 비틀어져 보인다.

07 ★★☆

☐☐☐ **undergo**
[ʌ̀ndərgóu]

동 겪다

Learning to ski is one of the most embarrassing experiences an adult can _____. 모의
스키 타는 것을 배우는 것은 성인이 겪을 수 있는 가장 당혹스러운 경험들 중의 하나이다.

08 ★★☆

☐☐☐ **lease**
[li:s]

명 임대차 계약, 임차 물건
동 임대하다, 대여하다

The space that the company occupied has been parceled up into smaller _____s. EBS
그 회사가 차지하고 있던 장소는 더 소규모의 임대지로 나누어졌다.

09 ★★☆

☐☐☐ **renowned**
[rináund]

형 유명한, 명성 있는

According to a _____ French scholar, the growth in the size and complexity of human populations was the driving force in the evolution of science. 수능 한 유명한 프랑스 학자에 따르면, 인구의 규모와 복잡성의 증가가 과학 발전의 추진력이었다고 한다.

10 ★★☆

antibiotic
[æ̀ntibaiɑ́tik]

몡 항생 물질, 항생제

I am hoping that the doctors find the right _____ for you.
EBS 나는 의사들이 너에게 맞는 항생제를 발견하길 바라고 있다.

---

11 ★★☆

panel
[pǽnl]

몡 패널, 토론자단, 판, 틀

During this time, your artwork will be judged by our _____, as well as popular vote. 모의
이 시기 동안, 여러분의 예술 작품은 일반인 투표뿐만 아니라 심사위원단에 의해 심사를 받을 것입니다.

---

12 ★★☆

mammal
[mǽməl]

몡 포유동물

Most _____s are biologically programmed to put their digestive waste away from where they eat and sleep. 모의
대부분의 포유동물은 자신의 소화 배설물을 자신이 먹고 자는 곳으로부터 치우는 생물학적 성향을 타고났다.

---

13 ★★☆

resent
[rizént]

동 분개하다, 화를 내다

Jean _____ed her strict practice demands. EBS
Jean은 그녀의 엄격한 연습 요구 사항에 화를 냈다.

---

14 ★★☆

devour
[diváuər]

동 게걸스럽게 먹다

Much of their appeal has to do with childhood memories of sitting on the back steps _____ing cookies. 수능
그 매력의 상당 부분은 뒤 계단에 앉아서 쿠키를 게걸스럽게 먹던 어린 시절의 기억과 관련이 있다.

---

15 ★★☆

linear
[líniər]

혱 직선의, 길이의, 1차원의

Processing a TV message is much more like the all-at-once processing of the ear than the _____ processing of the eye reading a printed page. 수능 TV 메시지를 처리하는 것은 인쇄된 면을 읽는 눈의 단선적인 처리과정보다는 귀의 일괄 처리과정과 훨씬 더 흡사하다.

---

16 ★☆☆

flatten
[flǽtn]

동 납작하게 누르다

Jack's _____ed arm hairs tried to stand on end as air rushed around them for the first time in weeks. 모의
Jack의 팔의 눌려 있던 털 주변으로 몇 주 만에 처음으로 공기가 훅 들어오자 눌려 있던 팔의 털이 똑바로 일어서려고 했다.

---

17 ★★☆

stock
[stɑk]

몡 재고, 저장품, 주식
동 저장하다, 비축하다

There were a number of special warehouses that _____ed food to feed the homeless. EBS
노숙자들에게 먹일 식품을 비축한 다수의 특별 창고들이 있었다.

---

18 ★★☆

engross
[ingróus]

동 집중시키다, 몰두하게 하다

Active visualization can completely _____ a reader in text.
EBS 활발한 시각화는 독자가 글 속에서 완전히 몰두하도록 할 수 있다.

STEP 2
Word Pairs

관련어 '쌍' 으로 암기

의미가 비슷한 어휘 쌍

| 19 | **destroy** [distrɔ́i] | 동 파괴하다 | be _____ed by fire 수능
 화재로 파괴되다 |
| | **devastate** [dévəstèit] | 동 황폐화하다 | _____ 24,000 square miles of wilderness EBS
 2만 4천 제곱마일의 황무지를 완전히 파괴하다 |

| 20 | **insult** [insʌ́lt] | 동 모욕하다 | _____ another person 모의
 다른 사람을 모욕하다 |
| | **abuse** [əbjúːz] | 동 욕하다, 학대하다 | verbally _____ the favor doer 모의
 호의를 베푸는 사람에게 말을 심하게 하다 |

| 21 | **interfere** [ìntərfíər] | 동 방해하다, 간섭하다 | _____ in a private matter
 사적인 일에 간섭하다 |
| | **intervene** [ìntərvíːn] | 동 간섭하다, 개입하다 | _____ in the affairs of another country
 타국의 일에 간섭하다 |

| 22 | **attitude** [ǽtitjùːd] | 명 태도, 입장, 관점 | foster a welcoming _____ 모의
 우호적 태도를 촉진하다 |
| | **perspective** [pərspéktiv] | 명 관점, 시각, 견해 | pros and cons of two cross-cultural _____s 수능
 두 문화에 걸친 관점의 장단점들 |

| 23 | **authentic** [ɔːθéntik] | 형 진짜의, 진품의, 진정한 | present _____ flavors 모의
 진짜 맛을 보여 주다 |
| | **genuine** [dʒénjuin] | 형 진짜의, 진정한, 진실한 | a source of _____ freedom 모의
 진정한 자유의 원천 |

| 24 | **fragrance** [fréigrəns] | 명 향기, 향 | the _____ of fresh-ground coffee
 방금 간 커피의 향 |
| | **scent** [sent] | 명 향기, 냄새 | the usage of that specific _____ 모의
 그 특정한 향기의 사용 |

TIP **'향기'를 나타내는 단어** perfume 향수, 향기 aroma 향기, 방향 redolence 향기, 방향 bouquet 꽃다발, (포도주 등의) 향기

| 25 | **freight** [freit] | 명 화물, 화물 운송 | the air _____ company EBS
 항공 화물 운송 회사 |
| | **burden** [bə́ːrdn] | 명 짐, 부담 | a ship of _____
 화물선 |

| 26 | **flip** [flip] | 동 휙 넘기다, 툭 던지다 | _____ through the channels on TV EBS
 TV 채널을 휙 넘기다 |
| | **overturn** [óuvərtə̀rn] | 동 뒤집다, 전복하다 | be _____ed by radical concepts 모의
 급진적인 개념에 의해 뒤집어지다 |

| 27 | **sprain** [sprein] | 동 (팔목·발목을) 삐다 | stumble and _____ the ankle
발을 헛디뎌 발목을 삐다 |
| | **wrench** [rentʃ] | 동 (발목·관절을) 삐다, 접질리다 | _____ the knee
무릎을 접질리다 |

| 28 | **excessive** [iksésiv] | 형 지나친, 과도한 | species hard-pressed by _____ fishing 수능
과도한 어로행위에 의해 심한 압박을 받는 종들 |
| | **immoderate** [imɑ́dərit] | 형 과도한, 터무니없는 | _____ and irregular eating habits
과도하고 불규칙한 식사 습관 |

| 29 | **stack** [stæk] | 명 쌓아올린 더미, 다량 | a _____ of 200 sheets of plain white paper 모의
무늬가 없는 200장의 흰 종이 더미 |
| | **mass** [mæs] | 명 덩어리, 무리, 다수 | the pollen _____ 모의
꽃가루 덩어리 |

| 30 | **excavate** [ékskəvèit] | 동 발굴하다 | graves _____d at early Neolithic sites EBS
초기 신석기 지역에서 발굴된 무덤들 |
| | **unearth** [ənə́rθ] | 동 파내다, 발굴하다, 발견하다 | accidentally _____ a crypt
우연히 토굴을 발견하다 |

품사가 바뀌는 어휘 쌍

| 31 | **populate** [pɑ́pjulèit] | 동 (사람을) 거주시키다 | in the less _____d suburbs 모의
사람이 더 적게 거주하는 교외에 |
| | **populous** [pɑ́pjuləs] | 형 인구가 많은 | in a country as _____ as the United States 모의
미국만큼 인구가 많은 나라에서 |

| 32 | **conserve** [kənsə́:rv] | 동 절약하다, 보존하다 | _____ resources EBS
자원을 절약하다 |
| | **conservative** [kənsə́:rvətiv] | 형 조심하는, 보수적인 | make people's thinking _____ EBS
사람들의 생각을 보수적으로 만들다 |

| 33 | **compassion** [kəmpǽʃən] | 명 연민, 동정심 | feel _____ toward the person 모의
그 사람을 향한 연민을 느끼다 |
| | **compassionate** [kəmpǽʃənət] | 형 연민 어린, 인정 많은, 동정하는 | a _____ and civilized society
인정이 많고 문명화된 사회 |

> **TIP** 접미사 -ate('~의 특징을 가진'의 의미)가 붙는 단어 affectionate 다정한, 애정 어린 considerate 사려 깊은 desolate 황량한, 적막한
> definite 분명한, 뚜렷한 literate 읽고 쓸 줄 아는 temperate 온화한, 차분한, 절제하는

상식 다:품 바이오 뱅크(Bio bank) 사람에게서 채취한 혈액, 세포, 조직, DNA 등의 인체 자원을 동결 보존해 보관하다가 연구자가 요청하면 제공해 주는 인체 자원은행을 의미한다. 환자의 유전체, 생활습관 정보 등을 정밀 분석해 개별적인 치료 방법을 제공하는 의료 서비스의 확산에 따라 중요성이 커지고 있다.

Review

A 예비 영단어 또는 우리말 뜻 쓰기

1. authentic _____
2. renowned _____
3. overturn _____
4. launch _____
5. excavate _____
6. fluctuate _____
7. sprain _____

8. 인구가 많은 _____
9. 분개하다, 화를 내다 _____
10. 참다, 인내하다 _____
11. 자극, 격려, 고무; 자극하다 _____
12. 항생 물질, 항생제 _____
13. 집중시키다, 몰두하게 하다 _____
14. 절약하다, 보존하다 _____

B 내신 필수 밑줄 친 단어와 의미가 같은 표현 고르기

1. She had fallen so often that she sprained her ankle and had to rest for three months before she was allowed to dance again. 모의
   ① spurred   ② wrenched   ③ flattened   ④ tolerated

2. He explained that I had insulted them by not going to their homes for dinner. EBS
   ① fluctuated   ② resented   ③ abused   ④ underwent

3. High-density rearing led to outbreaks of infectious diseases that in some cases devastated not just the caged fish, but local wild fish populations too. 수능
   ① intervened   ② destroyed   ③ flipped   ④ interfered

4. I know your company is putting a lot of effort into presenting authentic flavors. 모의
   ① distorted   ② immoderate   ③ excessive   ④ genuine

5. Graves excavated at early Neolithic sites are simple holes dug in the ground. EBS
   ① conserved   ② engrossed   ③ unearthed   ④ populated

▶ 정답 p. 259

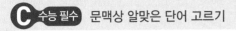

C 수능 필수 문맥상 알맞은 단어 고르기

EBS 1. When an underwater object is seen from outside the water, it appears distorted / linear .

수능 2. According to a renowned / renewed French scholar, the growth in the size and complexity of human populations was the driving force in the evolution of science.

모의 3. Even after many of the rules were maintained / overturned by radical concepts in more recent times, composers, more often than not, still organized their thoughts in ways that produced an overall, unifying structure.

모의 4. *Empathy* in the sense of adopting someone's viewpoint is not the same as *empathy* in the sense of feeling compassion / indifference toward the person, but the first can lead to the second naturally.

모의 5. Advertisers often give us information with excessive / minimal precision, but it can be considered as an intention to conceal the lack of reliability of their research.

모의 6. Swedish law requires that at least two newspapers be published in every town. One newspaper is generally liberal, and the second is consecutive / conservative .

모의 7. If the fleeing Nazis had rebuilt / destroyed the Ponte Vecchio during World War II, she would have never seen it.

STEP 1
Single Words
기출 예문으로 핵심 어휘 학습

01 ★★☆

flesh
[fleʃ]

명 (사람, 동물의) 살, 고기

The maggots only ate the dead _____, helping to clean the wounds. EBS

구더기들은 오직 죽은 살만을 먹어서 상처를 깨끗이 하는 데 도움을 주었다.

02 ★★☆

cosmopolitan
[kὰzməpάlətn]

형 세계적인[국제적인]
명 범세계주의자, 세계인

As the opposite of local networks, _____ networks offer little solidarity. 모의

지역 네트워크의 반대(개념)로서의 범세계적인 네트워크는 결속력을 거의 주지 못한다.

03 ★★☆

crew
[kru:]

명 승무원 (전원)

The commanders had given more attention and praise to the _____ members for whom they had higher expectations. 모의 지휘관들은 자신들의 기대치가 더 높았던 승무원들에게 더 많은 관심을 기울였고 더 많은 칭찬을 했다.

04 ★★★

province
[prάvins]

명 (행정 단위인) 주, 도, 지방

Guillaume de Machaut was born in the French _____ of Champagne. 모의

Guillaume de Machaut는 프랑스의 샹파뉴 지방에서 태어났다.

05 ★★☆

prudent
[prú:dnt]

형 신중한

It is clearly _____ to take all precautions.

모든 예방책을 강구하는 것이 분명히 신중한 태도일 것이다.

06 ★★☆

crude
[kru:d]

명 원유
형 대충의, 대강의

_____ oil prices rose because of increased tensions in the Middle East. 모의 중동 지역의 고조된 긴장으로 인해 원유 가격이 올랐다.

07 ★☆☆

crust
[krʌst]

명 (빵) 껍질, 딱딱한 층[표면]

Bake until the _____ is golden.

빵 껍질이 노릇노릇해질 때까지 구워라.

08 ★★☆

majesty
[mǽdʒəsti]

명 장엄함, 위풍당당함

He was awed by the _____ of the mountain.

그는 그 산의 장엄함에 경외하는 마음이 생겼다.

09 ★★☆

decree
[dikrí:]

명 법령, 칙령

The _____ imposed strict censorship of the media.

그 법령은 언론에 대한 엄격한 검열을 부과했다.

공부한 날 1회 ┆ 월 일 2회 ┆ 월 일 3회 ┆ 월 일

---

10 ★★★

sentiment
[séntəmənt]

명 감정, 정서

He has suggested that the utility of "negative _____s" lies in their providing a kind of guarantee of authenticity. 수능

그는 '부정적인 감정'의 유용성이 그것들이 일종의 진실성을 보장해 준다는 점에서 찾을 수 있다는 것을 암시했다.

---

11 ★★☆

martial
[má:rʃəl]

형 싸움의, 전쟁의

He wants to learn the _____ arts so he can defend himself.
모의 그는 스스로를 방어할 수 있도록 무술을 배우기를 원한다.

---

12 ★★★

despite
[dispáit]

전 ~에도 불구하고

Keith was unexpectedly producing the performance of a lifetime _____ the shortcomings of the piano. 수능

Keith는 예기치 않게 피아노의 단점에도 불구하고 생애 최고의 공연을 하고 있었다.

---

13 ★★★

meaningful
[mí:niŋfəl]

형 의미 있는, 중요한

Financial security can liberate us from work we do not find _____. 수능

재정적 안정은 우리가 의미 있다고 생각하지 않는 일로부터 우리를 해방시켜 줄 수 있다.

---

14 ★★☆

dictator
[díkteitər]

명 독재자

A _____ like Zimbabwe's Robert Mugabe could not order the government to produce 100 trillion tons of rice. 모의

짐바브웨의 Robert Mugabe와 같은 독재자도 정부에 100조 톤의 쌀을 생산하라고 명령할 수 없었다.

---

15 ★★☆

diplomacy
[diplóuməsi]

명 외교

_____ aimed at public opinion can become as important to outcomes as traditional classified diplomatic communications among leaders. 모의 대중의 의견을 목표로 한 외교가 지도자들 사이의 전통적인 비밀 외교 소통만큼이나 결과에 중요할 수 있다.

---

16 ★★★

meanwhile
[mí:nwàil]

부 그 동안[사이]에

_____, observing the seller carefully, Paul sensed something wrong in Bob's interpretation. 수능

그 사이, 판매자를 주의 깊게 살피던 Paul은 Bob의 통역에서 뭔가 잘못된 것을 감지했다.

---

17 ★★☆

statesman
[stéitsmən]

명 정치인, 정치가

He will go down in history as a great _____.
그는 위대한 정치가로 역사에 기록될 것이다.

---

18 ★★★

status
[stéitəs]

명 신분, 지위

Activities that are regarded as play today may gain the _____ of sport in the future. 모의

오늘날 놀이로 여겨지는 활동이 미래에 스포츠의 지위를 얻을 수도 있다.

STEP 2
Word Pairs

관련어 '쌍'으로 암기

철자가 비슷한 어휘 쌍

| 19 | **raw** [rɔ:] | 형 익히지 않은, 원자재의 | provide the _____ materials 수능
 원료를 제공하다 |
| | **row** [rou] | 명 열, 줄 | be seated in the fifth _____ 수능
 다섯 번째 줄에 앉다 |

| 20 | **salvage** [sǽlvidʒ] | 명 구조, 인양 | the _____ of the wrecked boat
 조난당한 보트 구조 |
| | **savage** [sǽvidʒ] | 명 야만인, 미개인 | yesterday's '_____' 수능
 지난날의 '야만인' |

접사가 힌트를 주는 어휘 쌍

| 21 | **shift** [ʃift] | 명 변화, 전환, 교대 근무 | a particular _____ in the use of language 모의
 언어의 사용에 있어 특별한 전환 |
| | **nightshift** [náitʃift] **[night shift]** | 명 야간 근무 | work the _____
 야간 근무를 하다 |

의미가 반대되는 어휘 쌍

| 22 | **merit** [mérit] | 명 가치, 장점 | have scientific _____ 모의
 과학적 가치가 있다 |
| | **demerit** [dimérit] | 명 단점, 약점, 결점 | the _____s of the scheme
 그 계획의 단점 |

의미가 비슷한 어휘 쌍

| 23 | **discharge** [dístʃɑːrdʒ] [distʃɑ́ːrdʒ] | 명 방출, 퇴원
 동 석방[방면]하다, 해고하다 | any other medical needs after _____ 수능
 퇴원 후에 의료상의 어떤 필요 |
| | **release** [rilíːs] | 동 풀어 주다, 석방[해방]하다 | be _____d from the new lease 모의
 새로운 임대 계약에서 해방되다 |

| 24 | **admiration** [ædməréiʃən] | 명 감탄, 존경 | the subject of praise and _____ 모의
 칭찬과 감탄의 대상 |
| | **esteem** [istíːm] | 명 존경 | people with low self-_____ 모의
 자존감이 낮은 사람들 |

| 25 | **adolescent** [ædəlésnt] | 명 청소년 | become an _____ EBS
 청소년이 되다 |
| | **juvenile** [dʒúːvənl] | 명 청소년 | books for _____s
 청소년에 알맞은 책 |

TIP '성장 단계'와 관련된 단어 infant 젖먹이, 아기 toddler 유아 adult 성인 senior (citizen) 노인

| 26 | **satisfactory** [sætisfǽktəri] | 형 만족스러운, 충분한 | the customer's _____ remarks 모의
 고객의 만족스러운 소견 |
| | **adequate** [ǽdikwət] | 형 충분한, 적절한 | lack _____ information 모의
 적절한 정보가 부족하다 |

27 **dispense**
[dispéns]
동 나누어 주다

_____ a range of drinks and fruits
다양한 음료와 과일을 나누어 주다

distribute
[distríbjuːt]
동 나누어 주다, 분배하다

be _____d to groups of individuals 모의
개인들의 집단에 분배되다

품사가 바뀌는 어휘 쌍

28 **abolish**
[əbáliʃ]
동 폐지하다

_____ racial discrimination
인종차별을 폐지하다

abolition
[æbəlíʃən]
명 폐지

the Slavery _____ Act EBS
노예제 폐지 법

---

29 **absorb**
[æbsɔ́ːrb]
동 흡수하다

_____ and store tons of carbon 모의
많은 양의 탄소를 흡수하고 저장하다

absorption
[æbsɔ́ːrpʃən]
명 흡수

the _____ of protein
단백질의 흡수

TIP 명사형 접미사 -tion, -sion이 붙는 단어   hesitation 주저함   competition 경쟁   confession 고백   provision 공급, 제공

---

30 **delude**
[dilúːd]
동 속이다, 착각하게 하다

a _____d old man EBS
착각에 빠진 노인

delusion
[dilúːʒən]
명 망상, 착각

awake from a _____
망상에서 깨어나다

---

31 **acquaint**
[əkwéint]
동 익히다, 숙지하다

_____ him with our plan
그에게 우리들의 계획을 충분히 이해시키다

acquaintance
[əkwéintəns]
명 지식, 아는 사람

_____ with the site chosen 모의
선정된 장소에 대한 지식

---

32 **ally**
[əlái]
동 동맹시키다, 지지하다

_____ against the enemy
적에 대항하여 동맹을 맺다

alliance
[əláiəns]
명 동맹, 연합

_____s with non-Greek peoples EBS
비(非)그리스인 민족들과의 동맹

---

33 **inhabit**
[inhǽbit]
동 ~에 살다, ~에 존재하다

_____ their emotional space 모의
그들의 감정 공간에 존재하다

inhabitant
[inhǽbətənt]
명 거주민

_____s of the northern regions 모의
북쪽 지역 거주민들

상식 다:품   **플라시보 소비 (Placebo consumption)** '속임약'을 뜻하는 'placebo'와 '소비'를 뜻하는 'consumption'이 결합된 단어로, 가격 대비 마음의 만족이란 의미의 '가심비(價心費)'를 추구하는 소비를 뜻한다. 즉, 가격이나 성능과 같은 객관적인 수치를 토대로 싸고 품질 좋은 제품만을 구매하는 것이 아니라, 다소 비싸거나 객관적인 품질은 떨어지더라도 심리적 만족감을 느낄 수 있다면 구매를 하는 것을 말한다.

Review

A 예비 영단어 또는 우리말 뜻 쓰기

1. flesh _____

2. raw _____

3. prudent _____

4. sentiment _____

5. satisfactory _____

6. despite _____

7. distribute _____

8. 가치, 장점 _____

9. 외교 _____

10. 흡수하다 _____

11. 그 동안[사이]에 _____

12. 망상, 착각 _____

13. 신분, 지위 _____

14. ~에 살다, ~에 존재하다 _____

B 내신 필수 밑줄 친 단어와 의미가 같은 표현 고르기

1. Seeking closeness and <u>meaningful</u> relationships has long been vital for human survival. 모의

   ① prudent   ② adequate   ③ important   ④ martial

2. A person's <u>status</u> is elevated with advancing years. 수능

   ① province   ② decree   ③ shift   ④ position

3. The common dating rule has scientific <u>merit</u>. 모의

   ① fault   ② worth   ③ esteem   ④ majesty

4. <u>Adolescents</u> have been quick to immerse themselves in technology with most using the Internet to communicate. 모의

   ① Juveniles   ② Adults   ③ Children   ④ Seniors

5. People may <u>inhabit</u> very different worlds even in the same city, according to their wealth or poverty. 모의

   ① rise in   ② get in   ③ live in   ④ keep in

▶ 정답 p. 260

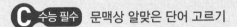

C 수능 필수 문맥상 알맞은 단어 고르기

수능 1. Basic scientific research provides the [raw / row] materials that technology and engineering use to solve problems.

수능 2. Keith was unexpectedly producing the performance of a lifetime [spite / despite] the short-comings of the piano.

모의 3. Many mammals produce different sounds for different objects, but few can match the range of [trivial / meaningful] sounds that birds may give voice to.

모의 4. Even the use of the simple command shows there is a [status / statue] difference that allows the supervisor to command the trainee.

모의 5. Government goods and services are, by and large, [contributed / distributed] to groups of individuals through the use of nonmarket rationing.

모의 6. Each scout performs a "waggle dance" for other scouts in an attempt to convince them of their spot's [merit / demerit].

모의 7. Carbon sinks have been able to [release / absorb] about half of this excess CO_2, and the world's oceans have done the major part of that job.

모의 8. When consumers lack [adequate / inadequate] information to make informed choices, govern-ments frequently step in to require that firms provide information.

Single Words

기출 예문으로 핵심 어휘 학습

01 ★★★
measurement
[méʒərmənt]
명 측정, 측량

Unlike the passage of time, biological aging resists easy _____.
수능 시간의 경과와 달리 생물학적 노화는 쉬운 측정을 방해한다.

02 ★★☆
orchard
[ɔ́:rtʃərd]
명 과수원

I found a hole along the wall of our _____. 수능
나는 우리 과수원 담을 따라 작은 구멍 하나를 발견했다.

03 ★★☆
troop
[tru:p]
명 [pl.] 병력, 군대

The outbreak of the First World War turned her attention to helping the _____s. 모의
세계 1차 대전의 발발은 그녀의 관심을 군부대를 돕는 것으로 돌렸다.

04 ★★★
originate
[ərídʒənèit]
동 비롯되다, 유래하다

It is not clear just where coffee _____d or who first discovered it. 모의
단지 어디서 커피가 유래했는지 혹은 누가 그것을 처음 발견했는지는 분명하지 않다.

05 ★★☆
metaphor
[métəfɔ̀:r]
명 은유, 비유

The philosopher G. A. Cohen provides an example of a camping trip as a _____ for the ideal society. 모의
철학자 G. A. Cohen은 이상적인 사회에 대한 비유로 캠핑 여행을 예로 제공한다.

06 ★★☆
diagnose
[dáiəgnòus]
동 진단하다

Average consumers of health care do not know how to _____ their medical conditions. 모의
일반적인 의료 소비자들은 자신들의 의학적 상태를 진단하는 방법을 알지 못한다.

07 ★★☆
terminate
[tə́:rmənèit]
동 끝나다, 종료되다

The best choice is simply to _____ the transaction and have the deposit returned. EBS
최선의 선택은 그저 그 거래를 끝내고 보증금을 돌려받는 것이다.

08 ★★☆
metropolitan
[mètrəpálitən]
형 대도시[수도]의

Rick works in the _____ area of the country.
Rick은 그 나라의 대도시 지역에서 일한다.

09 ★★☆
slaughter
[slɔ́:tər]
명 도살, 대량 학살
동 도살하다, 학살하다

People have been working to justify the _____ of animals for thousands of years. EBS
사람들은 수천 년 동안 동물의 도축을 정당화하기 위해 노력해왔다.

10 ★★☆ breakthrough
[bréikθrù]
명 획기적인 발전, 돌파구

In mature markets, _____s that lead to a major change in competitive positions and to the growth of the market are rare. 모의
충분히 발달한 시장에서는, 경쟁적 지위들에서의 중요한 변화와 시장의 성장을 가져오는 획기적인 발전이 드물다.

11 ★★☆ pavement
[péivmənt]
명 인도, 보도, 포장도로

It is hard for street trees to survive with only foot-square holes in the _____. 모의
가로수는 1평방피트밖에 되지 않는 구멍으로는 포장도로에서 살아남기 힘들다.

12 ★★☆ frequency
[frí:kwənsi]
명 빈도, 주파수

He explains that names are chosen based on their _____ of use and their usefulness to the reader. 모의
그는 이름의 사용 빈도와 독자에 대한 유용성에 근거하여 이름이 선택된다고 설명한다.

13 ★☆☆ slumber
[slʌ́mbər]
명 잠, 수면

The girl fell into a deep and peaceful _____.
그 소녀는 깊고 평화로운 잠 속으로 빠져들었다.

14 ★★☆ heredity
[hərédəti]
명 유전(적 특징)

The moral characters of men are formed not by _____ but by environment.
사람의 도덕적 성격은 유전에 의해서가 아니라 환경에 의해서 형성된다.

15 ★★★ migrate
[máigreit]
동 이동하다, 이주하다

Other fish _____d from sea to rivers. EBS
다른 물고기는 바다에서 강으로 이동했다.

16 ★★☆ speculate
[spékjulèit]
동 추측[짐작]하다

We _____d about the reasons for his refusal.
우리는 그의 거절 이유를 짐작했다.

17 ★★★ military
[mílitèri]
형 군사의, 무력의
명 군인들, 군대 [the military]

Chalk and blackboards first made their mark in higher education at elite _____ schools at the start of the 19th century. 모의
분필과 칠판은 19세기 초에 엘리트 군사 학교의 고등 교육에서 처음으로 그 이름을 알렸다.

18 ★★★ edible
[édəbl]
형 먹을 수 있는, 식용의

To be safe, a person must be able to identify _____ mushrooms before eating any wild one. 모의
안전을 위해서 사람은 야생 버섯을 먹기 전에 식용 버섯을 식별할 수 있어야 한다.

STEP 2
Word Pairs

관련어 '쌍' 으로 암기

철자가 비슷한 어휘 쌍

| 19 | **outcome** [áutkəm] | 몡 결과 | imagine impressive _____s 모의
인상적인 결과를 상상하다 |
| | **overcome** [óuvərkəm] | 통 극복하다 | _____ the initial feelings of anxiety 모의
처음의 불안감을 극복하다 |

| 20 | **ongoing** [ángòuiŋ] | 혱 계속 진행 중인, 지속적인 | _____ stream of consciousness 모의
지속적인 의식의 흐름 |
| | **outgoing** [áutgòuiŋ] | 혱 외향적인, 사교적인 | a very _____ middle school student EBS
매우 사교적인 중학생 |

접사가 힌트를 주는 어휘 쌍

| 21 | **decade** [dékeid] | 몡 10[십]년간 | three _____s of evidence 수능
삼십 년간의 증거 |
| | **decimal** [désəməl] | 혱 십진법의
몡 소수 | to two _____ points 모의
소수점 둘째 자리까지 |

| 22 | **nutrition** [njuːtríʃən] | 몡 영양 | through proper _____, exercise, and rest 모의
적절한 영양, 운동, 휴식을 통해서 |
| | **malnutrition** [mæ̀lnutríʃən] | 몡 영양실조 | protect them from starvation and _____ 모의
그들을 굶주림과 영양실조로부터 보호하다 |

TIP 접두사 mal-('나쁜', '잘못된'의 의미)이 붙는 단어 malpractice 배임[위법] 행위 malodorous 악취가 나는 malfunction 기능 불량

의미가 반대되는 어휘 쌍

| 23 | **attach** [ətǽtʃ] | 통 붙이다, 첨부하다 | the glue to _____ it to just another lunch memory
수능 그것을 그렇고 그런 평범한 점심 기억에 덧붙이는 접착제 |
| | **detach** [ditǽtʃ] | 통 떼다, 분리해[되]다 | make him _____ed from the scene 수능
그를 현장에서 분리되게 만들다 |

의미가 비슷한 어휘 쌍

| 24 | **exile** [égzail] | 몡 망명, 추방, 망명자
통 추방[유배]하다 | go into _____
망명을 하다 |
| | **expulsion** [ikspʌ́lʃən] | 몡 축출, 추방 | demand his _____ from the country
그의 국외 추방을 촉구하다 |

| 25 | **posture** [pástʃər] | 몡 자세, 태도 | take dissimilar _____s 수능
다른 태도를 취하다 |
| | **stance** [stæns] | 몡 입장[태도], 자세 | take an active _____ 모의
적극적인 태도를 취하다 |

| 26 | **defer** [difə́ːr] | 통 미루다, 연기하다 | _____ making a decision
결심을 늦추다 |
| | **suspend** [səspénd] | 통 유예[중단]하다,
연기[유보]하다 | _____ your membership privileges 모의
당신의 회원 자격 특혜를 (일시적으로) 중지하다 |

| 27 | **chaos** [kéiɑs] | 명 혼돈, 혼란 | poetic purity out of political _____ 수능
 정치적 혼돈으로부터의 시적 순수성 |
| | **confusion** [kənfjúːʒən] | 명 혼란, 혼동 | prevent _____ with the first kind 모의
 첫째 종류와의 혼동을 막다 |

| 28 | **excursion** [ikskə́ːrʒən] | 명 (단체로 짧게 하는) 여행 | an all-day _____
 일일 여행 |
| | **expedition** [èkspədíʃən] | 명 탐험, 원정, (짧은) 여행 | learn about life on these _____s 모의
 이 여행에서 인생에 관해서 배우다 |

TIP **'여행'을 나타내는 단어** trip 여행(특히 짧고, 관광이나 어떤 특정한 목적을 위한 것) tour (여러 도시·국가 등을 방문하는) 여행[관광]
journey (특히 멀리 가는) 여행[여정] outing (보통 단체로 당일로 하는) 여행[견학]

품사가 바뀌는 어휘 쌍

| 29 | **acquire** [əkwáiər] | 동 배우다, 습득하다, 획득하다 | _____ or reinforce human rights values 수능
 인권이라는 가치를 배우거나 강화하다 |
| | **acquisition** [æ̀kwizíʃən] | 명 습득, 구입한 것 | the rapid _____ of new information 모의
 새로운 정보의 신속한 습득 |

| 30 | **adapt** [ədǽpt] | 동 맞추다[조정하다], 적응하다 | _____ to a vastly different schedule 모의
 엄청나게 다른 일정에 적응하다 |
| | **adaptation** [æ̀dəptéiʃən] | 명 적응, 각색 | _____ to future climate damage 수능
 미래 기후 변화로 인한 피해에 대한 적응 |

| 31 | **exclude** [iksklúːd] | 동 제외[배제]하다 | be _____d from preliminary talks 모의
 사전 협의에서 배제되다 |
| | **exclusive** [iksklúːsiv] | 형 독점적인, 배타적인 | the _____ creation of the ruling elite 모의
 지배층의 독점적 창조물 |

| 32 | **execute** [éksikjùːt] | 동 실행하다, 처형하다 | _____ his commission EBS
 그의 임무를 수행하다 |
| | **executive** [igzékjutiv] | 명 경영 간부, 경영진
 형 경영의, 행정의 | introduce themselves as a salesman or an _____
 수능 그들 자신을 판매원이나 경영 간부로서 소개하다 |

| 33 | **extension** [iksténʃən] | 명 확대, 연장 | the _____ of patent laws 수능
 특허법의 확장 |
| | **extensive** [iksténsiv] | 형 아주 넓은, 광범위한 | an _____ library collection 수능
 도서관의 방대한 장서 |

 상식 다:품 워라밸(Work-life balance) 세대 원래는 일하는 여성이 직장과 가정의 일을 양립하는 문제에서 출발한 개념이지만 의미가 확장되어 일과 삶의 균형을 찾는 직장인을 가리킨다. '워라밸 세대'는 정시 퇴근과 퇴근 후의 사생활을 중시하고 취직을 '퇴직 준비'와 동일시하는 경향을 보인다는 특징이 있다. 이들은 결혼이나 내 집 마련처럼 큰돈이 드는 일은 과감히 포기하는 반면, 자신의 개성을 표출하거나 꿈을 찾는 등 자기 삶의 질을 높이는 일에 많은 돈과 시간을 투자한다.

Review

A 예비 영단어 또는 우리말 뜻 쓰기

1. measurement _____
2. overcome _____
3. originate _____
4. outgoing _____
5. metaphor _____
6. attach _____
7. frequency _____

8. 진단하다 _____
9. 추측[짐작]하다 _____
10. 인도, 보도, 포장도로 _____
11. 독점적인, 배타적인 _____
12. 이동하다, 이주하다 _____
13. 아주 넓은, 광범위한 _____
14. 먹을 수 있는, 식용의 _____

B 내신 필수 밑줄 친 단어와 의미가 같은 표현 고르기

1. To the degree we take on the pace, posture, and facial expression of another person, we start to inhabit their emotional space. 모의

   ① troop   ② stance   ③ slumber   ④ heredity

2. Your mind has not yet adapted to this relatively new development. 모의

   ① detached   ② suspended   ③ admitted   ④ adjusted

3. At some point in my ongoing prayer process, before my name was called, in the midst of the chaos, an unbelievable peace embraced me. 모의

   ① orchard   ② expulsion   ③ extension   ④ confusion

4. Adrian learned a lot about fishing and about life on these expeditions. 모의

   ① excursions   ② acquisitions   ③ adaptations   ④ experiments

5. The problem is that we have no way of knowing what knowledge will be of use until we acquire that knowledge. 수능

   ① allow   ② inquire   ③ obtain   ④ suggest

▶ 정답 p. 260

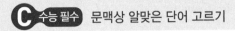

모의 1. Good managers have learned to │ outcome / overcome │ the initial feelings of anxiety when assigning tasks.

모의 2. In 1856, he waterproofed a simple box camera, │ attached / detached │ it to a pole, and lowered it beneath the waves off the coast of southern England.

모의 3. The foragers' secret of success, which protected them from starvation and │ nutrition / mal- nutrition │, was their varied diet.

모의 4. Some advertisers are trying to │ adapt / adept │ to these technologies, by planting hidden coupons in frames of their television commercials.

수능 5. We'll spend the next three │ decades / decimals │ — indeed, perhaps the next century — in a permanent identity crisis, continually asking ourselves what humans are good for.

모의 6. The cultural ideas spread by the empire were seldom the │ inclusive / exclusive │ creation of the ruling elite.

수능 7. In the 1990s the │ reduction / extension │ of patent laws as the only intellectual property rights tool into the area of seed varieties started to create a growing market for private seed companies.

모의 8. To be safe, a person must be able to identify │ edible / incredible │ mushrooms before eating any wild one.

STEP 1
Single Words

기출 예문으로 핵심 어휘 학습

01 ★★☆
doom
[du:m]
명 죽음, 파멸, 비운
동 불행한 운명을 맞게 하다

The plan was _____ed to failure.
그 계획은 실패할 운명이었다.

02 ★★☆
pharmacy
[fάːrməsi]
명 약국, 약학

Pick up the medicine from the _____.
약국에서 약을 받아 가세요.

03 ★☆☆
egocentric
[ìːgouséntrik]
형 자기중심적인, 이기적인

14-month-old infants are still highly _____. EBS
14개월 된 아기들은 여전히 매우 자기중심적이다.

04 ★★☆
embed
[imbéd]
동 (단단히) 박다, 끼워 넣다

The water that is _____ded in our food and manufactured products is called "virtual water." 모의 우리의 음식과 제품에 내포된 물은 '가상의 물(공산품·농축산물의 제조·재배에 드는 물)'이라고 불린다.

05 ★★★
mechanism
[mékənìzm]
명 기계 장치, 방법, 기제

These appear to be specific evolved _____s. 수능
이것들은 특정한 진화된 기제처럼 보인다.

06 ★☆☆
gregarious
[grigέəriəs]
형 사교적인

Nick has an outgoing and _____ personality.
Nick은 외향적이고 사교적인 성격을 가지고 있다.

07 ★★☆
bruise
[bruːz]
명 멍, 타박상
동 멍이 생기다, 타박상을 입다

The individual whose ego is _____d is likely to become defensive. EBS 자아에 상처를 입은 사람은 방어적이 되기 쉽다.

08 ★★☆
shrink
[ʃriŋk]
동 줄어들다, 수축하다

That's because after death, the human body dehydrates, causing the skin to _____, or become smaller. 모의 그것은 죽음 후에 인간 몸에 수분이 빠지면서 피부가 수축되게 또는 더 작아지게 만들기 때문이다.

09 ★★☆
mimic
[mímik]
동 흉내를 내다

The blue lights in Glasgow, which _____ the lights atop police cars, seem to imply that the police are always watching.
모의 Glasgow에서의 파란색 전등은 경찰차 위의 전등을 흉내 내 경찰이 언제나 지켜보고 있음을 암시하는 듯 하다.

10 ★★★		
moderate [mάdərət]	형 보통의, 온건한, 적당한	It has, instead, rich soil and a _____ climate. 모의 대신에 그곳은 비옥한 땅과 온건한 기후를 가지고 있다.

11 ★★☆		
dehydrate [di:háidreit]	동 탈수하다, 건조시키다	People can _____ very quickly in this heat. 이런 더위에는 사람들이 아주 빨리 탈수 증세를 일으킬 수 있다.

12 ★★★		
addict [ǽdikt] [ədíkt]	명 중독자 동 중독되게 하다	It is dangerous to get _____ed to exercise. 모의 운동에 중독되는 것은 위험하다.

13 ★★☆		
perspiration [pə̀:rspəréiʃən]	명 땀, 땀 흘리기	Her hands were damp with _____. 그녀의 양손은 땀에 젖어 축축했다.

14 ★★☆		
preliminary [prilímənèri]	형 예비의 명 예비 행위[단계]	This _____ structural analysis is compulsory before working on its design. 모의 이러한 예비적인 구조적 분석은 설계 작업에 들어가기 전에 필수적이다.

15 ★☆☆		
acne [ǽkni]	명 여드름	Many kids suffer from _____ and anxiety. 많은 아이들이 여드름과 불안감 때문에 고민한다.

16 ★★☆		
shield [ʃi:ld]	명 방패, 보호막 동 보호하다, 가리다	Squinting and closing or _____ing our eyes are actions that have evolved to protect the brain from seeing undesirable images. 모의 곁눈질하기, 눈을 감거나 가리기는 보고 싶지 않은 이미지를 보는 것으로부터 뇌를 보호하기 위해 진화된 행동이다.

17 ★★☆		
duplicate [djú:plikət] [djú:pləkèit]	명 사본 동 복사[복제]하다	We want to _____ those results. 모의 우리는 그러한 결과들을 복제하기를 원한다.

18 ★★☆		
premier [primjíər, prí:miər]	형 최고의, 제1의 명 수상, 국무총리	He is one of the country's _____ designers. 그는 그 나라의 최고 디자이너 가운데 한 명이다.

STEP 2
Word Pairs

관련어 '쌍' 으로 암기

철자가 비슷한 어휘쌍

| 19 | **applicant** [ǽplikənt] | 명 지원자 | one of the _____s EBS
지원자들 중 한 명 |
| | **appliance** [əpláiəns] | 명 (가정용) 기기 | work-saving electrical _____s 모의
일을 줄여 주는 가전제품 |

의미가 대치되는 어휘 쌍

| 20 | **sympathy** [símpəθi] | 명 동정, 연민 | express _____ for victims
희생자들에게 동정을 표하다 |
| | **antipathy** [æntípəθi] | 명 반감 | _____ toward power EBS
권력에 대한 반감 |

TIP 접미사 -pathy('고통','감정'의 의미)가 붙는 단어   apathy 무관심   empathy 감정이입, 공감   telepathy 텔레파시

| 21 | **desperate** [déspərət] | 형 자포자기한, 절망적인, 필사적인 | his _____ experience as a child laborer 수능
미성년 노동자로서의 그의 절망적인 경험 |
| | **confident** [kάnfədənt] | 형 자신감 있는, 확신하는 | people who are _____ in cooking 모의
요리에 자신감이 있는 사람들 |

| 22 | **tied** [taid] | 형 (끈으로) 묶인, (일이) 결부된, 얽매인 | be _____ by a contract
계약에 얽매이다 |
| | **unrelated** [ʌnriléitid] | 형 관련 없는, 관계없는 | seemingly _____ factors
겉보기에 관련이 없는 요소들 |

의미가 반대되는 어휘 쌍

| 23 | **inhale** [inhéil] | 동 숨을 들이마시다 | _____ its perfume 모의
그 향기를 들이마시다 |
| | **exhale** [ekshéil] | 동 (숨을) 내쉬다 | _____ a deep breath 모의
깊은 숨을 내쉬다 |

| 24 | **synonym** [sínənim] | 명 동의어, 유의어 | as a _____ for "guess" EBS
'추측'의 유의어로 |
| | **antonym** [ǽntənim] | 명 반의어 | the _____ of "happy"
'행복한'의 반대말 |

의미가 비슷한 어휘 쌍

| 25 | **hypothesis** [haipάθəsis] | 명 가설, 추정 | test a _____ through lots of experiments 모의
많은 실험을 통해 가설을 시험하다 |
| | **premise** [prémis] | 명 전제 | the same overall _____ EBS
전반적으로 동일한 전제 |

| 26 | **ignorant** [ígnərənt] | 형 무지한, 무식한, 모르는 | be _____ of the alternatives 모의
대안들을 모르다 |
| | **illiterate** [ilítərət] | 형 글을 모르는, 문맹의 | have _____ children EBS
문맹인 아이들이 있다 |

| 27 | **graze**
[greiz] | 명 방목, 방목지
동 풀을 뜯어먹다, 방목하다 | _____ their animals free of charge 수능
그들의 동물들을 무료로 방목하다 |
| | **pasture**
[pǽstʃər] | 명 초원, 목초지
동 목초를 먹이다, 방목하다 | China's grasslands and _____ lands 모의
중국의 초원이나 목초지 |

| 28 | **fracture**
[frǽktʃər] | 명 골절, 균열
동 골절이 되다, 균열되다 | sustain a stress _____ in her foot 모의
그녀의 발에 피로 골절을 입다 |
| | **split**
[split] | 명 나눔, 분열, 불화
동 분열되다, 나뉘다 | an artificial _____ between the two aspects 수능
두 가지 측면 사이의 인위적인 나눔 |

품사가 바뀌는 어휘 쌍

| 29 | **adopt**
[ədápt] | 동 입양하다, 채택하다 | _____ new technology 모의
새로운 기술을 채택하다 |
| | **adoption**
[ədápʃən] | 명 입양, 채택 | move to an _____ decision EBS
채택 결정으로 나아가다 |

> **TIP** adopt와 철자가 비슷한 단어　adapt 동 맞추다[조정하다], 적응하다　adapt to a different schedule 다른 일정에 적응하다
> adept 형 능숙한　adept at solving crossword puzzles 크로스워드 퍼즐을 푸는 데 능숙한

| 30 | **annoy**
[ənɔ́i] | 동 짜증나게 하다, 귀찮게 하다 | be so _____ed and upset 모의
너무 짜증이 나고 속이 상하다 |
| | **annoyance**
[ənɔ́iəns] | 명 짜증, 골칫거리 | _____ with the sibling arguments 모의
형제자매간의 말다툼으로 인한 짜증 |

| 31 | **simplify**
[símpləfài] | 동 단순화하다, 간단하게 하다 | _____ the production process 모의
생산 과정을 단순화하다 |
| | **simplicity**
[simplísəti] | 명 간단함, 평이함 | flow most smoothly from _____ 모의
단순함에서부터 가장 부드럽게 흘러나오다 |

| 32 | **donate**
[dóuneit] | 동 기부[기증]하다 | _____ to one or two charities 수능
한두 자선단체에 기부하다 |
| | **donor**
[dóunər] | 명 기부자, 기증자 | a scholarship _____ EBS
장학금 기부자 |

| 33 | **urge**
[əːrdʒ] | 명 욕구, 충동
동 충고[촉구]하다 | my _____ to burst into tears 모의
눈물이 터져 나오는 나의 충동 |
| | **urgent**
[ə́ːrdʒənt] | 형 긴급한, 다급한 | _____ health-related issues 모의
긴급한 건강 관련 이슈들 |

상식다:품　언택트 마케팅 (Untact marketing)　'접촉'을 뜻하는 'contact'에 부정의 의미를 더하는 'un'이 붙은 신조어로 사람 간 접촉을 하지 않는 것을 말하며, 언택트 마케팅이란 쉽게 말해 직원과의 접촉이 없는 무인 서비스라고 할 수 있다. 로봇과 인공지능이 도입되는 4차 산업혁명이 진행되면서 생겨난 새로운 마케팅 기법이다. 이러한 비대면 서비스는 무인 계산대(키오스크)부터 시작해 최근 떠오르는 VR 쇼핑까지 다양한 형태로 일상에 자리 잡고 있다.

Review

A 예비 영단어 또는 우리말 뜻 쓰기

1. pharmacy _____
2. inhale _____
3. shrink _____
4. dehydrate _____
5. illiterate _____
6. perspiration _____
7. confident _____

8. 기계 장치, 방법, 기제 _____
9. (숨을) 내쉬다 _____
10. 나눔, 분열, 불화 _____
11. 보통의, 온건한, 적당한 _____
12. 입양하다, 채택하다 _____
13. 사본; 복사[복제]하다 _____
14. 짜증나게 하다, 귀찮게 하다 _____

B 내신 필수 밑줄 친 단어와 의미가 같은 표현 고르기

1. As our body mimics the other's, we begin to experience emotional matching. 모의

   ① bruises　　　　② shrinks　　　　③ imitates　　　　④ donates

2. All we can do in science is use evidence to reject a hypothesis. 모의

   ① duplicate　　　② theory　　　　③ premier　　　　④ presence

3. I was so annoyed and upset by his response that I worked tirelessly for the remainder of the school year. 모의

   ① pleased　　　　② relieved　　　　③ embarrassed　　　④ irritated

4. In some sense, tea played a life-changing role for herdsmen and hunters after it spread to China's grasslands and pasture lands. 모의

   ① grazing　　　　② desert　　　　③ mountain　　　　④ ground

5. Many people offer an equal split to the partner, leaving both individuals happy and willing to trust each other in the future. 모의

   ① shield　　　　② donor　　　　③ portion　　　　④ doom

▶ 정답 p. 261

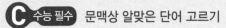 **C** 수능필수 문맥상 알맞은 단어 고르기

모의 1. With its electrical and mechanical system, the washing machine is one of the most techno-logically advanced examples of a large household applicant / appliance .

모의 2. Find a scent that you like and inhale / exhale its perfume at times when you're feeling calmed and at peace.

모의 3. After much thought, they decided to adapt / adopt four special-needs international children.

모의 4. We also have an internal control mechanism / organism : when we get too hot we start to sweat.

모의 5. That's because after death, the human body dehydrates, causing the skin to grow / shrink , or become smaller.

모의 6. In most people, emotions are situational. The emotion itself is tied / unrelated to the situation in which it originates.

EBS 7. Given our antipathy / sympathy toward power and those who hold it, it is no surprise that democratic political systems contain checks on power.

8. The term "industrial democracy" is often used as a(n) antonym / synonym for worker par-ticipation.

Single Words

기출 예문으로 핵심 어휘 학습

---

01 ★★★

deliberate
[dilíbərət]

형 고의의, 의도적인

동 숙고하다, 신중히 생각하다
[dilíbərèit]

The nonverbal message is _____, but designed to let the partner know one's candid reaction indirectly. 모의 그 비언어적 메시지는 의도적인 것이지만, 상대방에게 자신의 솔직한 반응을 간접적으로 알게 하려고 계획된 것이다.

---

02 ★★★

overall [óuvərɔ̀l]
[òuvərɔ́l]

형 종합[전반]적인, 전체의

부 전부, 종합적으로

The grasp and support forces must match _____ object mass and fragility. 모의

붙잡고 지지하는 힘은 전반적인 물체 질량과 연약함에 부합해야 한다.

---

03 ★★☆

mole
[moul]

명 점

You could say the friend is tall, has blue eyes, a _____ on the left cheek, or a red nose. 모의 당신은 그 친구가 키가 크고, 푸른 눈, 왼쪽 뺨에 점 하나, 또는 빨간 코를 가지고 있다고 말할 수 있다.

---

04 ★★☆

refresh
[rifréʃ]

동 생기를 되찾게 하다, 상쾌하게 하다

He _____ed himself with a deep sleep.

그는 깊은 잠으로 생기를 되찾았다.

---

05 ★★☆

bankruptcy
[bǽŋkrəptsi]

명 파산, 파탄

One day, he sat on a park bench, head in hands, wondering if anything could save his company from _____. 모의

어느 날, 그는 회사가 파산하는 것을 막을 무언가가 있을까 생각하며 머리를 감싸 쥔 채 공원 벤치에 앉아 있었다.

---

06 ★★☆

warrant
[wɔ́ːrənt]

명 영장, 보증서

동 정당하게 만들다

They issued a _____ for his arrest.

그들이 그의 체포를 위한 영장을 발부했다.

---

07 ★☆☆

overly
[óuvərli]

부 너무, 몹시

We think you are being _____ pessimistic.

우리는 당신이 너무 비관적이라고 생각한다.

---

08 ★★☆

legacy
[légəsi]

명 유산

Through careful presentation, the _____ of the early settlers is stored in a fascinating, picturesque town. EBS

세심한 보존을 통해서 초기 정착민들의 유산은 매혹적이고 그림 같은 마을 안에 남아 있다.

---

09 ★☆☆

eradicate
[irǽdəkèit]

동 근절하다, 뿌리뽑다

We are determined to _____ racism from our country.

우리는 우리나라에서 인종차별주의를 반드시 뿌리뽑을 것이다.

공부한 날 1회 ┃ 월   일   2회 ┃ 월   일   3회 ┃ 월   일

---

10 ★★★

surgery

[sə́:rdʒəri]

명 수술

I looked forward to getting the _____ over with and working hard at recovery. 모의

나는 수술을 끝마치고 회복을 위해 열심히 노력하기를 고대하였다.

---

11 ★★☆

evacuate

[ivǽkjuèit]

동 대피시키다, 피난하다

Children were _____d from Tokyo to escape the earthquake.

아이들은 지진을 피해 도쿄에서 대피했다.

---

12 ★★☆

motto

[mátou]

명 모토, 좌우명

We are pleased about your comment as customers' satisfaction is the main _____ of our service. 모의

고객 만족이 저희 서비스의 가장 중요한 모토이기 때문에 귀하의 말씀을 기쁘게 생각합니다.

---

13 ★★★

factual

[fǽktʃuəl]

형 사실에 기반을 둔, 사실을 담은

As a system for transmitting specific _____ information, the sign system of honey-bees would probably win easily over human language every time. 수능 특정한 사실적 정보를 전달하는 체계로서 꿀 벌의 신호 체계는 아마 인간의 언어를 언제나 쉽게 이길 것이다.

---

14 ★★☆

refute

[rifjú:t]

동 논박[반박]하다, 부인하다

It was the kind of rumor that it is impossible to _____.

그것은 반박이 불가능한 그런 종류의 소문이었다.

---

15 ★★★

possibility

[pàsəbíləti]

명 가능성

Psychologists call this avoidance training because the person is learning to avoid the _____ of a punishing consequence. 수능 당사자가 처벌 결과의 가능성을 피하는 법을 배우고 있으므로 심리학자들은 이것을 회피 훈련이라고 부른다.

---

16 ★★☆

murmur

[mə́:rmər]

명 속삭임, 소곤거림
동 속삭이다, 중얼거리다

One boy _____ed that the Nelson siblings were going to be the judges of the contest. EBS

한 소년이 Nelson 형제가 그 대회의 심사위원이 될 것이라고 소곤거렸다.

---

17 ★★☆

prescribe

[priskráib]

동 처방하다, 규정하다

Average consumers of health care do not have a license to order services or _____ medications. 모의 일반적인 의료 소비자들은 서비스를 주문하거나 약물을 처방하는 면허를 가지고 있지 않다.

---

18 ★☆☆

commence

[kəméns]

동 시작되[하]다

The seminar is scheduled to _____ at two.

그 세미나는 두 시에 시작되는 것으로 일정이 잡혀 있다.

STEP 2
Word Pairs

관련어 '쌍' 으로 암기

전사가 힌트를 주는 어휘쌍

| 19 | **facility** [fəsíləti] | 명 시설[기관] | as an assisted-living _____ 모의
 생활 보조 시설로서 |
| | **facilitator** [fəsílətèitər] | 명 조력[협력]자 | a _____ of learning
 학습의 조력자 |

| 20 | **deed** [di:d] | 명 행위, 행동 | do good _____s 모의
 선행을 행하다 |
| | **misdeed** [mísdì:d] | 명 비행, 악행 | stories about _____ s EBS
 비행에 관한 이야기 |

| 21 | **misfortune** [misfɔ́rtʃən] | 명 불운, 불행 | the ice-cream vendor's _____ 모의
 아이스크림 상인의 불행 |
| | **misbehave** [mìsbihéiv] | 동 못된 짓을 하다, 비행을 저지르다 | _____ or speak loudly
 행동을 함부로 하거나 크게 말하다 |

TIP 접두사 mis-('나쁜', '잘못'의 의미)가 붙는 단어 misbehavior 나쁜 행실 misinterpret 잘못 해석하다 mistake 실수; 잘못 판단하다

의미가 대치되는 어휘 쌍

| 22 | **familiarity** [fəmìliǽrəti] | 명 친숙함, 익숙함 | the _____ of an image 모의
 이미지의 친숙함 |
| | **reluctance** [rilʌ́ktəns] | 명 싫음, 마지못해 함, 꺼림 | show the greatest _____ to make a reply
 대답하기 몹시 꺼리는 태도를 보이다 |

의미가 반대되는 어휘 쌍

| 23 | **intrinsic** [intrínsik] | 형 고유한, 본질적인, 내재하는 | based on theories of _____ motivation 수능
 내적인 동기 부여 이론에 기초를 둔 |
| | **extrinsic** [ikstrínsik] | 형 외적인, 외부의 | the negative effects of _____ motivators 수능
 외적인 동기 부여 요인의 부정적인 영향 |

| 24 | **introvert** [íntrəvə̀:rt] | 명 내성적인 사람 | the only risk that you will face as an _____ 모의
 내성적인 사람으로서 여러분이 직면할 유일한 위험 |
| | **extrovert** [ékstrəvə̀:rt] | 명 외향적인 사람 | ask them to act like _____s 수능
 그들에게 외향적인 사람처럼 행동할 것을 요구하다 |

의미가 비슷한 어휘 쌍

| 25 | **demolish** [dimáliʃ] | 동 파괴하다, 무너뜨리다 | _____ a stone wall
 돌담을 무너뜨리다 |
| | **wreck** [rek] | 동 망가뜨리다, 파괴하다 | be _____ed by the explosion
 폭발로 파괴되다 |

| 26 | **demonstrate** [démənstrèit] | 동 입증하다, 보여 주다 | _____ the importance of an individual's action
 수능 개인의 행동의 중요성을 보여 주다 |
| | **manifest** [mǽnəfèst] | 동 나타내다, 나타나다 | _____ a kind of collective intelligence 모의
 일종의 집단 지성을 보여 주다 |

27	**expense** [ikspéns]	몡 돈, 비용	the effort and _____ 수능 노력과 비용
	expenditure [ikspéndit∫ər]	몡 지출(액), 비용	direct _____s on education 모의 교육에 대한 직접 지출액

TIP '비용'을 나타내는 단어　price (어떤 물품·서비스에 대해 내는) 값, 가격　cost 비용　value (경제적인) 가치, 가격　worth (사람·사물의 경제적) 가치

28	**differ** [dífər]	동 다르다	_____ from other animals 모의 다른 동물들과는 다르다
	differentiate [dìfərén∫ièit]	동 구별하다, 구분 짓다	_____ a product from its competitors 모의 그것의 경쟁 제품과 차별화하다

품사가 바뀌는 어휘 쌍

29	**civil** [sívəl]	혱 시민의, 민간의	elite _____ and military engineers 모의 엘리트 민간 공학자 및 군사 공학자
	civilization [sìvəlizéi∫ən]	몡 문명	relationship between music and _____ 수능 음악과 문명의 관계

30	**imply** [implái]	동 암시하다, 의미하다	_____ one's gain 모의 한 사람의 이익을 암시하다
	implication [ìmplikéi∫ən]	몡 영향[결과], 함의, 암시	have no moral _____s 수능 어떤 도덕적 함의를 지니지 않다

31	**competent** [kámpətənt]	혱 능숙한, 유능한	judge employees as _____ or incompetent 모의 직원들을 유능하거나 무능하다고 판단하다
	competence [kámpətəns]	몡 능숙함, 능력	the result of having new skills or _____ 모의 새로운 기술이나 능력을 갖춘 결과

32	**reside** [rizáid]	동 살다, 거주하다, 있다	_____ within individual creatures 모의 개별적 존재 내에 있다
	residence [rézədəns]	몡 주택, 거주지, 거주	private _____s with beautiful gardens 모의 아름다운 정원이 있는 개인 거주지

33	**generate** [dʒénərèit]	동 발생시키다, 만들어 내다	_____ meaning or lead to emotional wealth 수능 의미를 만들어 내거나 감정적인 풍요로움을 가져오다
	generator [dʒénərèitər]	몡 발전기	the factory's emergency _____s 공장의 비상 발전기

 비소유자 Nowner(노워너)　소유자의 반대말로 '소유를 거부하는 사람'이라는 뜻으로 해석되기도 한다. 물질을 소유하는 것보다는 '감성'과 '경험'을 더 소중히 생각하는 사람들이다. 미국에서 시작된 '비소유' 운동으로 소셜 미디어에 스스로 '#Nowner'라고 밝힌 사람들이 점점 늘어나고 있다. 이들은 물질을 소유하는 것에 관심이 없으며 살면서 필요한 것들을 사지 않고 빌리거나 공유한다.

A 예비 영단어 또는 우리말 뜻 쓰기

1. refresh _____

2. bankruptcy _____

3. misbehave _____

4. evacuate _____

5. familiarity _____

6. possibility _____

7. demolish _____

8. 고의의, 의도적인 _____

9. 문명 _____

10. 논박[반박]하다, 부인하다 _____

11. 시민의, 민간의 _____

12. 속삭이다, 중얼거리다 _____

13. 암시하다, 의미하다 _____

14. 수술 _____

B 내신 필수 밑줄 친 단어와 의미가 같은 표현 고르기

1. The nonverbal message is <u>deliberate</u>, but designed to let the partner know one's candid reaction indirectly. 모의

① delicious ② intentional ③ overall ④ accidental

2. The purpose of the exercise is to <u>demonstrate</u> the importance of an individual's action. 수능

① warrant ② eradicate ③ commence ④ manifest

3. When you pay your electric bills, buy a car, buy clothes, or even bake a cake, you are spending money on commodity-related <u>expenses</u>. 모의

① expenditures ② legacies ③ experts ④ implications

4. Material wealth in and of itself does not necessarily <u>generate</u> meaning or lead to emotional wealth. 수능

① reside ② prescribe ③ produce ④ imply

5. A person who has learned a variety of ways to handle anger is more <u>competent</u> and confident. 모의

① factual ② capable ③ intrinsic ④ complete

▶ 정답 p. 261

C 수능필수 문맥상 알맞은 단어 고르기

모의 1. It would be a substantial hardship on us to pay for this apartment as well as an assisted-living facility / facilitator .

수능 2. The negative effects of intrinsic / extrinsic motivators such as grades have been documented with students from different cultures.

모의 3. An introvert / extrovert may prefer online to in-person communication, as you do when feeling temporarily uncertain with your relationships.

모의 4. The blue lights in Glasgow, which mimicked the lights atop police cars, seemed to apply / imply that the police were always watching.

수능 5. Psychologists call this avoidance training because the person is learning to avoid the possibility / impossibility of a punishing consequence.

모의 6. Average consumers of health care do not know how to diagnose their medical conditions and do not have a license to order services or describe / prescribe medications.

모의 7. We hope you'll join us for 2018 Secret Garden Tour, a self-guided journey through private residents / residences with beautiful gardens.

모의 8. He underwent surgery / surgeon and intensive physical therapy, in an attempt to regain fitness.

151

Single Words

기출 예문으로 핵심 어휘 학습

---

01 ★★☆

reservoir
[rézərvwà:r]

명 저수지, 비축

Currently, 88 huge _____s hold some 10 trillion tons of water. 모의 현재 88개의 거대한 저수지들이 약 10조 톤의 물을 담고 있다.

---

02 ★★★

impose
[impóuz]

동 도입하다, 부과하다

Randomness _____s limits on our ability to predict. EBS
임의성은 우리의 예측 능력에 제약을 가한다.

---

03 ★☆☆

malcontent
[mælkəntént]

명 불만을 품은 사람,
불평분자

The _____s went over to the enemy.
불평분자들은 적의 편으로 넘어갔다.

---

04 ★★★

resign
[rizáin]

동 사직[사임]하다, 물러나다

I am regretfully _____ing as a member of the Townsville Citizens Association. 모의
유감스럽게도 나는 Townsville Citizens Association의 회원 탈퇴를 하고자 한다.

---

05 ★★☆

predominant
[pridámənənt]

형 두드러진, 우세한, 유력한

However, the _____ legend has it that a goatherd discovered coffee in the Ethiopian highlands. 모의
그러나, 유력한 전설에 따르면 한 염소지기가 에티오피아 고산지에서 커피를 발견했다.

---

06 ★★☆

hostage
[hástidʒ]

명 인질

He was held _____ for almost two years.
그는 거의 2년 동안 인질로 잡혀 있었다.

---

07 ★★☆

benchmark
[béntʃmà:rk]

명 기준(점)
동 벤치마킹하다

In the absence of a process that allows them to _____ those who do things better or at least differently, teachers are left with that one perspective. 수능 일을 더 잘하거나 최소한 다르게 하는 사람들을 벤치마킹할 수 있게 해 주는 과정이 없는 상태에서 교사들은 하나의 시각만을 갖게 된다.

---

08 ★★☆

exemplify
[igzémpləfài]

동 전형적인 예가 되다,
예를 들다

The Indians of Oaxaca, Mexico, _____ balanced reciprocity in the exchange of both goods and services. EBS 멕시코의 오아사카 인디언들은 재화와 용역 둘 모두의 교환에 있어서의 균형 잡힌 상호이익의 전형적인 예가 된다.

---

09 ★★☆

incidental
[ìnsədéntl]

형 부수적인

The setting, time period, dialogue and other _____ details are changed. 수능 배경, 시기, 대화, 그리고 다른 부수적 세부 사항은 바뀌어 있다.

공부한 날 1회 | 월 일 2회 | 월 일 3회 | 월 일

10 ★★☆
betray
[bitréi]
⑧ 배신[배반]하다

She _____ed his belief over and over again.
그녀는 거듭해서 그의 믿음을 배반했다.

11 ★☆☆
nanny
[nǽni]
⑲ 유모, 할머니

Rachel worked as a _____ for three years.
Rachel은 3년 동안 유모로 일했다.

12 ★★★
profit
[práfit]
⑲ 이익, 수익
⑧ 이익[이득]을 얻다[주다]

They may show _____ on the balance sheets of our generation, but our children will inherit the losses. 수능
그것은 우리 세대의 대차대조표에서는 이익을 보여 줄지 모르지만, 우리의 자녀들은 그 손실을 물려받을 것이다.

13 ★★★
narrative
[nǽrətiv]
⑲ 묘사[이야기], 서술

History is an exciting act of interpretation—taking the facts of the past and weaving them into a compelling _____. 모의
역사는 흥미로운 해석의 행위, 즉 과거의 사실을 수집하여 그것을 흥미진진한 이야기로 엮는 것이다.

14 ★★☆
nasty
[nǽsti]
⑲ 끔찍한, 못된, 불쾌한

You ended up feeling more hungry and _____. EBS
당신은 결국 더 배고프고 불쾌하게 느끼게 되었다.

15 ★★☆
dialect
[dáiəlèkt]
⑲ 방언, 사투리

The _____ selected by the printers became the national language. EBS 인쇄업자에 의해 선택된 방언이 국어가 되었다.

16 ★★☆
diameter
[daiǽmətər]
⑲ 지름, 배율

It was solid rock about 10-15 feet in _____. EBS
그것은 지름이 10~15피트쯤 되는 단단한 암석이었다.

17 ★★☆
nursery
[nə́ːrsəri]
⑲ 육아실, 탁아소

The _____ is bright and cheerful, with plenty of toys.
탁아소는 밝고 쾌적한 곳으로 장난감도 많다.

18 ★★☆
commodity
[kəmádəti]
⑲ 상품, 물품

Olive oil was even more valuable as an export _____ than the olive tree. EBS
올리브유는 수출 상품으로 올리브 나무보다 훨씬 더 가치가 있었다.

STEP 2
Word Pairs
관련어 '쌍' 으로 암기

철자가 **비슷한** 어휘 쌍

19	**omit** [oumít]	동 빠뜨리다, 생략하다	_____ an item from the list 목록에서 한 항목을 생략하다
	vomit [vámit]	동 토하다	would _____ what they had eaten 모의 그들이 먹은 것을 토하곤 했다
20	**flatter** [flǽtər]	동 치켜세우다, 아첨하다	_____ ourselves 모의 우리 자신을 치켜세우다
	flutter [flʌ́tər]	동 흔들(리)다, 펄럭이다	_____ in the wind 바람에 흔들리다

의미가 **비슷한** 어휘 쌍

21	**assure** [əʃúər]	동 장담하다, 보장하다	_____ the highest possible quality EBS 가능한 최고의 품질을 보장하다
	convince [kənvíns]	동 납득시키다, 확신시키다	_____ yourself otherwise 모의 당신 스스로에게 그렇지 않다고 납득시키다
22	**astonish** [əstániʃ]	동 깜짝 놀라게 하다	_____ the whole world 전 세계를 놀라게 하다
	astound [əstáund]	동 경악시키다	be _____ed at the news 그 소식에 경악하다
23	**declare** [diklέər]	동 선언하다, 공표하다	_____ themselves to be very happy 모의 스스로 매우 행복하다고 선언하다
	proclaim [proukléim]	동 선언[선포]하다	_____ himself to be the laziest EBS 자신이 가장 게으르다고 선언하다
24	**revolution** [rèvəlúːʃən]	명 혁명	symbols of the Industrial _____ 모의 산업혁명 시대의 상징
	rebellion [ribéljən]	명 반란, 폭동	the Arab _____ against the Turks 모의 투르크 족에 대항하는 아랍인들의 반란
25	**reward** [riwɔ́ːrd]	명 보상 동 보상하다	attain some extrinsic _____ 수능 어떤 외적인 보상을 얻다
	compensate [kámpənsèit]	동 보상하다	_____ for a decline in human intelligence 수능 인간 지능의 쇠퇴를 보상하다
26	**salary** [sǽləri]	명 급여, 월급	two months' _____ 수능 두 달 치의 급여
	wage [weidʒ]	명 임금, 급료	increase _____ discrimination 모의 급여 차별을 증가시키다

TIP **'급여'와 관련된 단어** pay 급료[보수] income 소득[수입] earnings 소득[수입]

| 27 | **shiver** [ʃívər] | 동 (몸을) 떨다 | be _____ing behind the rock 수능
바위 뒤에서 몸을 떨고 있다 |
| | **shudder** [ʃʌ́dər] | 동 몸을 떨다, 몸서리치다 | _____ with cold
추워서 몸을 떨다 |

| 28 | **sophisticated** [səfístəkèitid] | 형 세련된, 정교한 | increasingly more _____ tasks 모의
점점 더 정교한 과업 |
| | **cultivated** [kʌ́ltəvèitid] | 형 세련된, 교양 있는 | a soft, _____ voice
부드럽고 교양 있는 목소리 |

품사가 바뀌는 어휘 쌍

| 29 | **define** [difáin] | 동 정의하다, 규정하다 | _____ its scope and goals 모의
그것의 범위와 목적들을 정의하다 |
| | **definition** [dèfəníʃən] | 명 정의 | the _____ of an "artist" 모의
'예술가'라는 정의 |

| 30 | **depress** [diprés] | 동 낙담시키다, 우울하게 만들다 | be _____ed by their incapacities 수능
그들의 무능함에 의기소침해하다 |
| | **depression** [dipréʃən] | 명 우울증, 우울함 | such as anxiety and _____ 모의
불안과 우울증과 같은 |

TIP depression의 다른 의미 명 불경기, 불황 the Great Depression 대공황 economic depression 경제 불황

| 31 | **fertile** [fə́:rtl] | 형 비옥한, 기름진 | a region known as the _____ Crescent 모의
비옥한 초승달 지대라고 알려진 지역 |
| | **fertilizer** [fə́:rtəlàizər] | 명 비료 | use more chemical _____ than before 수능
이전보다 더 많은 화학 비료를 사용하다 |

| 32 | **expose** [ikspóuz] | 동 드러내다, 폭로하다, 노출시키다 | _____ the parts of the nails and hair 모의
손톱과 머리카락의 일부를 노출시키다 |
| | **exposure** [ikspóuʒər] | 명 노출, 폭로 | the battle for broadcast advertising _____ 모의
방송 광고 노출 전쟁 |

| 33 | **literary** [lítərèri] | 형 문학의, 문학적인 | his _____ feelings and opinions EBS
그의 문학적인 느낌과 의견 |
| | **literature** [lítərətʃər] | 명 문학 | immortality in _____ itself 수능
문학 그 자체 속에서의 불멸성 |

 상식 다:품 하울(Haul) '끌어당기다'라는 뜻의 영어 단어 'haul'을 그대로 발음한 것으로, 최근 온라인상에서는 '특정 분야의 상품을 대량 구매한 뒤 이를 품평하는 내용을 담은 영상'을 의미하는 용어로 쓰인다. 스마트폰 등의 전자기기를 대상으로 포장을 풀고 제품의 장단점을 평하는 '언박싱(unboxing) 영상'의 진화된 형태로, 하나의 제품이 아니라 다량의 제품을 대상으로 한다는 점에서 차이가 있다. 시청자는 영상을 통해 대리만족 또는 상대적 박탈감을 느낄 수 있다.

A 예비 영단어 또는 우리말 뜻 쓰기

1. impose _____
2. flatter _____
3. predominant _____
4. incidental _____
5. revolution _____
6. narrative _____
7. compensate _____

8. 사직[사임]하다, 물러나다 _____
9. 배신[배반]하다 _____
10. 정의 _____
11. 빠뜨리다, 생략하다 _____
12. 방언, 사투리 _____
13. 상품, 물품 _____
14. 비료 _____

B 내신 필수 밑줄 친 단어와 의미가 같은 표현 고르기

1. So much so that the World Health Organization (WHO) has now declared a sleep loss epidemic. 모의

① imposed   ② doomed   ③ proclaimed   ④ exemplified

2. Just as it is misguided to offer your child false praise, it is also a mistake to reward all of his accomplishments. 모의

① regard   ② compensate   ③ convince   ④ benchmark

3. Unemployment at 5 percent means that millions of Americans don't earn a daily wage. 모의

① salary   ② reservoir   ③ profit   ④ diameter

4. The pleasant relief will not last very long, of course, and you will soon be shivering behind the rock again, driven by your renewed suffering to seek better shelter. 수능

① shielding   ② flattering   ③ depressing   ④ shuddering

5. History is an exciting act of interpretation—taking the facts of the past and weaving them into a compelling narrative. 모의

① nanny   ② dialect   ③ story   ④ definition

▶ 정답 p. 262

모의 1. Invariably, someone would omit / vomit upon learning what they had eaten.

모의 2. In areas that are *not* especially relevant to our self-definition, we engage in *reflection*, whereby we flutter / flatter ourselves by association with others' accomplishments.

수능 3. Children who visit cannot help but remember what their parents or grandparents once were and be depressed / pleased by their incapacities.

수능 4. The setting, time period, dialogue and other accidental / incidental details are changed.

모의 5. Teddy bear manufacturers obviously noticed which bears were selling best and so made more of these and fewer of the less popular models, to maximize their losses / profits .

모의 6. Our jobs become enriched by relying on robots to do the tedious work while we work on increasingly more simple / sophisticated tasks.

모의 7. Direct involvement of citizens was what had made the American Revolution / Evolution possible and given the new republic vitality and hope for the future.

모의 8. Once the puppy knows that there is a reward / penalty waiting, he treats the experience as a pleasant game.

Single Words

기출 예문으로 핵심 어휘 학습

---

01 ★★★

fundamental 형 근본적인, 기본적인
[fʌ̀ndəméntl]

The Greeks' focus on the salient object and its attributes led to their failure to understand the _____ nature of causality.
수능 그리스인은 두드러진 물체와 그것의 속성에 초점을 맞추느라 인과 관계의 근본적인 성질을 이해하지 못했다.

---

02 ★★★

whereas 접 ~에 반하여
[hwɛərǽz]

As adults, chickens have very limited hunting skills _____ crows are much more flexible in hunting for food. 모의
다 자랐을 때 닭은 매우 제한적인 먹이를 찾는 능력을 지닌 반면, 까마귀는 먹이를 찾는 데 있어서 훨씬 더 유연하다.

---

03 ★★☆

manuscript 명 원고, 사본
[mǽnjuskrìpt]

The competition to sell _____s to publishers is fierce. 모의
출판사에 원고를 팔려는 경쟁은 치열하다.

---

04 ★★☆

commonplace 형 아주 흔한
[kámənplèis] 명 흔히 있는 일

Such backbreaking labor is still _____ in parts of the world. 모의 그러한 대단히 힘든 노동은 세계 각지에서 아직도 흔한 일이다.

---

05 ★★☆

imprint [ímprint] 명 자국
[imprínt] 동 각인시키다

Implicit memories are _____ed in the brain's autonomic portion. 모의 내재적 기억들은 뇌의 자동화 부분에 각인된다.

---

06 ★★☆

obscure 형 이해하기 힘든, 모호한
[əbskjúər]

Viewers can watch brilliant people answer _____ questions.
EBS 시청자들은 명석한 사람들이 이해하기 어려운 질문들에 답하는 것을 지켜볼 수 있다.

---

07 ★★☆

induce 동 설득하다, 유도하다
[indjúːs]

The mere threat of punishment is enough to _____ the desired behavior. 수능
처벌하겠다고 단순히 위협만 해도 바라는 행동을 끌어내기에 충분하다.

---

08 ★★☆

compartment 명 객실, 칸
[kəmpáːrtmənt]

The collision created leaks into five of the ship's hull _____s.
EBS 그 충돌로 선체 객실 중 다섯 개에 구멍이 생겼다.

---

09 ★★☆

verify 동 확인하다, 입증하다
[vérəfài]

We have no way of _____ing his claim.
우리는 그의 주장을 확인할 방법이 없다.

공부한 날 1회ᐟ 월   일   2회ᐟ   월   일   3회ᐟ   월   일

10 ★★☆

obesity
[oubíːsəti]

명 비만

_____ can increase the risk of heart disease.
비만은 심장병 위험을 증가시킬 수 있다.

11 ★★☆

futile
[fjúːtl]

형 헛된, 소용없는

Their efforts to persuade him were _____.
그를 설득하려는 그들의 노력은 소용이 없었다.

12 ★★★

occasion
[əkéiʒən]

명 때, 기회, 행사

When a formal _____ comes along, they are likely to cave in to norms that they find overwhelming. 모의
공식적인 행사가 생길 때 그들은 저항하기 힘들다고 느껴지는 규범에 어쩔 수 없이 따르기 쉽다.

13 ★★☆

germ
[dʒəːrm]

명 세균, 미생물

Chlorine is widely used to kill _____s.
염소는 세균을 죽이는 데 널리 쓰인다.

14 ★★☆

meek
[miːk]

형 온순한, 온화한

He is a _____ and gentle fellow.
그는 온화하고 순한 사람이다.

15 ★★★

pause
[pɔːz]

명 멈춤
동 잠시 멈추다

I strongly encourage you to find a place to think and to discipline yourself to _____ and use it. 모의
나는 여러분이 생각할 수 있는 장소를 찾고 여러분 자신을 잠시 멈추고 그것을 사용할 수 있도록 훈련시킬 것을 강력하게 권장한다.

16 ★★☆

frontier
[frʌntíər]

명 국경, 경계

The river marks the _____ between the two countries.
그 강이 두 나라의 국경을 나타내고 있다.

17 ★★☆

paw
[pɔː]

명 (발톱이 달린 동물의) 발

Rodents will use their _____s and head to shovel dirt toward an aversive stimulus. 모의
설치류는 혐오 자극을 향하여 흙을 파는 데 자신의 발과 머리를 사용할 것이다.

18 ★☆☆

mellow
[mélou]

형 부드럽고 풍부한, 그윽한

Her voice was deep and _____.
그녀의 목소리는 낮고 부드러웠다.

STEP 2
Word Pairs

관련어 '쌍' 으로 암기

철자가 **비슷한** 어휘 쌍

| 19 | **considerable**
[kənsídərəbl] | 형 상당한, 많은 | take _____ effort 모의
상당한 노력을 필요로 하다 |
| | **considerate**
[kənsídərət] | 형 사려 깊은, 배려하는 | be _____ of others EBS
다른 사람들을 배려하다 |

접사가 **힌트를 주는** 어휘 쌍

| 20 | **bound**
[baund] | 형 꼭 ~할 것 같은,
~할 가능성이 큰 | be _____ to be discovered by somebody 모의
누군가에 의해 반드시 발견되게 되어 있다 |
| | **rebound**
[ribáund] | 명 다시 튀어나옴
동 다시 튀어나오다 | _____ from the goalpost
골대를 맞고 다시 튀어나오다 |

TIP 접두사 re-('반복'의 의미)가 붙는 단어 research 다시 찾다, 재탐색하다 reevaluate 재평가하다, 다시 고려하다 represent 다시 보내다

| 21 | **counteract**
[kàuntərǽkt] | 동 ~을 상쇄하다, ~에 반대로
작용하다 | be _____ed by random acts of violence 모의
무작위적 폭력 행위로 상쇄되다 |
| | **counterattack**
[káuntərətæ̀k] | 명 역습[반격]
동 역습[반격]하다 [kàuntərətǽk] | make a _____
반격하다 |

의미가 **대치되는** 어휘 쌍

| 22 | **skim**
[skim] | 동 걷어 내다, (대충) 훑어보다 | _____ through a book
책을 대충 훑어보다 |
| | **scan**
[skæn] | 동 (유심히) 살피다 | _____ the river before her 수능
그녀 앞에 있는 강을 유심히 쳐다보다 |

| 23 | **soar**
[sɔ:r] | 동 급증[급등]하다, 치솟다 | _____ to the moon 모의
달까지 솟아오르다 |
| | **plunge**
[plʌndʒ] | 동 뛰어들다, 급락하다 | _____ into the water 모의
물속으로 뛰어들다 |

의미가 **반대되는** 어휘 쌍

| 24 | **belief**
[bilí:f] | 명 신념, 믿음 | _____s that cause biased interpretations 수능
편향된 해석을 야기하는 믿음들 |
| | **disbelief**
[dìsbilí:f] | 명 믿기지 않음, 불신감 | _____ in creation science
창조 과학에 대한 불신 |

의미가 **비슷한** 어휘 쌍

| 25 | **continual**
[kəntínjuəl] | 형 거듭[반복]되는 | keep up a _____ noise
반복되는 소리를 내다 |
| | **continuous**
[kəntínjuəs] | 형 계속되는, 지속적인 | a _____ and ultimately dramatic decline 모의
지속적이고, 궁극적으로는 급격한 감소 |

| 26 | **enormous**
[inɔ́:rməs] | 형 막대한, 거대한 | have _____ motivational value 모의
엄청난 동기부여의 가치를 지니다 |
| | **tremendous**
[triméndəs] | 형 엄청난, 굉장한 | with _____ charisma and appeal 수능
엄청난 카리스마와 호소력을 갖고 |

27 **isolate**
[áisəlèit]
동 격리하다, 분리하다

be _____d in your private life 모의
당신 혼자만의 생활 속에 고립되다

segregate
[ségrigèit]
동 분리[차별]하다, 구분하다

be _____d by gender EBS
성별에 따라 구분되다

28 **joint**
[dʒɔint]
형 공동의, 합동의

a _____, creative effort 수능
공동의 창의적 노력

mutual
[mjúːtʃuəl]
형 상호 간의, 서로의, 공동의

_____ interest or concern 모의
서로의 흥미나 관심거리

29 **intrigue**
[íntriːg]
명 호기심, 흥미로움, 음모

a political _____
정치적 음모

plot
[plɑt]
명 줄거리, 구성, 음모

a _____ to assassinate the king
왕을 암살하려는 음모

30 **defy**
[difái]
동 반항[저항/거역]하다

_____ the way your mind operates EBS
여러분의 마음이 작동하는 방법을 거부하다

resist
[rizíst]
동 저항[반대]하다, 방해하다

_____ losing that identity 모의
그 정체성을 잃게 되는 것을 반대하다

31 **fluid**
[flúːid]
명 체액, 액체, 유동체

when their energy and _____s become depleted
수능 그것들의 에너지와 체액이 고갈되면

liquid
[líkwid]
명 액체

a strong preference for sweet _____s 수능
단 음료에 대한 강한 선호

TIP '물질의 성질'과 관련된 단어 gas 기체 solid 고체 molecule 분자 atom 원자 electron 전자

품사가 바뀌는 어휘 쌍

32 **constrain**
[kənstréin]
동 ~하게 만들다[강요하다]

be _____ed to agree
찬성을 강요당하다

constraint
[kənstréint]
명 제약, 제한

be a _____ 모의
제약이 되다

33 **pursue**
[pərsúː]
동 추구하다

tend to _____ challenging goals 모의
도전적인 목표를 추구하는 경향이 있다

pursuit
[pərsúːt]
명 추구, 추적

include our _____ of happiness 모의
우리의 행복 추구를 포함하다

상식 다:품 미닝 아웃 (Meaning out) '의미, 신념'을 뜻하는 'meaning'과 '커밍아웃(coming out)'이 결합된 단어이다. 남들에게 밝히지 않았던 자기만의 의미나 취향 또는 정치적, 사회적 신념 등을 소비 행위를 통해 적극적으로 표출하는 현상을 뜻한다. 소비자 운동의 일종으로, SNS의 해시태그 기능을 사용해 관심사를 노출하고 공유하거나 옷이나 가방 등에 신념이나 성향을 보여 주는 메시지를 넣은 '슬로건 패션'도 바로 이 미닝 아웃 활동에 속한다.

Review

A 예비 영단어 또는 우리말 뜻 쓰기

1. considerable _____
2. whereas _____
3. isolate _____
4. obesity _____
5. scan _____
6. verify _____
7. belief _____

8. 원고, 사본 _____
9. 급증[급등]하다, 치솟다 _____
10. 이해하기 힘든, 모호한 _____
11. ~하게 만들다[강요하다] _____
12. 추구하다 _____
13. 국경, 경계 _____
14. 뛰어들다, 급락하다 _____

B 내신 필수 밑줄 친 단어와 의미가 같은 표현 고르기

1. The Greeks' focus on the salient object and its attributes led to their failure to understand the fundamental nature of causality. 수능

   ① futile   ② obscure   ③ basic   ④ considerate

2. An engaging and convincing strategic vision has enormous motivational value. 모의

   ① continual   ② tremendous   ③ moderate   ④ commonplace

3. Because the meanings of words are not invariable and because understanding always involves interpretation, the act of communicating is always a joint, creative effort. 수능

   ① continuous   ② mellow   ③ mutual   ④ meek

4. Human newborn infants also show a strong preference for sweet liquids. 수능

   ① germs   ② intrigues   ③ imprints   ④ fluids

5. When a formal occasion comes along, however, such as a family wedding or a funeral, they are likely to cave in to norms that they find overwhelming. 모의

   ① event   ② pursuit   ③ plot   ④ constraint

▶ 정답 p. 262

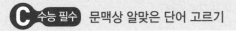

모의 1. One outcome of motivation is behavior that takes considerate / considerable effort. For example, if you are motivated to buy a good car, you will research vehicles online, look at ads, visit dealerships, and so on.

모의 2. Given the methodologies of science, the law of gravity and the genome were bound / rebound to be discovered by somebody; the identity of the discoverer is incidental to the fact.

모의 3. Her love for Rita overpowered her fear and she leapt out through the same open space in the railing and soared / plunged into the water.

수능 4. Ethnocentrism is the belief / disbelief that your culture is the best of all possible cultures.

수능 5. Unlike the passage of time, biological aging insists / resists easy measurement.

수능 6. Sometimes, after punishment has been administered a few times, it needn't be continued, because the mere threat of punishment is enough to induce / introduce the desired behavior.

모의 7. This work is part of our continuous / occasional effort to always maintain and improve the basic systems and services of our city.

Single Words

기출 예문으로 핵심 어휘 학습

---

01 ★☆☆

giggle
[gígl]

통 피식 웃다, 킥킥거리다

The children _____d at the joke.
아이들이 그 농담을 듣고 킥킥거렸다.

---

02 ★★☆

odor
[óudər]

명 냄새, 악취

It'll eliminate the _____s in your mouth. **EBS**
그것은 여러분 입안의 냄새를 제거해 줄 것이다.

---

03 ★★☆

haunt
[hɔːnt]

통 귀신[유령]이 나타나다
[출몰하다], 뇌리에서
떠나지 않다

The ghost of Narcissus _____s many companies today. **EBS**
나르시스의 망령이 오늘날 많은 회사에 출몰한다.

---

04 ★★☆

optimal
[áptəməl]

형 최선의, 최상의, 최적의

In fact, the _____ time for introducing mental skills training may be when athletes are first beginning their sport. **모의**
사실상, 정신 능력 훈련을 도입하기 위한 최적의 시간은, 선수들이 처음 운동을 시작할 때일지도 모른다.

---

05 ★★☆

leftover
[léftòuvər]

형 남은
명 남은 음식, 잔재

Often he used charcoal from the wood fire to sketch on a _____ piece of brown paper. **모의**
그는 장작불에서 나온 숯을 이용해 쓰다 남은 갈색 포장용 종이 위에 자주 스케치했다.

---

06 ★★☆

erect
[irékt]

형 똑바로 선
통 (똑바로) 세우다

Most dinosaurs had _____ postures. **EBS**
대부분의 공룡들은 직립한 자세를 가지고 있었다.

---

07 ★★★

outbreak
[áutbrèik]

명 발생[발발]

His path was interrupted by the _____ of World War II. **모의**
그의 행로는 제2차 세계대전의 발발로 중단됐다.

---

08 ★★☆

verdict
[vɜ́ːrdikt]

명 평결, 의견[결정]

Making better decisions when picking out jams or bottles of wine is best done with the emotional brain, which generates its _____ automatically. **수능** 잼이나 와인을 고를 때의 더 나은 결정은 무의식적으로 결정을 내리는 감정적 두뇌를 사용할 때 가장 잘 이루어진다.

---

09 ★★★

output
[áutpùt]

명 생산량[품], 출력

In other words, the factory's _____ would now be weighed rather than counted. **모의**
다시 말해, 그 공장의 생산품은 이제 수량보다는 무게로 측정될 것이었다.

발음+짤강

10 ★★★
experiment
[ikspérəmənt]
명 실험
동 실험을 하다
[ekspérəmènt]

Those are the places where there are opportunities to improve, innovate, _____, and grow. 수능
그곳은 개선하고 혁신하며 실험하고 성장할 수 있는 기회가 있는 장소이다.

11 ★★☆
outrage
[áutreidʒ]
명 격분, 격노
동 격분[격노]하게 만들다

The lawyer was _____d, assuming this to be an example of Latin American gender bias. 모의
그 변호사는 격분을 하며, 이것이 라틴 아메리카의 성에 대한 편견의 한 예라고 추측했다.

12 ★★★
disgust
[disgʌ́st]
명 혐오감, 역겨움
동 혐오감을 유발하다

Instead of evoking admiration of beauty, artists may evoke puzzlement, shock, and even _____. 모의
아름다움에 대한 감탄을 불러일으키는 대신, 예술가들은 당황스러움, 충격, 그리고 심지어는 혐오감을 불러일으킬 수도 있다.

13 ★★☆
apprentice
[əpréntis]
명 견습생, 도제

He was no more than a young painter's _____. EBS
그는 젊은 화가의 도제에 지나지 않았다.

14 ★★☆
outreach
[áutri:tʃ]
명 퍼짐, 도달
동 ~보다 멀리 미치다, 넘어가다, 능가하다

The weakness of local networks lies in their self-containment, for they lack input as well as _____. 모의
지역 네트워크의 취약성은 그것이 자기 충족을 하는 데 있는데 그 이유는 그것이 (외부로의) 확장뿐만이 아니라 (안으로의) 투입이 부족하기 때문이다.

15 ★★★
deserve
[dizə́:rv]
동 ~을 받을 만하다
[누릴 자격이 있다]

She _____d the attention. 모의
그녀는 그 관심을 받을 자격이 있었다.

16 ★★☆
testimony
[téstəmòuni]
명 증거, 증언

The historian works closely with the stuff that has been left behind — documents, oral _____, objects. 모의
역사가는 뒤에 남겨진 것들, 즉 서류, 구두 증언, 사물들과 긴밀히 협력한다.

17 ★★★
theory
[θíːəri]
명 이론, 학설

Current economic _____ suggests that this should aid development. 모의
현재의 경제 이론은 이것이 발전에 도움이 될 것임을 시사한다.

18 ★★★
desirable
[dizáiərəbl]
형 바람직한, 호감 가는, 가치 있는

Leaving some farmland as set-aside is also a way to decrease overall production when that is economically _____. 모의
일부 농지를 비경작지로 놓아두는 것은 경제적으로 그것이 바람직할 때 전체 생산량을 줄이는 방법이기도 하다.

STEP 2
Word Pairs

관련어 '쌍' 으로 암기

철자가 비슷한 어휘 쌍

19 circumference
[sərkʌ́mfərəns]
몡 원주, (구의) 둘레

the _____ of the Earth
지구 둘레

circumstance
[sə́ːrkəmstæns]
몡 환경, 상황

a significant improvement of _____ s 수능
상황에 대한 상당한 개선

20 coherent
[kouhíərənt]
혱 일관성 있는, 논리 정연한

a _____ institutional structure EBS
일관성 있는 제도 조직

cohesive
[kouhíːsiv]
혱 응집력 있는, 화합[결합]하는

form _____ teams EBS
응집력 있는 팀을 구성하다

21 sensible
[sénsəbl]
혱 분별[양식] 있는, 합리적인

something _____ about Marx EBS
마르크스에 관한 합리적인 어떤 것

sensitive
[sénsətiv]
혱 세심한, 민감한

climate _____ sectors such as agriculture 모의
농업과 같은 기후에 민감한 부문

접사가 힌트를 주는 어휘 쌍

22 prospect
[práspekt]
몡 예상, 전망

with no intention or _____ of repaying 수능
갚으려는 의도나 예상도 없이

retrospect
[rétrəspèkt]
몡 회상, 회고, 추억

seem quite humorous in _____ EBS
돌이켜 생각해 보면 상당히 재미있어 보이다

23 phrase
[freiz]
몡 구, 구절

the often-used _____ 모의
흔히 사용되는 어구

paraphrase
[pǽrəfrèiz]
동 다른 말로 바꾸어 표현하다

_____ the question
질문을 다른 말로 바꾸어 표현하다

의미가 비슷한 어휘 쌍

24 expert
[ékspəːrt]
몡 전문가

be applied to new technology by _____ s 수능
전문가에 의해 신기술에 적용되다

expertise
[èkspərtíːz]
몡 전문 지식[기술]

full life-saving _____ 모의
완전한 구명 전문 기술

25 judicial
[dʒuːdíʃəl]
혱 사법[재판]의

obtain a warrant from a _____ officer EBS
법관으로부터 영장을 취득하다

legal
[líːgəl]
혱 법률(상)의, 법률에 관한

those involved in the _____ process 수능
법적 절차 과정에서 관련된 사람들

TIP '법'과 관련된 단어 law (한 국가·사회의) 법 constitution 헌법 judge 판사 lawyer 변호사 prosecutor 검사 jury 배심원단

26 assemble
[əsémbl]
동 모이다, 모으다, 조립하다

_____ from them a new reality 수능
그것들로부터 새로운 실제 상황을 조합하다

congregate
[káŋgrigèit]
동 모이다

_____ in the main square
주 광장에 모이다

| 27 | **dramatic** [drəmǽtik] | 형 극적인, 인상적인 | lead to a _____ reduction 모의
극적인 감소를 가져오다 |
| | **sensational** [senséiʃənl] | 형 세상을 놀라게 하는, 선풍적인 | part of a _____ performance 수능
선풍적인 공연의 일환 |

| 28 | **soothe** [suːð] | 동 달래다[진정시키다] | _____ a crying child
우는 아이를 달래다 |
| | **console** [kənsóul] | 동 위로하다, 위안을 주다 | your motivation to _____ or defend 모의
위로하거나 옹호하려는 당신의 동기 |

| 29 | **asset** [ǽset] | 명 자산, 재산 | your hard-wired _____s 모의
여러분의 하드웨어에 내장된 자산 |
| | **property** [prάpərti] | 명 재산, 소유물, 속성 | the only intellectual _____ rights 수능
유일한 지적 재산권 |

| 30 | **inspire** [inspáiər] | 동 고무[격려]하다, 영감을 주다, (감정 등을) 불어넣다 | cathedrals that _____ awe 모의
경외감을 불러일으키는 대성당 |
| | **stimulate** [stímjulèit] | 동 자극[격려]하다, 흥미[관심]를 불러일으키다 | the wonder that _____s and motivates 수능
자극하고 동기를 부여하는 경이감 |

| 31 | **sour** [sauər] | 형 (맛이) 신, 시큼한 | dislike bitter and _____ foods 수능
쓰고 신 음식을 싫어하다 |
| | **bitter** [bítər] | 형 맛이 쓴, 쓰라린 | leave a _____ taste in the mouth
입에 쓴 맛이 남다 |

TIP '맛'과 관련된 단어 sweet 달콤한 salty 짭짤한 spicy / hot 매운 greasy 기름진 plain 담백한

품사가 바뀌는 어휘 쌍

| 32 | **combat** [kəmbǽt] | 동 싸우다[대항하다], 전투를 벌이다 | _____ risk factors for heart disease 수능
심장 질환을 일으킬 수 있는 위험 요인들과 맞서 싸우다 |
| | **combatant** [kəmbǽtənt] | 명 전투원, 전투 부대 | separate the _____s in the region
그 지역의 전투원들을 격리시키다 |

| 33 | **descend** [disénd] | 동 내려오다, 내려가다 | _____ underwater EBS
수면 아래로 내려가다 |
| | **descendant** [diséndənt] | 명 자손, 후손 | maximize the number of _____s 수능
후손들의 수를 최대화하다 |

 젠트리피케이션 (Gentrification) '신사 계급, 상류 사회, 신사 사회의 사람들'을 뜻하는 'gentry'와 '화(化)'를 의미하는 'fication'의 합성어이다. 중산층 이상의 계층이 비교적 빈곤 계층이 많이 사는 정체 지역에 진입해 낙후된 구도심 지역에 활기를 불어넣으면서 임대료가 오르고 기존의 저소득층 주민을 몰아내는 현상을 이르는 말이다. 젠트리피케이션은 결과적으로 원주민들이 살던 동네를 떠날 수밖에 없게 되고 기존의 지역 생태계를 파괴하는 부정적 현상을 일으키기도 하는데, 그 때문에 '둥지 내몰림 현상'으로 불리기도 한다.

167

Review

A 예비 영단어 또는 우리말 뜻 쓰기

1. giggle _____
2. circumstance _____
3. sensitive _____
4. apprentice _____
5. assemble _____
6. testimony _____
7. dramatic _____

8. 냄새, 악취 _____
9. 예상, 전망 _____
10. 혐오감; 혐오감을 유발하다 _____
11. 평결, 의견[결정] _____
12. ~을 받을 만하다 _____
13. 이론, 학설 _____
14. 내려오다, 내려가다 _____

B 내신 필수 밑줄 친 단어와 의미가 같은 표현 고르기

1. Those are the places where there are opportunities to improve, innovate, <u>experiment</u>, and grow. 수능

   ① apply   ② test   ③ haunt   ④ combat

2. The concept of intellectual <u>property</u> continued to develop during the Roman period. 모의

   ① asset   ② prospect   ③ output   ④ leftover

3. We define cognitive intrigue as the wonder that <u>stimulates</u> and intrinsically motivates an individual to voluntarily engage in an activity. 수능

   ① giggles   ② erects   ③ outrages   ④ inspires

4. Inside a law court the precise location of those involved in the <u>legal</u> process is an integral part of the design and an essential part of ensuring that the law is upheld. 수능

   ① optimal   ② coherent   ③ judicial   ④ fair

5. She had sung and danced with her friends in the festival, part of a <u>sensational</u> performance. 수능

   ① sensible   ② desirable   ③ prudent   ④ dramatic

▶ 정답 p. 263

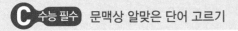 문맥상 알맞은 단어 고르기

수능 1. In many situations, however, the boundary between good and bad is a reference point that changes over time and depends on the immediate ｜circumstances / circumferences｜.

모의 2. However, this solution does not work in all situations because we also become increasingly ｜sensible / sensitive｜ to glare.

수능 3. We borrow environmental capital from future generations with no intention or ｜prospect / retrospect｜ of repaying.

수능 4. Evolution works to maximize the number of ｜ancestors / descendants｜ that an animal leaves behind.

모의 5. In other words, the factory's ｜outline / output｜ would now be weighed rather than counted.

모의 6. Instead of evoking admiration of beauty, artists may evoke puzzlement, shock, and even ｜favor / disgust｜.

모의 7. The assumption behind those theories is that disagreement is wrong and consensus is the ｜desirable / undesirable｜ state of things.

모의 8. She ｜reserved / deserved｜ the attention, for this flight marked the milestone of her flying over 4 million miles with this same airline.

---

01 ★★☆

outset

[áutsèt]

몡 착수, 시초, 발단

The thing about creativity is that at the _____, you can't tell which ideas will succeed and which will fail. 모의

창의성에 관한 중요한 것은, 처음에는 여러분이 어떤 아이디어가 성공하고 어떤 아이디어가 실패할 것인지를 알 수 없다는 것이다.

---

02 ★★☆

shuffle

[ʃʌ́fl]

통 발을 (질질) 끌며 걷다, 이리저리 바꾸다

We _____ the pieces of information around to see how they fit together. 모의

우리는 정보가 어떻게 서로 들어맞는지 알아보기 위해 이리저리 바꿔본다.

---

03 ★★☆

referee

[rèfərí:]

몡 심판

The _____ blew the final whistle.

심판이 마지막 호각을 불었다.

---

04 ★★★

context

[kántekst]

몡 맥락, 문맥

Temporal resolution is particularly interesting in the _____ of satellite remote sensing. 수능

시간적 해상도는 위성의 원격 감지의 맥락에서 특히 흥미롭다.

---

05 ★★☆

abbreviate

[əbrí:vièit]

통 줄여 쓰다[축약하다]

The European Union is commonly _____d to the EU.

European Union은 보통 EU로 줄여 쓴다.

---

06 ★☆☆

refraction

[rifrǽkʃən]

몡 굴절 (작용)

It explains the _____ of light.

이것은 빛의 굴절 현상을 설명한다.

---

07 ★★★

sibling

[síbliŋ]

혱 형제자매의
몡 형제자매

Louise, a mother who attended my seminars, shared how her mother dealt with _____ fighting. 모의

Louise는 나의 세미나에 참석한 어머니였는데, 자신의 어머니가 어떻게 형제자매간의 싸움을 다루었는지에 관한 내용을 사람들에게 들려주었다.

---

08 ★★☆

immune

[imjú:n]

혱 면역의, 면역성이 있는

Like stress, these negative emotions can damage the _____ response. 모의 이런 부정적인 감정은 스트레스처럼 면역 반응을 손상할 수 있다.

---

09 ★★☆

harness

[háːrnis]

통 이용[활용]하다

"All the resources of scholarship and all the historian's powers of imagination must be _____ed to the task of bringing the past to life." 모의

"학문의 모든 자원과 역사가의 모든 상상력이 과거를 소생시키는 과업에 이용되어야 한다."

공부한 날 1회 월 일 2회 월 일 3회 월 일

---

10 ★★☆

impair
[impέər]

동 손상[악화]시키다

If strong bonds make even a single dissent less likely, the performance of groups and institutions will be _____ed.
수능 만약 강한 결속력이 작은 불찬성이라도 덜 가능하게 만든다면, 집단과 단체의 수행은 손해를 입을 것이다.

---

11 ★★☆

overtake
[óuvərtèik]

동 따라잡다, 앞지르다

I have often found that the hares are _____n by the tortoises. EBS 나는 토끼들이 거북이들에 의해 따라잡히는 것을 종종 발견한다.

---

12 ★★★

thorough
[θɔ́:rou]

형 철저한

Our socialization is so _____ that we usually *want* to do what our roles indicate is appropriate. 모의 우리의 사회화가 매우 철저해서 우리는 대개 우리의 역할이 적절하다고 말해 주는 것을 하기 '원한다'.

---

13 ★★☆

clutch
[klʌtʃ]

동 (꽉) 움켜잡다

Nearby, a woman was wailing and _____ing a little girl, who in turn hung on to her cat. 모의 가까운 곳에서 한 여성이 울부짖으며 어린 소녀를 꽉 잡고 있었고, 그 소녀 또한 자신의 고양이를 움켜잡았다.

---

14 ★★☆

coexist
[kòuigzíst]

동 공존하다

The quest for profit and the search for knowledge cannot _____ in archaeology because of the time factor. 수능
이윤 추구와 지식 탐구는 시간이라는 요인 때문에 고고학에서 공존할 수 없다.

---

15 ★★★

parallel
[pǽrəlèl]

형 평행한

In his favored _____ bars event he scored a 'perfect ten' to win an individual gold medal as well. 모의 그의 주특기인 평행봉 종목에서 그는 10점 만점을 기록하며 개인전 금메달을 또한 획득하였다.

---

16 ★★☆

unanimous
[ju:nǽnəməs]

형 만장[전원]일치의

His proposal met with _____ rejection.
그의 제안은 만장일치로 부결되었다.

---

17 ★★★

overwhelm
[òuvərhwélm]

동 압도하다, 제압하다

People are _____ed with the volume of information confronting them. 모의 사람들은 자신들이 직면해 있는 정보의 양에 압도당한다.

---

18 ★★☆

anecdote
[ǽnikdòut]

명 일화

There's an _____ about a farmer who hired a man to sort his potato crop. EBS
감자 수확물을 분류하기 위해 한 남자를 고용한 농부에 관한 일화가 있다.

STEP 2
Word Pairs

관련어 '쌍' 으로 암기

철자가 비슷한 어휘 쌍

| 19 **dual**
[djúːəl] | 형 두 부분으로 된, 이중적인 | fear and its _____ functions 모의
두려움과 두려움의 이중적인 기능 |
| **duel**
[djúːəl] | 명 결투, 다툼 | challenge him to a _____
그에게 결투를 신청하다 |

접사가 힌트를 주는 어휘 쌍

| 20 **by-product**
[báiprʌ̀dəkt] | 명 부산물 | the _____ of that delicious meal 모의
그 맛있는 식사의 부산물 |
| **bystander**
[báistæ̀ndər] | 명 구경꾼, 방관자 | show numerous _____s EBS
수많은 방관자들을 보여 주다 |

TIP 접두사 by-('부차적인', '가까이의'의 의미)가 붙는 단어 by-name 별칭 by-law 부칙, 세칙 bypass 우회 도로 by-election 보궐 선거

| 21 **withhold**
[wiðhóuld] | 동 억누르다, 억제하다 | being chilly or _____ing something 모의
쌀쌀하게 굴고 있거나 무언가를 억누르고 있는 것 |
| **withstand**
[wiðstǽnd] | 동 견뎌[이겨]내다 | _____ being frozen solid EBS
단단하게 꽁꽁 얼어붙는 것을 견뎌내다 |

의미가 대치되는 어휘 쌍

| 22 **fuse**
[fjuːz] | 동 융합[결합]되다[시키다] | _____ an ability to measure with an ability to judge EBS 측정하는 능력과 판단하는 능력을 융합시키다 |
| **diffuse**
[difjúːz] | 동 분산[확산]되다[시키다] | be further _____d, extended, and intensified EBS
더 확산되고, 연장되고, 강화되다 |

의미가 반대되는 어휘 쌍

| 23 **compatible**
[kəmpǽtəbl] | 형 양립될 수 있는,
화합할 수 있는 | be _____ with each other EBS
서로 공존할 수 있다 |
| **incompatible**
[ìnkəmpǽtəbl] | 형 양립할 수 없는 | see themselves as _____ with nature 모의
자신들이 자연과 양립하지 않는다고 간주하다 |

의미가 비슷한 어휘 쌍

| 24 **claim**
[kleim] | 동 주장하다, 요구하다 | _____ a level of precision 모의
정밀한 수준을 주장하다 |
| **exclaim**
[ikskléim] | 동 소리치다, 외치다 | _____ that the kingdom should be his EBS
왕국이 그의 것이 되어야 한다고 소리치다 |

| 25 **lure**
[luər] | 동 꾀다, 유혹하다 | _____ customers to their shops EBS
고객들을 그들의 가게로 유인하다 |
| **tempt**
[tempt] | 동 유혹하다[부추기다] | be _____ed to eat 모의
먹고 싶은 유혹을 받다 |

| 26 **merge**
[məːrdʒ] | 동 합병하다, 합치다 | _____ two companies
두 회사를 합병하다 |
| **unite**
[juːnáit] | 동 연합하다, 통합시키다 | _____ to oppose the plans
그 계획에 반대하기 위해 연합하다 |

| 27 | **substance** [sʌ́bstəns] | 명 물질 | continuously interacting _____s 수능
계속적으로 상호 작용하는 물질 |
| | **stuff** [stʌf] | 명 물건, 물질 | old-fashioned _____ 수능
구식의 물건 |

| 28 | **tread** [tred] | 동 (발을) 디디다, 밟다, 걷다 | _____ in that puddle
그 웅덩이에 발을 디디다 |
| | **stride** [straid] | 동 성큼성큼 걷다 | _____ across the beach EBS
해변을 활보하다 |

> **TIP** '움직임'과 관련된 단어 crawl 기다 pace 서성거리다 march 행진하다 rush 급히 움직이다, 돌진하다 leap 뛰어오르다

| 29 | **feeble** [fíːbl] | 형 아주 약한, 허약한, 부족한 | a very _____ grasp of women EBS
여성에 대해 매우 부족한 이해 |
| | **frail** [freil] | 형 노쇠한, 허약한 | see his friend so thin and _____ 모의
매우 여위고 허약한 그의 친구를 보다 |

| 30 | **surpass** [sərpǽs] | 동 능가하다, 뛰어넘다 | _____ 50 percent in both years 모의
두 해 모두 50퍼센트를 넘다 |
| | **excel** [iksél] | 동 뛰어나다, 탁월하다 | _____ at turning defense into attack
수비를 공격으로 전환하는 데 탁월하다 |

| 31 | **invaluable** [invǽljuəbl] | 형 매우 유용한, 귀중한 | an _____ opportunity EBS
매우 소중한 기회 |
| | **priceless** [práislis] | 형 값을 매길 수 없는, 대단히 귀중한 | a _____ collection of antiques
값을 매길 수 없는 골동품 수집품 |

품사가 바뀌는 어휘 쌍

| 32 | **dominate** [dάmənèit] | 동 지배[군림]하다 | _____ almost every field of concert music 모의
콘서트 음악의 거의 모든 분야를 지배하다 |
| | **dominant** [dάmənənt] | 형 우세한, 지배적인 | become the Earth's _____ species 모의
지구의 지배적인 종이 되다 |

| 33 | **inform** [infɔ́ːrm] | 동 알리다[통지하다] | take the opportunity to _____ us 모의
우리에게 알려 줄 기회를 가지다 |
| | **informant** [infɔ́ːrmənt] | 명 정보원 | an anonymous _____
익명의 정보원 |

상식 다:품 라운징(Lounging)족 극장이나 카페, 공원과 같은 곳에서 홀로 느긋하게 휴식을 취하며 위안을 얻는 사람들로 1인 가구의 증가와 함께 라운징족도 증가하는 추세이다. 이들은 개인의 행복을 중시하는 경향이 강하고 자신의 편안한 휴식과 공간을 위해 아낌없이 투자한다. 가벼운 취미 활동 등으로 정서적 만족감을 추구하고 다른 사람들의 시선을 의식하지 않고 홀로 여가를 즐긴다.

A 예비 영단어 또는 우리말 뜻 쓰기

1. context _____
2. compatible _____
3. abbreviate _____
4. immune _____
5. claim _____
6. unite _____
7. withstand _____

8. 평행한 _____
9. 억누르다, 억제하다 _____
10. 따라잡다, 앞지르다 _____
11. 만장[전원]일치의 _____
12. 철저한 _____
13. 지배[군림]하다 _____
14. 일화 _____

B 내신 필수 밑줄 친 단어와 의미가 같은 표현 고르기

1. Twin sirens hide in the sea of history, <u>tempting</u> those seeking to understand and appreciate the past onto the reefs of misunderstanding and misinterpretation. 수능

   ① clutching   ② harnessing   ③ luring   ④ overtaking

2. In the United States, 25% of all prescriptions from pharmacies contain <u>substances</u> derived from plants. 모의

   ① duels   ② informants   ③ constraints   ④ materials

3. When he walked in, he was shocked to see his friend so thin and <u>frail</u>. 모의

   ① dominant   ② feeble   ③ parallel   ④ smart

4. A woman was wailing and <u>clutching</u> a little girl. 모의

   ① gripping   ② pushing   ③ releasing   ④ blocking

5. If strong bonds make even a single dissent less likely, the performance of groups and institutions will be <u>impaired</u>. 수능

   ① teased   ② dominated   ③ exclaimed   ④ damaged

▶ 정답 p. 263

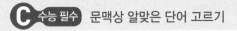 **수능 필수** 문맥상 알맞은 단어 고르기

수능 1. Note that copyright laws serve a dual / duel purpose.

모의 2. The bystander / by-product of that delicious meal—the squirrel's poop—is an important input for the microbes that consume it.

모의 3. By the turn of the twentieth century, the permanent repertoire of musical classics nominated / dominated almost every field of concert music, from piano, song, or chamber music recitals to operas and orchestral concerts.

수능 4. Temporocentrism and ethnocentrism unite / separate to cause individuals and cultures to judge all other individuals and cultures by the "superior" standards of their current culture.

수능 5. Temporal resolution is particularly interesting in the contact / context of satellite remote sensing.

모의 6. The body has an effective system of natural defense against parasites, called the immune / nonimmune system.

모의 7. Few of us are bothered by such restrictions, for our socialization is so through / thorough that we usually *want* to do what our roles indicate is appropriate.

모의 8. It can seem strange, at least at first, to stop praising; it can feel as though you're being chilly or releasing / withholding something.

Single Words

기출 예문으로 핵심 어휘 학습

---

01 ★★☆

adorable

[ədɔ́:rəbl]

⟨형⟩ 사랑스러운

By the time I was 40, we had three _____ children.
내가 마흔 살이 되었을 무렵, 우리에겐 사랑스러운 아이가 셋이 있었다.

---

02 ★☆☆

nuisance

[njú:sns]

⟨명⟩ 성가신[귀찮은] 사람[것/일], 골칫거리

It's a _____ having to go back tomorrow.
내일 돌아가야 하다니 성가신 일이다.

---

03 ★★☆

stall

[stɔ:l]

⟨명⟩ 가판대, 좌판

His uncle had bought him a red party balloon from a charity _____. 모의 그의 삼촌은 자선 가판대에서 빨간 파티 풍선을 그에게 사 주었다.

---

04 ★★★

autograph

[ɔ́:təgræf]

⟨명⟩ 서명, 사인
⟨동⟩ 서명[사인]하다

I rushed to him and said, "Mr. Mays, could I please have your _____?" 수능
나는 그에게 달려가서 "Mays 씨, 사인 좀 받을 수 있을까요?"라고 말했다.

---

05 ★★☆

stun

[stʌn]

⟨동⟩ 기절[실신]시키다, 깜짝 놀라게 하다

The _____ned faces that surrounded me proved that everyone else had also understood. 모의
나를 둘러싸고 있는 놀란 표정들로 보건대 다른 모든 사람들 또한 이해했음을 알 수 있었다.

---

06 ★★☆

inflow

[ínflòu]

⟨명⟩ 유입

The river water became filthy from the _____ of domestic waste water. 생활 폐수의 유입으로 강물이 더러워졌다.

---

07 ★★☆

staple

[stéipl]

⟨형⟩ 주된, 주요한

The result is that a _____ crop, such as maize, is not being produced in a sufficient amount. 수능
결과적으로 옥수수와 같은 주요 작물은 충분한 양으로 생산되지 못하고 있다.

---

08 ★★☆

animate

[ǽnəmèit]

⟨동⟩ 생기를 불어넣다, 만화 영화로 만들다

A smile suddenly _____d her face.
미소를 짓자 갑자기 그녀의 얼굴에 생기가 돌았다.

---

09 ★★★

intimate

[íntəmət]

⟨형⟩ 친밀한

And yet many will use email, at least sometimes, for _____ correspondence. 모의
하지만 많은 이들이, 적어도 때로는, 친밀한 서신 왕래를 위해 이메일을 사용할 것이다.

---

10 ★★★
necessity
[nəsésəti]
명 필요(성), 필수품

He realized the _____ of a writing system for the Cherokee people. 모의 그는 Cherokee 사람들을 위한 문자 체계의 필요성을 깨달았다.

11 ★★☆
loom
[lu:m]
동 어렴풋이[흐릿하게] 보이다[나타나다]

A dark shadow _____ed up ahead of us.
검은 그림자 하나가 우리 앞에 흐릿하게 나타났다.

12 ★★☆
lottery
[látəri]
명 복권

Treat everyone you meet as though you had just won the _____. 모의 여러분이 복권에 당첨된 것처럼 만나는 사람을 대하라.

13 ★★☆
anonymous
[ənánəməs]
형 익명의

The donor wants to remain _____. EBS
그 기부자는 익명으로 남기를 원한다.

14 ★★☆
weed
[wi:d]
명 잡초

Organic fields suffer more from _____s and insects than conventional fields. 모의
유기농 경작지가 전통적인 경작지보다 잡초들과 벌레들로부터 더 많이 피해를 입는다.

15 ★★★
impulse
[ímpʌls]
명 충동, 자극, 욕구

The _____s governing our preferences are often hidden, even from ourselves. 모의
우리의 선호를 지배하는 욕구가 심지어 우리 자신에게조차 종종 숨어있다.

16 ★★☆
peasant
[péznt]
명 소작농[소농], 농부

The typical _____ in traditional China ate rice for breakfast, rice for lunch, and rice for dinner. 모의
전통적인 중국의 전형적인 농부는 아침, 점심, 저녁으로 쌀을 먹었다.

17 ★★☆
span
[spæn]
명 기간[시간]

The brain remains changeable throughout the life _____.
모의 뇌는 평생에 걸쳐 변화할 수 있는 상태로 남아 있다.

18 ★★☆
fuss
[fʌs]
명 호들갑, 법석, 야단

We'd like a quiet wedding without any _____.
우리는 야단스럽지 않게 조용한 결혼식을 치르고 싶다.

STEP 2
Word Pairs

관련어 '쌍'으로 암기

철자가 **비슷한** 어휘 쌍

19 inject [indʒékt]	동 주사하다, 주입하다	_____ a drug 약물을 주사하다
eject [idʒékt]	동 쫓아내다, 내쫓다, 탈출하다	_____, and safely parachute to the ground 모의 탈출하고, 안전하게 낙하산을 타고 땅에 내려오다
20 limb [lim]	명 팔[다리], (새의) 날개	like an artificial _____ 모의 인공 팔과 다리와 같이
limp [limp]	명 절뚝거림 동 절뚝거리다	_____ off the field 경기장 밖으로 절뚝거리며 나가다
21 emergence [imə́:rdʒəns]	명 출현, 발생	the _____ of meaning 모의 의미의 발생
emergency [imə́:rdʒənsi]	명 비상 (사태)	the _____ training program 모의 비상 훈련 프로그램

TIP emergency와 관련된 어휘 emergency room 응급실 emergency exit 비상구 emergency services 긴급 구조대

의미가 **대치되는** 어휘 쌍

22 immigration [ìməgréiʃən]	명 (입국) 이주[이민], 입국 관리	the issue of _____ policy 이민 정책에 있어서의 문제
emigration [èmigréiʃən]	명 (타국으로의) 이주[이민]	pass new _____ law 새로운 이민법을 통과시키다
23 firsthand [fə́rsthǽnd]	형 직접의, 직접 얻은 부 직접, 바로	narrate our _____ experiences 모의 직접 경험한 것을 말하다
secondhand [sékəndhǽnd]	형 간접의, 중고의 부 간접으로, 중고로	die from _____ smoke EBS 간접 흡연으로 인해 사망하다

의미가 **비슷한** 어휘 쌍

24 vivid [vívid]	형 생생한, 선명한	capture some of his most _____ imagery 수능 그의 가장 생생한 이미지의 일부를 포착하다
vibrant [váibrənt]	형 활기찬, 선명한	a _____ cultural performance 수능 고동치는 문화적 공연
25 accumulate [əkjú:mjulèit]	동 모으다, 축적하다	_____ valuable historical artifacts 수능 가치 있는 역사적 유물을 축적하다
gather [gǽðər]	동 모이다[모으다]	_____ relevant data 모의 유의미한 자료를 모으다
26 transaction [trænsǽkʃən]	명 거래, 매매	mere commercial _____s 모의 단순한 상거래
deal [di:l]	명 거래, 합의	settle the _____ 수능 거래를 성사시키다

| 27 | **consecutive**
[kənsékjutiv] | 형 연이은 | get six _____ heads EBS
연속으로 여섯 번 앞면이라는 결과를 얻다 |
| | **successive**
[səksésiv] | 형 연속적인, 연이은 | through _____ experiments 모의
연속적인 실험을 통해 |

TIP **successive와 successful의 의미 차이** successive 형 연속적인, 연이은 successive efforts 연속적인 노력
successful 형 성공한, 성공적인 a successful actor 성공한 배우

| 28 | **feat**
[fi:t] | 명 위업, 공적 | achieve remarkable _____s 모의
놀랄 만한 위업을 달성하다 |
| | **accomplishment**
[əkámpliʃmənt] | 명 업적, 공적 | in honor of his _____ 모의
그의 업적에 경의를 표하여 |

품사가 바뀌는 어휘 쌍

| 29 | **vertical**
[və́:rtikəl] | 형 수직의, 세로의 | in _____ transfer 모의
수직적 전이에서 |
| | **vertex**
[və́:rteks] | 명 꼭짓점, 정점 | the _____ of an angle
각의 정점 |

| 30 | **artificial**
[à:rtəfíʃəl] | 형 인공[인조]의, 인위적인 | the arrival of _____ intelligence 수능
인공 지능의 도래 |
| | **artifact**
[á:rtəfækt] | 명 인공물, 공예품, 유물 | study shipwrecked _____s 수능
난파선의 유물을 연구하다 |

| 31 | **behave**
[bihéiv] | 동 행동하다 | including how the manufacturer _____s 모의
제조업체가 어떻게 행동하는지를 포함하여 |
| | **behavior**
[bihéivjər] | 명 행동 | his _____ toward the tax collector 수능
세금 징수원에 대한 그의 행동 |

| 32 | **proceed**
[prəsí:d] | 동 진행하다[되다] | _____ according to the rhythm of nature 모의
자연의 리듬에 따라 진행되다 |
| | **procedure**
[prəsí:dʒər] | 명 절차[방법] | a long account of work or _____s 수능
작업이나 절차에 관한 긴 설명 |

| 33 | **lever**
[lévər] | 명 레버, 지렛대
동 지렛대로 움직이다 | manage to _____ the door open
지렛대를 이용하여 그 문을 간신히 열다 |
| | **leverage**
[lévəridʒ] | 명 지렛대 사용, 지렛대의 힘 | get more _____
지렛대의 힘을 더 많이 받다 |

 미코노미(Meconomy) '나'를 뜻하는 'me'와 '경제'를 뜻하는 'economy'의 합성어로 '나를 위한 경제 활동'을 의미한다. 미코노미의 시점은 '나'이기 때문에, 국가 및 세계 경제 등과 같은 거시적 경제가 아닌 소규모 단위의 경제를 지향한다. 처음에는 '자기 자신이 경제의 주체가 되는 것'을 뜻하는 단어였는데, 오늘날에는 '나를 위한 작은 선물, 작은 사치'의 개념으로 확장되어 사용되고 있다.

Review

A 예비 영단어 또는 우리말 뜻 쓰기

1. emigration _____

2. staple _____

3. vivid _____

4. necessity _____

5. accumulate _____

6. anonymous _____

7. behave _____

8. 유입 _____

9. 주사하다, 주입하다 _____

10. 친밀한 _____

11. 충동, 자극, 욕구 _____

12. 진행하다[되다] _____

13. 소작농[소농], 농부 _____

14. 쫓아내다, 내쫓다, 탈출하다 _____

B 내신 필수 밑줄 친 단어와 의미가 같은 표현 고르기

1. Drones can gather relevant data in places that were previously difficult or costly to reach. 모의

   ① animate   ② inject   ③ proceed   ④ accumulate

2. At length, they settled the deal, and he was delighted to purchase the carving at a reasonable price and thanked Bob. 수능

   ① inflow   ② transaction   ③ nuisance   ④ leverage

3. Scientific knowledge is believed to progress through successive experiments. 모의

   ① staple   ② anonymous   ③ consecutive   ④ adorable

4. In 1824, the General Council of the Eastern Cherokees awarded Sequoyah a medal in honor of his accomplishment. 모의

   ① feat   ② lever   ③ vertex   ④ procedure

5. When he contracts influenza, he never attributes this event to his behavior toward the tax collector or his mother-in-law. 수능

   ① impulse   ② conduct   ③ success   ④ necessity

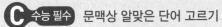 수능 필수 문맥상 알맞은 단어 고르기

모의 1. A fine line exists between invented stories and the relation of | firsthand / first-aid | experiences.

모의 2. The truth that has been merely learned sticks to us like an artificial | limp / limb |, a false tooth, or a nose of wax.

모의 3. We are pleased to introduce our company's recently launched | emergence / emergency | training program for teachers.

수능 4. The greatest benefit of the arrival of | natural / artificial | intelligence is that AIs will help define humanity.

모의 5. In | vertical / horizontal | transfer, lower level knowledge is essential before one proceeds to a higher level.

모의 6. The plumber was not able to adjust the | lever / liver | inside the toilet tank to fix the problem.

모의 7. Baseball, like traditional life, | exceeds / proceeds | according to the rhythm of nature, specifically the rotation of the Earth.

모의 8. And yet many will use email, at least sometimes, for | intimate / strange | correspondence with close friends and family.

Single Words
기출 예문으로 핵심 어휘 학습

01 ★★☆
□
□ **beware**
□ [biwέər]
동 조심[주의]하다

_____ of coordination problems where multiple crafts are involved. 모의 많은 기술들이 관련되어 있는 조정 문제를 조심하라.

02 ★★☆
□
□ **pedestrian**
□ [pədéstriən]
명 보행자

Some residents express concern that tourists may cause traffic and _____ congestion. 수능
몇몇 주민들은 관광객들이 교통과 보행자 혼잡을 초래할지도 모른다는 우려를 표한다.

03 ★★★
□
□ **hence**
□ [hens]
부 이런 이유로

_____, raising awareness of children from a very early age is crucial. 수능 이런 이유로, 아이들의 의식을 아주 어린 나이부터 높이는 것이 필수적이다.

04 ★★☆
□
□ **perish**
□ [périʃ]
동 죽다, 소멸되다

Most buildings were made of wood and have _____ed.
대부분의 건물들은 목재로 지어져서 지금은 소멸되었다.

05 ★★★
□
□ **intermediate**
□ [ìntərmíːdiət]
형 중간의, 중급의

To become a butterfly, a caterpillar must pass through several _____ stages of transformation. 모의
나비가 되기 위해서, 애벌레는 변태의 중간 단계들을 여러 번 거쳐야만 한다.

06 ★★☆
□
□ **mob**
□ [mɑb]
명 군중[무리]

The _____ stormed through the streets.
군중이 거리를 휩쓸고 다녔다.

07 ★★☆
□
□ **perseverance**
□ [pə̀ːrsəvíərəns]
명 인내(심)

They showed great _____ in the face of difficulty.
그들은 어려움에 직면하여 대단한 인내심을 보여 주었다.

08 ★★☆
□
□ **barter**
□ [bάːrtər]
동 물물교환하다

The people _____ed rice for tools.
사람들은 쌀과 도구를 물물교환했다.

09 ★★☆
□
□ **petal**
□ [pétəl]
명 꽃잎

The forget-me-not has five, small, pale purple _____s.
물망초는 다섯 개의 작은 연보라 색 꽃잎들을 가지고 있다.

10 ★★☆
kidnap
[kídnæp]
동 납치[유괴]하다

Two politicians have been _____ed by terrorists.
두 명의 정치인이 테러범들에게 납치되었다.

---

11 ★☆☆
phantom
[fǽntəm]
명 유령, 혼령

He saw the _____ of his dead father.
그는 돌아가신 그의 아버지의 혼령을 보았다.

---

12 ★★★
domestic
[dəméstik]
형 국내의, 가정의

Developing countries have limited _____ savings with which to invest in growth. 모의
개발도상국은 성장에 투자하기에 제한된 국내 저축을 가지고 있다.

---

13 ★★★
phase
[feiz]
명 단계[시기/국면]
동 단계적으로 하다

The initial _____ of any design process is the recognition of a problematic condition. 모의
모든 디자인 과정의 첫 번째 단계는 문제 상황에 대한 인식이다.

---

14 ★★★
spontaneous
[spɑntéiniəs]
형 자발적인, 마음에서 우러난

The individual's participation in mass behavior patterns is not a _____ reaction to random forces. 모의
대중 행동 패턴에 개인이 참여하는 것은 임의의 힘에 대한 자발적인 반응이 아니다.

---

15 ★★☆
phony
[fóuni]
형 가짜의, 허위의
명 가짜, 위조품

She can tell whether it's a _____.
그녀는 그것이 위조품인지 아닌지를 알 수 있다.

---

16 ★★☆
pillar
[pílər]
명 기둥, (시스템·조직·신념 등의) 기본적인 부분[특징]

Disease becomes one of the most important _____s of order in such societies. 수능
질병은 그와 같은 사회에서 질서의 가장 중요한 부분 중의 하나가 된다.

---

17 ★★☆
gymnastics
[dʒimnǽstiks]
명 체조

I was thrilled to learn that you're holding your _____ summer camp again this year. 수능
나는 올해 또 다시 당신의 하계 체조 캠프가 열린다는 것을 알고 몹시 기뻤다.

---

18 ★☆☆
pinch
[pintʃ]
명 꼬집기
동 꼬집다

He _____ed the baby's cheek playfully.
그가 그 아기의 뺨을 장난스레 꼬집었다.

183

STEP 2
Word Pairs
관련어 '쌍' 으로 암기

철자가 비슷한 어휘 쌍

| 19 | **famine** [fǽmin] | 명 기근 | time _____ 모의 시간 기근 |
| | **feminine** [fémənin] | 형 여성스러운, 여성의 명 여성 | regard as a _____ role EBS 여성의 역할로 간주하다 |

| 20 | **fraction** [frǽkʃən] | 명 부분, 일부, 분수 | a mere _____ of his inheritance EBS 그의 유산의 단지 일부분 |
| | **friction** [fríkʃən] | 명 마찰 | _____ and air resistance EBS 마찰과 공기 저항 |

| 21 | **confirm** [kənfə́ːrm] | 동 사실임을 보여 주다 [확인해 주다] | _____ or challenge our perceptions 모의 우리의 인식을 확인하거나 조사하다 |
| | **conform** [kənfɔ́ːrm] | 동 행동[생각]을 같이 하다, (관습 등에) 따르다[순응하다] | put pressure on their members to _____ 수능 구성원들에게 순응하도록 압력을 가하다 |

| 22 | **deflect** [diflékt] | 동 방향을 바꾸다[바꾸게 하다] | _____ the asteroids EBS 소행성들의 방향을 바꾸다 |
| | **reflect** [riflékt] | 동 반사하다, 반영하다 | _____ the principle of demand and supply 모의 수요와 공급의 원리를 반영하다 |

의미가 반대되는 어휘 쌍

| 23 | **defeat** [difíːt] | 동 패배시키다, 쳐부수다 | _____ a competitor 경쟁자를 물리치다 |
| | **surrender** [səréndər] | 동 항복하다, 포기하다 | _____ voluntarily to enemies 적에게 자발적으로 항복하다 |

의미가 비슷한 어휘 쌍

| 24 | **vanity** [vǽnəti] | 명 자만심, 허영심 | lie about my age on grounds of _____ 모의 자만심으로 나의 나이에 대해 거짓말을 하다 |
| | **pride** [praid] | 명 자만심, 우월감, 자부심 | take _____ in his work 그의 일에 자부심을 갖다 |

| 25 | **vow** [vau] | 명 맹세, 서약 동 맹세[서약]하다 | _____ not to use wearable tech 모의 웨어러블 기기를 사용하지 않기로 맹세하다 |
| | **pledge** [pledʒ] | 명 맹세, 서약 동 약속[맹세]하다 | _____ to reduce taxes 세금 인하를 약속하다 |

| 26 | **synthetic** [sinθétik] | 형 합성한, 인조의 | an extremely slippery _____ substance 모의 아주 매끌매끌한 합성 물질 |
| | **fake** [feik] | 형 가짜의, 거짓된 | by installing _____ temperature dials 모의 가짜 온도 조절 다이얼을 설치함으로써 |

> **TIP** '진짜가 아닌'의 의미와 관련된 단어 artificial 인공의, 인조의 false 가짜의 man-made 사람이 만든, 인공의 imitation 가짜[모조]의

| 27 | **tedious**
[tíːdiəs] | 톙 지루한, 싫증나는 | by relying on robots to do the _____ work 모의
지루한 일을 하는 것은 로봇에게 의존함으로써 |
| | **monotonous**
[mənάtənəs] | 톙 단조로운[변함없는] | live a _____ life
단조로운 생활을 하다 |

| 28 | **adjust**
[ədʒʌ́st] | 통 조정[조절]하다 | _____ their eating behavior 수능
그들의 섭식 행동을 조정하다 |
| | **accustom**
[əkʌ́stəm] | 통 익숙케 하다, 길들게 하다 | be _____ ed to people whose expression is indistinct
모의 표현이 불분명한 사람들에 익숙하다 |

| 29 | **fellow**
[félou] | 똉 친구, 동료 | ask _____ students for directions 모의
동료 학생들에게 방향을 물어보다 |
| | **peer**
[piər] | 똉 또래, 동료 | my _____ s who taught the same subject 수능
동일한 과목을 가르치는 나의 동료들 |

TIP '동료'를 나타내는 단어 colleague 동료 coworker 동료 teammate 팀 동료 workmate 동료

| 30 | **fatigue**
[fətíːg] | 똉 피로 | bodily _____ 수능
신체적 피로 |
| | **exhaustion**
[igzɔ́ːstʃən] | 똉 탈진, 기진맥진 | _____ from stress EBS
스트레스로 인한 탈진 |

| 31 | **trait**
[treit] | 똉 특성 | compatibility with cultural _____ s 수능
문화적 특성과의 양립 가능성 |
| | **characteristic**
[kæriktərístik] | 똉 특징, 특질 | the _____ s of an object 수능
물체의 특성 |

품사가 바뀌는 어휘 쌍

| 32 | **certify**
[sə́ːrtəfài] | 통 증명하다, 보증하다 | _____ to his character
그의 사람됨을 보증하다 |
| | **certificate**
[sərtífikeit] | 똉 증서, 자격증 | receive their graduation _____ s 수능
그들의 졸업 증서를 받다 |

| 33 | **require**
[rikwáiər] | 통 필요[요구]하다, 필요로 하다 | _____ additional energy or nutrients 수능
추가적인 에너지나 영양소가 필요하다 |
| | **request**
[rikwést] | 똉 요청[신청], 요구 | make additional _____ s 수능
추가적인 요구를 하다 |

상식 다:품 노멀크러쉬 (Normal crush) '평범한'을 뜻하는 'normal'과 '반하다'를 뜻하는 'crush'의 합성어로 특별하고 화려한 것보다 일반적이고 평범한 보통의 정서를 추구하는 것이 바로 노멀크러쉬이다. 명품이나 사치품이 아닌 작은 인테리어 소품이나 벽지 등 지극히 일상적이고 평범한 것을 공유하며, 타인에게 공감받고 공감하고 싶은 마음으로 인해 생긴 현상이다.

A 예비 영단어 또는 우리말 뜻 쓰기

1. beware _____
2. friction _____
3. hence _____
4. reflect _____
5. intermediate _____
6. pride _____
7. domestic _____

8. 보행자 _____
9. 사실임을 보여 주다[확인해 주다] _____
10. 물물교환하다 _____
11. 단계; 단계적으로 하다 _____
12. 패배시키다, 쳐부수다 _____
13. 증서, 자격증 _____
14. 필요[요구]하다, 필요로 하다 _____

B 내신 필수 밑줄 친 단어와 의미가 같은 표현 고르기

1. Schreiber vows not to use wearable tech when she works out. 모의

   ① bewares   ② barters   ③ pledges   ④ kidnaps

2. I taught various subjects under the social studies umbrella and had very little idea of how my peers who taught the same subject did what they did. 수능

   ① peasants   ② fellows   ③ neighbors   ④ pedestrians

3. Which cultural item is accepted depends largely on the item's use and compatibility with already existing cultural traits. 수능

   ① mobs   ② fatigues   ③ phases   ④ characteristics

4. Our jobs become enriched by relying on robots to do the tedious work while we work on increasingly more sophisticated tasks. 모의

   ① indifferent   ② boring   ③ exciting   ④ spontaneous

5. Our ability to adjust to changes in illumination declines. 모의

   ① adapt   ② perish   ③ perform   ④ admit

C 수능 필수 문맥상 알맞은 단어 고르기

모의 1. 'Time famine / feminine '—the feeling of having too much to do and not enough time to do it—is the cause of unnecessary stress and reduced performance.

모의 2. This kind of electricity is produced by fraction / friction , and the pen becomes electrically charged.

모의 3. To help avoid committing these errors, engage in perception checking, which means that we consider a series of questions to conform / confirm or challenge our perceptions of others and their behaviors.

수능 4. However unnoticeably, maps do indeed reflect / deflect the world views of either their makers or, more probably, the supporters of their makers, in addition to the political and social conditions under which they were made.

모의 5. To produce two pounds of meat inquires / requires about 5 to 10 times as much water as to produce two pounds of vegetables.

모의 6. Developing countries have limited foreign / domestic savings with which to invest in growth, and liberalization allows them to tap into a global pool of funds.

모의 7. Clever technicians create the illusion of control by installing real / fake temperature dials.

STEP 1
Single Words
기출 예문으로 핵심 어휘 학습

01 ★★☆
plausible
[plɔ́ːzəbl]
형 타당한 것 같은, 그럴듯한

The results are open to _____ alternative interpretations.
EBS 그 결과는 그럴듯한 다른 해석의 여지가 있다.

02 ★☆☆
dividend
[dívədènd]
명 배당금, 이익

Daily diligence will pay big _____s. EBS
매일매일의 부지런함은 커다란 이익을 줄 것이다.

03 ★★★
envelope
[énvəlòup]
명 봉투

Please return the bottom portion of this letter with your check in the enclosed _____. 모의
이 편지의 아랫부분을 귀하의 수표와 함께 동봉된 봉투에 넣어 다시 보내 주십시오.

04 ★★★
proficient
[prəfíʃənt]
형 능숙한, 능한

"Jack-of-all-trades" refers to those who claim to be _____ at countless tasks. 모의
'만물박사'는 수없이 많은 일에 능숙하다고 주장하는 사람들을 가리킨다.

05 ★★☆
oppress
[əprés]
동 탄압[억압]하다

A new medium never ceases to _____ the older media until it finds new shapes and positions for them. EBS
새로운 매체는 기존 매체를 위한 새로운 형태와 지위를 찾을 때까지 기존 매체를 압박하는 일을 결코 멈추지 않는다.

06 ★★☆
propel
[prəpél]
동 나아가게 하다, 몰고 가다

He _____led himself into a backspin, covered his eyes, and extended his arm above his head. 수능
그는 백스핀으로 자신을 돌아가게 했고, 자신의 눈을 가렸고, 자신의 머리 위로 팔을 뻗었다.

07 ★★★
ponder
[pándər]
동 숙고하다, 곰곰이 생각하다

People have _____ed some of the deepest philosophical questions for millennia. EBS
사람들은 수천 년 동안 가장 심오한 철학적 문제들에 대해 숙고해 왔다.

08 ★★☆
longevity
[lɑndʒévəti]
명 장수

The environmental adversities actually contribute to the trees' _____. 수능
환경적인 재난이 실제로는 그 나무들의 장수에 기여한다.

09 ★★☆
juggle
[dʒʌ́gl]
동 저글링하다

My father taught me to _____.
우리 아버지가 내게 저글링하는 것을 가르쳐 주셨다.

10 ★★★
orbit
[ɔ́ːrbit]

몡 궤도
통 궤도를 돌다

Smooth sailing after the storm, the aircar arrived at the _____ of the Islands of Paradise. 수능

폭풍이 지나간 후 매끄럽게 항해하며 에어카는 낙원의 섬의 궤도에 진입했다.

11 ★★☆
publicity
[pʌblísəti]

몡 매스컴[언론]의 관심[주목]

The scientist is castigated as a _____ seeker. 모의

그 과학자는 명성을 좇는 사람이라는 혹평을 받는다.

12 ★★☆
bid
[bid]

통 명령하다, (값을) 매기다

She _____ a good price for the painting.

그녀는 그 그림에 대해 좋은 가격을 제시했다.

13 ★★★
spectator
[spékteitər]

몡 관중

His arm pointed away from the dancers on stage and directly at Dan Tres, standing among the _____s. 수능

그의 팔은 무대 위의 춤꾼들을 벗어나, 관중 속에 서 있는 Dan Tres를 똑바로 가리켰다.

14 ★★☆
pulse
[pʌls]

몡 맥박, 맥
통 맥박치다, 고동치다

I used to train with a world-class runner who was constantly hooking himself up to _____ meters and pace keepers. 모의

나는 끊임없이 자기 자신을 맥박계와 속도 계측기에 연결하고 있던 세계 일류 육상선수 한 명과 훈련을 하곤 했다.

15 ★★☆
notable
[nóutəbl]

혱 주목할 만한, 눈에 띄는

It is _____ that we find no evidence in classical times of tailors or dressmakers.

우리가 그리스·로마 시대의 재단사나 재봉사에 대한 어떠한 증거도 찾지 못한다는 것은 주목할 만하다.

16 ★★☆
cathedral
[kəθíːdrəl]

몡 대성당

A stone mason was inspired by building a great _____ for the ages. 모의

석공이 후세에 길이 남을 훌륭한 대성당을 건설하는 데에 고무되었다.

17 ★★★
punctual
[pʌ́ŋktʃuəl]

혱 시간을 지키는[엄수하는]

Being a person who tries to be _____, you arrived precisely at 7:00 p.m. EBS

당신은 시간을 잘 지키려고 노력하는 사람이라서 정확히 오후 7시에 도착했다.

18 ★★☆
inaugural
[inɔ́ːgjurəl]

혱 취임(식)의
몡 취임사

In his _____ address, the president appealed for national unity. 취임 연설에서, 대통령은 국가적 결속을 호소했다.

STEP 2
Word Pairs

관련어 '쌍'으로 암기

철자가 비슷한 어휘 쌍

| 19 | **decline**
[dikláin] | 몡 감소
동 줄어들다, 감소하다 | a _____ in human intelligence 수능
인간 지능의 쇠퇴 |
| | **incline**
[inkláin] | 몡 경사(면)
동 ~쪽으로 기울다[기울어지게 하다], (~하는) 경향이 있다 | be _____d to experience high levels of stress 모의
높은 수준의 스트레스를 경험하는 경향이 있다 |

| 20 | **enterprise**
[éntərpràiz] | 몡 기업, 회사, 대규모 사업 | the parenting _____ EBS
육아 사업 |
| | **entrepreneur**
[à:ntrəprənə́:r] | 몡 사업가[기업가] | those with no _____ acquaintances 모의
기업가인 지인이 없는 사람 |

의미가 반대되는 어휘 쌍

| 21 | **finite**
[fáinait] | 혱 한정된, 유한한 | a _____ number of possibilities
한정된 수의 가능성 |
| | **infinite**
[ínfənət] | 혱 무한한 | in a theoretically _____ progression 모의
이론상 무한한 연속 안에서의 |

| 22 | **secure**
[sikjúər] | 혱 안심하는, 안전한
동 얻어 내다, 안전하게 지키다 | take place in _____ settings 모의
안전한 환경에서 생겨나다 |
| | **insecure**
[ìnsikjúər] | 혱 불안정한, 안전하지 못한 | _____ doors and windows
안전하지 못한 문과 창문 |

| 23 | **dispensable**
[dispénsəbl] | 혱 없어도 되는, 불필요한 | look on music and gym classes as _____
음악과 체육 수업을 불필요한 것으로 보다 |
| | **indispensable**
[ìndispénsəbl] | 혱 없어서는 안 될, 필수적인 | an _____ source of information 모의
필수 불가결한 정보의 원천 |

의미가 비슷한 어휘 쌍

| 24 | **gust**
[gʌst] | 몡 세찬 바람, 돌풍 | occasional _____s of wind 수능
때때로 부는 돌풍 |
| | **blast**
[blæst] | 몡 폭발, 강한 바람
동 폭발시키다, 폭파[발파]하다 | the wind's icy _____s
훅 불어 닥치는 얼음같이 찬 바람 |

> **TIP** '바람'과 관련된 단어 wind 바람 breeze 산들바람 typhoon 태풍 hurricane 허리케인 tornado 토네이도

| 25 | **hail**
[heil] | 몡 우박
동 묘사하다[일컫다], 칭송하다 | _____ the drawings 모의
그 그림들을 호평하다 |
| | **salute**
[səlú:t] | 동 경례를 하다, 경의를 표하다 | _____ your contributions EBS
당신의 공헌에 경의를 표하다 |

| 26 | **obstruct**
[əbstrʌ́kt] | 동 막다[방해하다] | _____ a road
길을 막다 |
| | **hinder**
[híndər] | 동 저해[방해]하다, ~을 못하게 하다 | _____ a rival's expansion 모의
라이벌의 확장을 저지하다 |

| 27 | **harsh** [hɑːrʃ] | 형 가혹한, 냉혹한 | in a _____ tone 모의 거친 어조로 |
| | **severe** [sivíər] | 형 극심한, 가혹한 | _____ mercury poisoning 수능 심한 수은 중독 |

| 28 | **elegant** [éligənt] | 형 품격 있는, 우아한 | make dolls more _____ and beautiful 수능 인형들을 더 우아하고 아름답게 만들다 |
| | **exquisite** [ikskwízit] | 형 매우 아름다운, 정교한 | _____ clocks EBS 정교한 시계 |

| 29 | **extract** [ikstrǽkt] | 동 뽑다[얻다], 추출하다 | _____ new materials 모의 새로운 자재를 추출하다 |
| | **remove** [rimúːv] | 동 없애다[제거하다] | be _____d from the cues of "real" time 수능 '실제' 시간 신호를 제거하다 |

| 30 | **awful** [ɔ́ːfəl] | 형 끔찍한, 지독한 | an _____ smell 지독한 냄새 |
| | **dreadful** [drédfəl] | 형 끔찍한, 지독한 | exposure to _____ scenes 모의 끔찍한 장면에의 노출 |

품사가 바뀌는 어휘 쌍

| 31 | **commerce** [kámərs] | 명 무역, 상업 | e-_____ websites 모의 전자상거래 웹 사이트 |
| | **commercial** [kəmə́ːrʃəl] | 형 상업의, 상업적인 | very few _____ agriculturalists 수능 아주 소수의 상업적 농업 경영인들 |

| 32 | **controversy** [kántrəvə̀ːrsi] | 명 논란 | arouse _____ 논란을 불러일으키다 |
| | **controversial** [kàntrəvə́ːrʃəl] | 형 논란이 많은 | _____ issues EBS 논란이 되는 사안들 |

| 33 | **confidence** [kánfədəns] | 명 신뢰, 자신(감) | boost your _____ and personality 모의 자신감과 개성을 북돋아 주다 |
| | **confidential** [kànfədénʃəl] | 형 비밀[기밀]의, 신뢰를 받는 | must be kept _____ EBS 비밀로 지켜져야 한다 |

TIP 형용사형 접미사 -tial이 붙는 단어   potential 가능성이 있는, 잠재적인   substantial 상당한   essential 필수적인   presidential 대통령의

 상식다:품   코쿠닝(Cocooning) '누에고치'를 의미하는 '코쿤(cocoon)'에서 만들어진 용어로, 누에가 성충이 되기 전에 안전한 자신의 고치에서 웅크리고 있는 모습을 현대인의 생활 방식에 빗대어 표현한 것이다. 코쿠닝족은 외부의 자극과 스트레스를 피해 외출을 자제하고 자신의 집에서 모든 것을 해결하려는 경향을 보인다. 한편, 도피와 은둔을 선호하는 코쿠닝족과 달리 '신(新)코쿠닝족'은 집에서 자신의 취미생활을 즐기는 사람을 의미한다.

A 예비 영단어 또는 우리말 뜻 쓰기

1. envelope _____

2. infinite _____

3. oppress _____

4. obstruct _____

5. longevity _____

6. spectator _____

7. dispensable _____

8. 시간을 지키는[엄수하는] _____

9. 주목할 만한, 눈에 띄는 _____

10. 감소; 줄어들다, 감소하다 _____

11. 사업가[기업가] _____

12. 상업의, 상업적인 _____

13. 대성당 _____

14. 신뢰, 자신(감) _____

B 내신 필수 밑줄 친 단어와 의미가 같은 표현 고르기

1. When you face a severe source of stress, you may fight back, reacting immediately. 모의

   ① plausible   ② harsh   ③ notable   ④ proficient

2. Occasional gusts of wind broke boughs. 수능

   ① blasts   ② orbits   ③ hails   ④ rainbows

3. I've read elegant books on fishing, mountain climbing, giant sea turtles and many other subjects I didn't think I was interested in. 모의

   ① awful   ② punctual   ③ inaugural   ④ exquisite

4. This information must be kept confidential. EBS

   ① basic   ② commercial   ③ secret   ④ controversial

5. People have pondered some of the deepest philosophical questions for millennia. EBS

   ① propelled   ② considered   ③ obstructed   ④ extracted

▶ 정답 p. 265

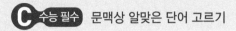

C 수능 필수 문맥상 알맞은 단어 고르기

수능 1. Remember when you were little and you imagined that adults had finite / infinite power?

모의 2. Aesthetic development takes place in secure / insecure settings free of competition and adult judgment.

모의 3. Science is a(n) dispensable / indispensable source of information for the contemporary writer.

수능 4. Some residents feel tourism provides more parks and recreation areas, improves the quality of the roads and public facilities, and does not contribute to ecological decline / incline .

모의 5. Studies show that no one is "born" to be an enterprise / entrepreneur and that everyone has the potential to become one.

모의 6. Reading is a good habit because it helps you to shape your character and boosts your confidence / overconfidence and personality.

수능 7. When his body finally stopped spinning, his arm pointed away from the dancers on stage and directly at Dan Tres, standing among the dictators / spectators .

수능 8. When people are removed / inserted from the cues of "real" time—be it the sun, bodily fatigue, or timepieces themselves—it doesn't take long before their sense of time breaks down.

01 ★★★
parliament
[pɑ́ːrləmənt]
몡 의회, 국회

The issue was debated in _____.
그 쟁점은 의회에서 논의되었다.

02 ★★☆
stray
[strei]
통 제 위치[길]를 벗어나다

In cooking, there is a recipe to follow and the food comes out bad if you _____ from it. EBS
요리에서는 따라야 하는 요리법이 있고 그것으로부터 벗어나면 음식은 잘못 만들어진다.

03 ★★★
passive
[pǽsiv]
혱 수동적인, 소극적인

To make matters worse, the wrongdoer will often use the _____ voice in his or her apology. 모의
설상가상, 그 잘못한 사람은 사과할 때 흔히 수동태를 사용할 것이다.

04 ★★★
furthermore
[fə́ːrðərmɔ̀ːr]
부 게다가, 더욱이

_____, the adult brain retains its capacity to be influenced by "general" experience. 모의
게다가, 성인의 뇌는 '일반적인' 경험에 의해 영향을 받을 수 있는 능력을 보유한다.

05 ★★☆
compost
[kámpoust]
몡 퇴비, 두엄
통 퇴비[두엄]를 만들다

The United States recycled or _____ed about a quarter of its total solid waste. 모의
미국은 전체 고체 폐기물의 약 4분의 1을 재활용하거나 퇴비화했다.

06 ★★☆
plow
[plau]
몡 쟁기
통 갈다, 경작하다

For nearly two centuries, people in the United States have _____ed or paved over the nation's swamps and marshes.
EBS 거의 2세기 동안, 미국인들은 자국의 늪과 습지를 경작하거나 그 위를 덮어왔다.

07 ★★☆
legible
[lédʒəbl]
혱 읽을[알아볼] 수 있는, 또렷한

The letter was still _____.
글자가 아직 알아볼 수 있을 정도였다.

08 ★★☆
idly
[áidli]
부 한가하게, 아무 일도 안 하고

We were not _____ sitting around.
우리는 빈둥거리며 앉아 있지 않았다.

09 ★★☆
dimension
[diménʃən]
몡 크기, 치수, 차원

Interpersonal messages combine content and relationship _____s. 모의
대인 관계에서의 메시지에는 내용 차원과 관계 차원이 결합되어 있다.

공부한 날 1회 | 월   일 | 2회 | 월   일 | 3회 | 월   일

---

10 ★★☆

patent
[pǽtnt]

명 특허권[증]

The first English _____ for a typewriter was issued in 1714.

모의 타자기에 대한 최초의 영국 특허권이 1714년에 발급되었다.

---

11 ★★★

compound
[kάmpaund]

명 화합물, 혼합물
동 악화시키다 [kəmpáund]

Unfortunately, this lack of exercise can actually _____ many negative emotions. 모의

불행히도, 이러한 운동의 부족이 실제로 많은 부정적인 감정을 악화시킬 수 있다.

---

12 ★★☆

breathtaking
[bréθtèikiŋ]

형 숨이 (턱) 막히는[멎는 듯한], 깜짝 놀랄 만한

Come and join us on a wonderful ride with _____ views!

모의 깜짝 놀랄 만한 풍경과 함께하는 멋진 여행에 참여하세요!

---

13 ★★☆

bribe
[braib]

명 뇌물
동 뇌물을 주다

Alexander received a letter accusing the physician of having been _____d to poison his master. 모의

알렉산더는 그 의사가 그의 주군을 독살하도록 뇌물을 받았다고 고발하는 편지를 받았다.

---

14 ★★☆

dilemma
[dilémə]

명 딜레마

AIs could lead us in resolving moral _____s. 수능

AI가 도덕적 딜레마의 해결로 우리를 인도할 수 있다.

---

15 ★★★

approximately
[əprάksəmətli]

부 거의, 대략

Roman potters alone used _____ 6,000 trademarks. 모의

로마의 도공만 하더라도 거의 6,000개의 상표를 사용했다.

---

16 ★★☆

dim
[dim]

형 어둑한[흐릿한]

Under the _____ lighting of the night sky, a larger mirror allows you to gather more of the light. 모의

밤하늘의 흐릿한 빛 아래에서 더 큰 거울은 당신이 더 많은 빛을 모으게 해 준다.

---

17 ★★☆

brisk
[brisk]

형 활발한, 상쾌한

There's nothing like a _____ walk on a cold day.

추운 날에는 힘차게 걷는 것만큼 좋은 게 없다.

---

18 ★★☆

graceful
[gréisfəl]

형 우아한

When done well, when done by an expert, both reading and skiing are _____, harmonious activities. 모의

잘 되었을 때, 즉, 전문가에 의해서 행해졌을 때에는 읽는 것과 스키 타는 것은 모두 우아하고 조화로운 활동들이다.

STEP 2
Word Pairs

관련어 '쌍'으로 암기

의미가 대치되는 어휘 쌍

19

goodwill
[ɡúdwíl]
명 호의, 친절

show your _____ and support 모의
여러분의 호의와 후원을 보여 주다

grudge
[ɡrʌdʒ]
명 원한, 유감

bear a _____
원한을 품다

20

maternal
[mətə́ːrnl]
형 어머니의, 모성의

changes in _____ rules EBS
어머니의 원칙의 변화

paternal
[pətə́ːrnl]
형 아버지의, 부계의

my _____ grandmother EBS
우리 친할머니

의미가 반대되는 어휘 쌍

21

sufficient
[səfíʃənt]
형 충분한

the _____ number of competitors 수능
충분한 수의 경쟁자들

insufficient
[ìnsəfíʃənt]
형 불충분한, 부족한

an _____ supply 모의
부족한 공급

22

valid
[vǽlid]
형 유효한, 정당한

be _____ for 24 hours 모의
24시간 동안 유효하다

invalid
[ínvəlid]
형 효력 없는, 무효한

an _____ election
무효 선거

23

credible
[krédəbl]
형 믿을[신뢰할] 수 있는

be more _____ 모의
더 신빙성이 있다

incredible
[inkrédəbl]
형 믿을 수 없는, 믿기 힘든

the _____ power of giving 모의
믿을 수 없는 나눔의 힘

24

approval
[əprúːvəl]
명 인정, 승인

the _____ of his contemporaries 수능
그의 동시대인으로부터의 인정

disapproval
[dìsəprúːvəl]
명 반감, 못마땅함

_____ of his methods
그의 방법에 대한 반감

TIP 접두사 dis-('반대·부정'의 의미)가 붙는 단어 disadvantage 불리함 disappearance 사라짐, 소실 disagreement 의견 충돌[차이]

의미가 비슷한 어휘 쌍

25

awkward
[ɔ́ːkwərd]
형 어색한, 곤란한

appear _____ and out of place 모의
어색하고 상황에 맞지 않아 보이다

embarrassing
[imbǽrəsiŋ]
형 난처한, 당혹스러운

one of the most _____ experiences 모의
가장 당혹스러운 경험들 중의 하나

26

assume
[əsúːm]
동 추정[상정]하다

_____ that they can smell anything 수능
그들이 뭐든지 냄새를 맡을 수 있다고 추정하다

presume
[prizúːm]
동 추정[가정]하다, 간주하다

_____ him to be her husband
그가 그녀의 남편일 거라고 추정하다

| 27 | **depict**
[dipíkt] | 동 묘사하다, 그리다 | make clear the object _____ed 모의
묘사되는 사물을 명확하게 만들다 |
| | **illustrate**
[íləstrèit] | 동 삽화를 쓰다[넣다],
분명히 보여 주다 | can be _____d with the example of parents 모의
부모들의 예에서도 분명히 볼 수 있다 |

| 28 | **glance**
[glæns] | 명 흘긋 봄
동 흘긋 보다 | _____ at Mother 모의
엄마를 흘긋 쳐다보다 |
| | **glimpse**
[glimps] | 명 잠깐 봄
동 잠깐 보다 | _____ a curled creature 모의
웅크린 동물을 언뜻 보다 |

| 29 | **bud**
[bʌd] | 명 싹, 꽃봉오리, 눈
동 싹이 트다 | _____ in the springtime
봄에 싹이 트다 |
| | **sprout**
[spraut] | 명 새싹, 새순
동 싹이 나다, 발아하다 | _____ more quickly 수능
더 빠르게 발아하다 |

TIP '**식물**'과 관련된 단어 seed 씨앗 flower / blossom 꽃 petal 꽃잎 root 뿌리 branch 나뭇가지 trunk / stem (식물의) 줄기

| 30 | **deplete**
[diplíːt] | 동 대폭 감소시키다[격감시키다] | when their energy and fluids become _____d 수능
그들의 에너지와 체액이 고갈되면 |
| | **impoverish**
[impávəriʃ] | 동 빈곤[가난]하게 하다, (질을)
떨어뜨리다[저하시키다] | _____ to a most dreadful degree EBS
아주 끔찍할 정도로 가난하게 만들다 |

품사가 바뀌는 어휘 쌍

| 31 | **figure**
[fígjər] | 명 수치, 형태, 인물 | one of the famous _____s in the community 모의
지역 사회의 저명인사 중 한 분 |
| | **figurative**
[fígjurətiv] | 형 비유적인 | the _____ phrase EBS
비유적인 어구 |

| 32 | **initiate**
[iníʃièit] | 동 개시되게 하다, 착수시키다 | be _____d by the sole use of play items 수능
놀잇감을 한 가지 방식으로 사용함으로써 시작되다 |
| | **initiative**
[iníʃiətiv] | 명 시작, 계획 | importance of taking the _____ 모의
선수를 치는 것의 중요성 |

| 33 | **offend**
[əfénd] | 동 기분 상하게[불쾌하게] 하다 | _____ the hearer 수능
듣는 사람의 기분을 상하게 하다 |
| | **offensive**
[əfénsiv] | 형 모욕적인, 불쾌한, 공격의 | an _____ position 모의
공격의 위치 |

 상식 다:품 **스몸비(Smombie)** '스몸비'는 '스마트폰(smartphone)'과 '좀비(zombie)'의 합성어로 스마트폰에 시선을 고정하며 걷는 모습이 좀비와 닮았다고 해서 만들어진 신조어이다. 스마트폰을 보느라 무의식적으로 횡단보도를 건너다 발생하는 교통사고가 점점 늘어나자, 사고를 막기 위해 신호등을 길바닥에 설치하는 지역이 생길 정도다.

A 예비 영단어 또는 우리말 뜻 쓰기

1. parliament   _____
2. sufficient   _____
3. passive   _____
4. approval   _____
5. approximately   _____
6. graceful   _____
7. initiate   _____

8. 게다가, 더욱이   _____
9. 유효한, 정당한   _____
10. 쟁기; 갈다, 경작하다   _____
11. 크기, 치수, 차원   _____
12. 제 위치[길]를 벗어나다   _____
13. 뇌물; 뇌물을 주다   _____
14. 기분 상하게[불쾌하게] 하다   _____

B 내신 필수 밑줄 친 단어와 의미가 같은 표현 고르기

1. Learning to ski is one of the most <u>embarrassing</u> experiences an adult can undergo. 모의
   ① brisk   ② exciting   ③ awkward   ④ passive

2. Because they are so good at using their noses, we <u>assume</u> that they can smell anything, anytime. 수능
   ① ponder   ② initiate   ③ compound   ④ presume

3. Viola <u>glanced</u> at Mother and then said, "No, no, Mr. Tate, I couldn't—." 모의
   ① bribed   ② glimpsed   ③ depleted   ④ illustrated

4. Native Americans roasted and ate their flower <u>buds</u>. 모의
   ① sprouts   ② seeds   ③ trunks   ④ composts

5. When done well, when done by an expert, both reading and skiing are <u>graceful</u>, harmonious activities. 모의
   ① dim   ② figurative   ③ elegant   ④ legible

C 수능필수 문맥상 알맞은 단어 고르기

모의 1. They often have plenty of tortillas and beans, so they have sufficient / insufficient protein, and they eat until full.

모의 2. Ticket is valid / invalid for 24 hours from the first time of use.

모의 3. The babies' family and the doctors witnessed the intangible force of love and the credible / incredible power of giving.

모의 4. To create grudge / goodwill , the food must appear to be unexpected.

모의 5. Under the dim / bright lighting of the night sky, a larger mirror allows you to gather more of the light from whatever you want to look at.

EBS 6. For nearly two centuries, people in the United States have flowed / plowed or paved over the nation's swamps and marshes.

모의 7. The first English patent / patient for a typewriter was issued in 1714, but another 150 years passed before typewriters were commercially available.

01 ★★★

applause
[əplɔ́ːz]

명 박수(갈채)

The newspaper men present were literally swept off their feet by the tremendous _____ given the American hero. 모의

참석한 신문 기자들은 문자 그대로 그 미국 영웅에게 보내는 엄청난 박수갈채에 열광했다.

02 ★★☆

outlaw
[áutlɔ̀]

동 불법화하다, 금하다

The Swedish government has _____ed television advertising of products aimed at children under 12. 모의

스웨덴 정부는 12세 미만의 아이들을 목표로 한 제품들의 텔레비전 광고를 금지했다.

03 ★★☆

minimize
[mínəmàiz]

동 최소화하다, 축소하다

Strictly controlled emission standards are needed to _____ this problem. 수능

이 문제를 최소화하기 위해서 엄격하게 통제된 배출 기준이 요구된다.

04 ★★★

appreciate
[əprí:ʃièit]

동 진가를 알아보다[인정하다], 고마워하다

We would very much _____ your consideration for us in this difficult time. 모의

이 어려운 시기에 저희를 위해 배려해 주신다면 대단히 감사하겠습니다.

05 ★★☆

discern
[disə́ːrn]

동 알아차리다, 식별[분별]하다

As words have power and energy, we need to be _____ing about how we use them. EBS

말에는 힘과 에너지가 있기 때문에, 우리는 그것들을 사용하는 방식을 인지하고 있을 필요가 있다.

06 ★★☆

paradox
[pǽrədàks]

명 역설

The result is an explosion of information, and that has produced a "_____ of plenty." 모의

그 결과로 정보가 폭발적으로 증가하게 되었고, 그로 인해 '풍요의 역설'이 생겨났다.

07 ★★☆

architecture
[á:rkitèktʃər]

명 건축학[술], 건축물

Tradition is a critical element that cannot be ignored in the creation of _____. 모의

전통은 건축물을 만들 때 무시될 수 없는 중대한 요소이다.

08 ★★☆

seal
[si:l]

명 직인
동 봉(인)하다, 밀봉[밀폐]하다

Write your letter and _____ it in a blank envelope.

편지를 써서 빈 봉투에 넣어 봉하세요.

09 ★★☆

predecessor
[prédəsèsər]

명 전임자, 이전 것

They are the _____s of modern trademarks. 모의

그것이 현대의 상표의 이전 형태이다.

10 ★★★
seldom
[séldəm]
(부) 좀처럼[거의] ~않는

The cultural ideas spread by the empire were _____ the exclusive creation of the ruling elite. [모의]
제국에 의해 확산된 문화적 사상들은 거의 지배층의 독점적 창조물이 아니었다.

11 ★★☆
quantify
[kwántəfài]
(동) 양을 나타내다, 수량화하다

In the realm of psychological experience, _____ing units of time is a considerably clumsier operation. [수능]
심리적 경험의 영역에서 시간의 단위를 수량화하는 것은 상당히 서투른 작업이다.

12 ★★★
negotiate
[nigóuʃièit]
(동) 협상[교섭]하다

It was the local practice for lawyers to _____ only with other lawyers, not with the businesspeople. [모의]
변호사는 사업가들과 협상하는 것이 아니라 다른 변호사들과 협상하는 것이 현지의 관행이었다.

13 ★★☆
equator
[ikwéitər]
(명) 적도

Here, indeed, south of the _____, the waxing moon appears to be on the left. [모의]
실제로, 적도의 남쪽인 이곳에서 상현달은 왼쪽에 있는 것처럼 보인다.

14 ★★★
quote
[kwout]
(명) 인용문[구]
(동) 인용하다

The idea comes from a Mark Twain _____. [모의]
그 생각은 Mark Twain의 말을 인용한 것이다.

15 ★★☆
emblem
[émbləm]
(명) 상징

The dove is an _____ of peace.
비둘기는 평화의 상징이다.

16 ★★☆
connotation
[kànətéiʃən]
(명) 함축

The word "professional" has _____s of skill and excellence.
'professional'이란 단어 속에는 기교와 탁월함이 함축되어 있다.

17 ★★☆
equity
[ékwəti]
(명) 공평, 공정

The spirit of the law is based in _____.
법의 정신은 공평함에 기초한다.

18 ★★★
convenience
[kənví:njəns]
(명) 편의, 편리

This dynamic can be illustrated with the example of parents who place equal value on _____ and concern for the environment. [모의] 이러한 역학은 편의성과 환경에 대한 우려에 똑같은 가치를 두는 부모들의 예에서도 분명히 볼 수 있다.

201

STEP 2
Word Pairs
관련어 '쌍'으로 암기

철자가 비슷한 어휘 쌍

19 construct [kənstrákt] 동 건설하다   _____ homes 모의
집을 짓다

constrict [kənstríkt] 동 수축되다[하다]   a drug that _____s the blood vessels
혈관을 수축시키는 약물

20 command [kəmǽnd] 명 명령 / 동 명령하다   _____ the trainee 모의
수습 직원에게 명령하다

commend [kəménd] 동 칭찬하다, 추천하다   be _____ed by the judges
심사위원들로부터 칭찬을 받다

21 leap [li:p] 동 뛰다, 뛰어오르다   _____ into the room 모의
방으로 뛰어 들어오다

reap [ri:p] 동 거두다, 수확하다   _____ the benefits EBS
이윤을 거두다

접사가 힌트를 주는 어휘 쌍

22 protagonist [proutǽgənist] 명 주인공   create a _____ 수능
주인공을 만들어내다

antagonist [æntǽgənist] 명 적대자   the _____ of our teammate
우리 편의 적수

의미가 대치되는 어휘 쌍

23 novice [návis] 명 초보자   a _____ driver
초보 운전자

veteran [vétərən] 명 베테랑[전문가]   the _____ British actor
영국의 베테랑 배우

TIP '전문가'를 나타내는 단어 expert 전문가 specialist 전문가 professional 전문가 master 달인 authority 권위자

의미가 비슷한 어휘 쌍

24 bandage [bǽndidʒ] 명 붕대 / 동 붕대를 감다   unwrap a _____
붕대를 풀다

compress [kámpres] 명 압박 붕대 / [kəmprés] 동 압축하다   apply a _____
압박 붕대를 대다

25 banish [bǽniʃ] 동 추방하다, 제거하다   be _____ed to Hawaii
하와이로 추방되다

expel [ikspél] 동 쫓아내다[추방하다]   _____ the myth 수능
미신을 몰아내다

26 attain [ətéin] 동 이루다[획득하다]   _____ higher levels of happiness 수능
더 높은 수준의 행복을 얻다

obtain [əbtéin] 동 얻다[구하다]   _____ more natural-looking portraits 모의
좀 더 자연스럽게 보이는 인물 사진을 얻다

| 27 | **bet**
[bet] | 동 돈을 걸다 | _____ big on alternative fuels 모의
대체 연료에 큰 돈을 걸다 |
| | **gamble**
[gǽmbl] | 동 돈을 걸다, 도박을 하다 | _____ at cards
카드 도박을 하다 |

| 28 | **recede**
[risíːd] | 동 물러나다[멀어지다] | _____ so far EBS
너무 멀리 물러나다 |
| | **retreat**
[ritríːt] | 동 멀어져 가다, 물러가다 | a chance to _____ 모의
물러날 기회 |

| 29 | **grab**
[græb] | 동 붙잡다[움켜잡다] | _____ a chocolate bar 수능
초코바 하나를 움켜쥐다 |
| | **grasp**
[græsp] | 동 꽉 잡다, 움켜잡다 | _____ Lina's finger 모의
Lina의 손가락을 움켜쥐다 |

TIP '잡다'와 관련된 단어   hold 잡고 있다   grip 잡다[움켜잡다]   cling 꼭 붙잡다[매달리다]   clutch (특히 두 손으로 와락) 움켜잡다

| 30 | **portion**
[póːrʃən] | 명 부분[일부] | a small _____ of the involved connections 모의
관련된 연결의 작은 일부분 |
| | **segment**
[ségmənt] | 명 부분 | three line _____s 수능
세 개의 선분 |

| 31 | **grant**
[grænt] | 동 승인[허락]하다, 수여하다 | be _____ed backstage access 수능
무대 뒤에서 접근할 수 있도록 허락을 받다 |
| | **permit**
[pərmít] | 동 허용[허락]하다 | _____ us to accept the criticism 모의
우리가 비판을 받아들이도록 허용하다 |

품사가 바뀌는 어휘 쌍

| 32 | **correspond**
[kɔ̀ːrəspánd] | 동 일치하다, 부합하다 | _____ to people's self-reports 모의
사람들의 자기 보고들과 일치하다 |
| | **correspondent**
[kɔ̀ːrəspándənt] | 명 기자[통신원], 특파원 | the NBC's political _____
NBC 정치부 기자 |

| 33 | **recur**
[rikə́ːr] | 동 되풀이되다, 다시 일어나다 | _____ throughout a piece 수능
곡 전체에 걸쳐서 되풀이되다 |
| | **recurrent**
[rikə́ːrənt] | 형 되풀이되는, 반복되는 | a _____ theme
되풀이되는 주제 |

 상식 다:품   케미컬포비아(Chemical phobia) '화학물질'이라는 단어 'chemical'에 '공포'라는 단어 'phobia'를 합친 말로 '화학물질 공포증'으로 해석할 수 있다. 가습기 살균 사태로 시작해 이어지는 유해 성분 논란들을 겪으면서 화학성분을 꼼꼼히 살펴보고 될 수 있으면 사용을 피하거나 줄이는 사람들이 늘며 등장한 신조어이다. 관련어로 유해 성분을 피해 친환경 및 천연소재를 활용한 제품을 찾는 사람들을 일컫는 '노케미(No-chemi)족'이 있다.

Review

A 예비 영단어 또는 우리말 뜻 쓰기

1. applause _____
2. construct _____
3. paradox _____
4. command _____
5. leap _____
6. negotiate _____
7. permit _____

8. 최소화하다, 축소하다 _____
9. 되풀이되다, 다시 일어나다 _____
10. 건축학[술], 건축물 _____
11. 적도 _____
12. 일치하다, 부합하다 _____
13. 편의, 편리 _____
14. 거두다, 수확하다 _____

B 내신 필수 밑줄 친 단어와 의미가 같은 표현 고르기

1. Material prosperity can help individuals, as well as society, <u>attain</u> higher levels of happiness. 수능

   ① obtain   ② give   ③ divide   ④ negotiate

2. With his eyes wide open and his mouth watering, Breaden stretched out his arm and was about to <u>grab</u> a chocolate bar when he felt a tight grip on his hand. 수능

   ① put   ② seal   ③ discern   ④ grasp

3. Whenever the scientists cut out a piece, they damaged only a small <u>portion</u> of the involved connections. 모의

   ① equity   ② segment   ③ quote   ④ connotation

4. The cultural ideas spread by the empire were <u>seldom</u> the exclusive creation of the ruling elite. 모의

   ① always   ② often   ③ rarely   ④ sometimes

5. The typical plot of the novel is the <u>protagonist</u>'s quest for authority within, when that authority can no longer be discovered outside. 모의

   ① hero   ② novice   ③ correspondent   ④ predecessor

▶ 정답 p. 266

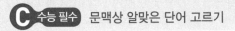

C 수능 필수 문맥상 알맞은 단어 고르기

모의   1. Elvis had read about the tiny-house movement, in which people constrict / construct homes measuring 500 square feet or fewer, and believed he had the know-how to build a similar structure for Smokie.

모의   2. Even the use of the simple order shows there is a status difference that allows the supervisor to command / commend the trainee.

모의   3. If individuals lean slightly toward taking a risk, the group reaps / leaps toward it.

모의   4. Although errors and biases will always occur in science, the peer review system and the open discussion of ideas and results can minimize / maximize their effects and lead the scientific community toward the truth.

모의   5. Their pottery, sculptures, and other manufactured goods had symbols on them to note the tradesmen who created them, which are the successors / predecessors of modern trademarks.

모의   6. In cultures with low acceptance of power distance (e.g., Finland, Norway, New Zealand, and Israel), people believe inequality should be minimal, and a hierarchical division is viewed as one of convenience / inconvenience only.

모의   7. Other behavioral options include making loud noises, retreating / retrieving into a shell, rolling into a tight ball, choosing to live in a predator-free area such as underground, or relying on safety in numbers by living in a group.

---

01 ★★☆
spectrum
[spéktrəm]
몡 스펙트럼, 범위

It was only when Newton placed a second prism in the path of the _____ that he found something new. 모의
Newton이 새로운 것을 발견한 것은 스펙트럼의 경로에 두 번째 프리즘을 놓았을 때였다.

---

02 ★★★
questionnaire
[kwèstʃənέər]
몡 설문지

Then they completed a "green attitude" _____. 모의
그런 후 그들은 '친환경 태도' 설문지 작성을 완료했다.

---

03 ★★☆
crater
[kréitər]
몡 분화구

Ash began to erupt from the _____.
분화구에서 화산재가 분출되기 시작했다.

---

04 ★★★
numerous
[njú:mərəs]
형 많은

Psychologists now have _____ findings on "motivated reasoning." 모의
심리학자들은 현재 '동기화된 추론'에 관한 수많은 연구 결과를 가지고 있다.

---

05 ★★☆
embody
[imbádi]
동 상징[구현]하다, 포함하다

These products _____ many new features.
이 제품들에는 새로운 특징들이 많이 들어 있다.

---

06 ★★★
committee
[kəmíti]
몡 위원회

Expert _____s in Europe and the United States set different guidelines about when to treat high blood pressure. 모의
유럽과 미국의 전문가 위원회는 고혈압을 언제 치료할지에 대해 서로 다른 지침을 마련했다.

---

07 ★☆☆
ransom
[rǽnsəm]
몡 몸값
동 몸값을 지불하다

They are refusing to pay _____ for her release.
그들은 그녀의 석방에 대해 몸값을 지불하는 것을 거부하고 있다.

---

08 ★★☆
gasp
[gæsp]
동 숨이 막히다, 헐떡거리다

He _____ed as he saw the empty bed. EBS
비어 있는 침대를 보았을 때 그는 숨이 막혔다.

---

09 ★★☆
pluck
[plʌk]
동 잡아뜯다, 뽑다

Mother _____ed out a grey hair.
어머니는 흰 머리카락 한 올을 뽑으셨다.

---

10 ★★★		
discourse [dískɔːrs]	명 담론, 담화	There were _____s referring to the media production of reality TV. EBS 리얼리티 TV의 매체 제작과 관련된 담론들이 있었다.

11 ★★☆		
mutant [mjúːtnt]	형 돌연변이의 명 돌연변이체	New species are merely _____s of earlier ones. 새로운 종은 이전 종의 돌연변이에 불과하다.

12 ★★☆		
horizon [həráizn]	명 수평선, 지평선	The sun disappeared below the opposite _____. EBS 태양이 반대편 지평선 아래로 사라졌다.

13 ★★☆		
cynical [sínikəl]	형 냉소적인	Paul has a _____ smile on his face. Paul은 얼굴에 냉소적인 미소를 띠고 있다.

14 ★☆☆		
ointment [ɔ́intmənt]	명 연고	Kevin is applying _____ to a wound. Kevin은 상처에 연고를 바르고 있다.

15 ★★☆		
notorious [noutɔ́ːriəs]	형 악명 높은	The Rust Belt is _____ for its poor air quality. 모의 러스트 벨트는 그곳의 질 나쁜 공기로 악명이 높다.

16 ★★★		
discipline [dísəplin]	명 훈련, 훈육 동 훈육하다	Every political leader who had an impact on history practiced the _____ of being alone to think and plan. 모의 역사에 영향을 끼친 모든 정치적 지도자는 생각하고 계획할 수 있는 혼자 있는 훈련을 실천했다.

17 ★★☆		
handcuff [hǽndkəf]	명 [pl.] 수갑 동 수갑을 채우다	He was led away to jail in _____s. 그는 수갑을 차고 감옥으로 끌려갔다.

18 ★★☆		
meadow [médou]	명 목초지, 초원	Nature is where fallen logs rot and acorns grow, and wildfires turn woodlands into _____s. 모의 자연은 쓰러진 통나무가 썩고 도토리가 자라며, 산불이 삼림 지대를 초원으로 바꾸는 곳이다.

STEP 2
Word Pairs

관련어 '쌍'으로 암기

철자가 비슷한 어휘 쌍

19 **schema**
[skí:mə]
명 개요[윤곽], 도식

role _____
역할 도식

scheme
[ski:m]
명 계획, 제도, 체계

in the _____ of nature 수능
자연의 체계 안에서

20 **thread**
[θred]
명 실, 섬유
동 실을 꿰다

form a _____ 모의
섬유 하나를 형성하다

threat
[θret]
명 위협, 위험

protect witnesses from _____ s 모의
위협으로부터 증인들을 보호하다

21 **corps** 단수형 [kɔːr]
복수형 [kɔːrz]
명 (군)단, 부대

the press _____
기자단

corpse
[kɔːrps]
명 시체

the ancient Egyptians' embalmed _____ s EBS
고대 이집트인들의 방부 처리된 시체

접사가 힌트를 주는 어휘 쌍

22 **enable**
[inéibl]
동 ~을 할 수 있게 하다

_____ people to work smarter 모의
사람들이 더 스마트하게 일할 수 있게 해 주다

disable
[diséibl]
동 장애를 입히다, 불구로 만들다

be _____ d in a car accident
교통사고로 장애인이 되다

23 **displace**
[displéis]
동 옮겨 놓다, 쫓아내다, 대신하다

when _____ d by an external force 모의
외부의 힘에 의해 옮겨질 때

misplace
[mispléis]
동 잘못 두다

_____ the ticket
티켓을 잘못 두다

의미가 대치되는 어휘 쌍

24 **gorgeous**
[gɔ́ːrdʒəs]
형 아주 멋진[아름다운]

a _____ view
아주 아름다운 풍경

shabby
[ʃǽbi]
형 다 낡은[해진], 허름한

the _____ house EBS
그 허름한 집

25 **hospitality**
[hàspətǽləti]
명 환대, 후대

his host's _____ 모의
그의 주인의 환대

hostility
[hɑstíləti]
명 적의, 적대감

show _____
적의를 보이다

의미가 비슷한 어휘 쌍

26 **nurture**
[nə́ːrtʃər]
동 양육하다[보살피다]

be _____ d by the Earth 수능
지구에 의해 양육되다

rear
[riər]
동 기르다, 양육[부양]하다

space for _____ ing bigger livestock EBS
몸집이 더 큰 가축을 기르기 위한 공간

TIP rear의 다른 의미 명 뒤쪽 the rear of the building 건물의 뒤쪽 형 뒤쪽의 front and rear windows 앞쪽과 뒤쪽의 창문들

27	**advance** [ædvǽns]	몡 전진, 진전 동 나아가게 하다	an extraordinary _____ in medicine 모의 의학에서의 엄청난 발전
	progress [prɑ́gres] [prəgrés]	몡 진전 동 진전을 보이다, 나아가다	maintain human _____ 수능 인간의 진보를 유지하다

28	**division** [divíʒən]	몡 분할, 분배, 구분, 부문	a hierarchical _____ 모의 계층적 구분
	sector [séktər]	몡 부문, 분야	as a _____ of the economy 수능 경제의 한 부문으로서

29	**interpret** [intə́ːrprit]	동 설명[해석]하다	_____ objectively 모의 객관적으로 해석하다
	translate [trænsléit]	동 번역하다, 옮기다	be directly _____d into English 모의 영어로 바로 번역되다

30	**advocate** [ǽdvəkèit]	동 지지하다[옹호하다]	_____ their own culture 수능 그들 자신의 문화를 옹호하다
	recommend [rèkəménd]	동 추천하다, 권하다	_____ a good book 모의 좋은 책을 추천하다

31	**deliver** [dilívər]	동 배달하다, 전하다	_____ information 수능 정보를 전달하다
	transport [trænspɔ́ːrt]	동 수송하다	_____ middle-class Americans 모의 중산층 미국인들을 실어 나르다

TIP 접두사 trans-('다른 장소·상태로 변화·이전함'의 의미)가 붙는 단어 transform 변형시키다 transmit 전송하다 transfer 옮기다, 이동하다

품사가 바뀌는 어휘 쌍

32	**inquiry** [inkwáiəri]	몡 연구, 조사	meet the requirements of your _____ 수능 여러분이 탐구하는 것의 필요를 충족시키다
	inquisitive [inkwízətiv]	형 탐구의	the _____ mind 모의 탐구심

33	**fraud** [frɔːd]	몡 사기(죄), 사기꾼	cyber-related _____ 모의 사이버 관련 사기
	fraudulent [frɔ́ːʤulənt]	형 사기를 치는	_____ advertising 사기성 광고

 상식다:품 **왝더독(Wag the dog)** '왝더독'은 '꼬리가 몸통을 흔든다'라는 의미로 마케팅계에서 제품보다 '덤'이 구매 이유의 큰 비중을 차지하는 현상을 뜻하며 '덤 마케팅'이 생겨난 이유이기도 하다. 장난감을 함께 주는 패스트푸드점의 어린이 세트나, 스티커가 들어 있는 빵, 부록이 많이 딸린 잡지 등이 바로 '왝더독' 현상을 기반으로 한 '덤 마케팅'의 예시라고 할 수 있다.

Review

A 예비 영단어 또는 우리말 뜻 쓰기

1. questionnaire _____

2. embody _____

3. hospitality _____

4. gasp _____

5. interpret _____

6. notorious _____

7. transport _____

8. 분화구 _____

9. 담론, 담화 _____

10. 수평선, 지평선 _____

11. 사기를 치는 _____

12. 냉소적인 _____

13. 연구, 조사 _____

14. 잘못 두다 _____

B 내신 필수 밑줄 친 단어와 의미가 같은 표현 고르기

1. However, during the same period, there has been no comparable worldwide <u>advance</u> in ethical behavior. 모의

   ① advantage   ② progress   ③ access   ④ spectrum

2. Tourism and tourists can generate job and business opportunities in both the formal and informal <u>sector</u>. 모의

   ① sort   ② corps   ③ rule   ④ division

3. Psychologists now have <u>numerous</u> findings on "motivated reasoning," showing the many tricks people use to reach the conclusions they want to reach. 모의

   ① many   ② few   ③ little   ④ much

4. They will <u>transport</u> middle-class Americans to ten European capitals in fourteen days. 모의

   ① embody   ② discipline   ③ carry   ④ nurture

5. Nature is where fallen logs rot and acorns grow, and wildfires turn woodlands into <u>meadows</u>. 모의

   ① deserts   ② grasslands   ③ mountains   ④ craters

C 수능 필수 문맥상 알맞은 단어 고르기

수능 1. The seemingly impractical knowledge we gain from space probes to other worlds tells us about our planet and our own role in the schema / scheme of nature.

모의 2. When you are anxious, the perceived threat / thread potential of stimuli related to your anxiety can rise.

모의 3. Transportation enables / disables us to carry out all these activities.

모의 4. These included not abusing his host's hostility / hospitality by staying too long, usually not more than three days.

EBS 5. Some of the ancient Egyptians' embalmed corps / corpses have rotted.

모의 6. A secure grip is one in which the object won't slip or move, especially when displaced / misplaced by an external force.

EBS 7. The shabby / gorgeous house had no running water and no electricity.

모의 8. She wanted to deliver / receive the message to budding young scientists that searching for the new possibilities with the inquisitive mind would be essential to be successful.

DAY 35 — STEP 1
Single Words
기출 예문으로 핵심 어휘 학습

01 overlap [óuvəlæp]
동 겹치다, 겹쳐지다
A living rock cactus has triangular tubercles that _____ in a star-shaped pattern. 모의
살아 있는 돌선인장은 별 모양 형태로 겹치는 삼각형의 작은 돌기들을 가지고 있다.

02 reed [ri:d]
명 갈대
The local human population was cutting down the _____ beds at a furious rate. 수능
현지의 인간들이 맹렬한 속도로 갈대밭을 베어 넘어뜨렸다.

03 session [séʃən]
명 시간[기간], 수업
The _____s will be directed and taught by the Busselton University Physics and Astronomy faculty. 모의
모든 수업은 Busselton 대학의 물리학과 천문학 교수진에 의해서 지도되고 가르쳐질 것이다.

04 heir [ɛər]
명 상속인
The estate passed to his _____.
재산은 그의 상속인에게로 넘어갔다.

05 neutral [njú:trəl]
형 중립적인, 중립의
Students who are made to feel happy perform much better than their _____ peers. 모의
기분이 좋아진 학생들은 그들의 중립적인 (기분의) 또래들보다 훨씬 더 잘한다.

06 quest [kwest]
명 탐구, 탐색, 추구
동 탐구[탐색]하다
The greatest scientists are driven by an inner _____ to understand the nature of the universe. 모의
위대한 과학자들은 우주의 본질을 이해하려는 내적인 추구에 의해 동기를 부여받는다.

07 siege [si:dʒ]
명 포위
The police placed the city center under a state of _____.
경찰이 도시 중심지를 포위 상태로 만들었다.

08 remind [rimáind]
동 상기시키다, 생각나게 하다
I told myself, when you see that n in longitude it will _____ you of the word north. 모의 longitude(경도)에서 'n'을 보면, 그것은 'north(북쪽)'라는 어휘를 떠올리게 할 것이라고 나는 중얼거렸다.

09 dismay [disméi]
명 실망, 경악
동 경악하게 만들다, 크게 실망시키다
Churchill was _____ed at the comparative failure of the United Kingdom. EBS 처칠은 영국의 상대적인 실패에 실망했다.

212

10 ★★☆
steer
[stiər]
동 조종하다[몰다]

The rider sits on a saddle and _____s by turning handle-bars that are attached to the fork. 모의

타는 사람은 안장에 앉아 포크에 부착된 핸들을 돌리면서 조종을 한다.

11 ★★☆
dramatize
[drǽmətàiz]
동 각색하다

The novel will be _____d admirably.

그 소설은 훌륭하게 각색될 것이다.

12 ★★★
errand
[érənd]
명 심부름

Every day, opportunities exist in the form of _____s, meal preparation, and chores. 수능

심부름, 식사 준비, 그리고 소소한 잡일의 형태로 기회들이 매일 존재한다.

13 ★★☆
stool
[stuːl]
명 (등받이와 팔걸이가 없는) 의자, 스툴

After dropping the notebook, she lifted herself up onto the _____ beside Amy. 모의

공책을 놓은 후, 그녀는 Amy 옆 의자에 올라앉았다.

14 ★★★
tendency
[téndənsi]
명 성향, 기질, 추세

The natural _____ is for plant species to move into that area, bringing the ecosystem back towards the biome state. 모의

자연의 추세는 식물 종들이 그 지역 속으로 이동하여 생물군계의 상태로 생태계를 되돌리는 것이다.

15 ★★☆
storage
[stɔ́ːridʒ]
명 저장, 보관

Some moisture is needed in the air to prevent dehydration during _____. 모의

저장하는 동안 탈수를 막기 위해 공기 중에 약간의 습기가 필요하다.

16 ★★☆
humiliation
[hjuːmìliéiʃən]
명 굴욕, 굴복

That scene in which your octogenarian feels humiliated will draw on your experience of _____ in the eighth grade. 수능

여러분이 만들어낸 장면에서 80대의 사람이 느끼는 굴욕감은 여러분이 중학교 2학년 때 느꼈던 굴욕의 경험에서 이끌어낸 것일 것이다.

17 ★★★
sum
[sʌm]
명 합, 총계, 액수

In 2011, the _____ of the proven oil reserves of the United States, Mexico, and Brazil was greater than those of Venezuela.
모의 2011년에 미국, 멕시코, 그리고 브라질의 확인된 석유 매장량의 총량은 베네수엘라의 그것보다 더 컸다.

18 ★☆☆
hydrant
[háidrənt]
명 소화전

He can't park in front of the fire _____.

그는 소화전 앞에 주차할 수 없다.

STEP 2
Word Pairs

관련어 '쌍'으로 암기

철자가 비슷한 어휘 쌍

19	**insist** [insíst]	동 주장하다[우기다]	_____ on participating 모의 참석하겠다고 우기다
	persist [pərsíst]	동 계속해[되]다	_____ in the form of customs 모의 관습의 형태로 존속하다
20	**extinct** [ikstíŋkt]	형 멸종된	_____ creatures from long ago 모의 오래전 멸종된 생명체
	instinct [ínstiŋkt]	명 본능, 타고난 소질	do so largely by _____ 모의 주로 본능에 의해 그렇게 하다

접사가 힌트를 주는 어휘 쌍

21	**state** [steit]	동 말하다, 진술하다	_____ your hypotheses 모의 여러분의 가설을 진술하다
	understate [ʌ́ndərstèit]	동 축소해서 말하다	_____ the seriousness of the problem 그 문제의 심각성을 축소해서 말하다
22	**privilege** [prívəlidʒ]	명 특권, 특혜	membership _____s 모의 회원 자격 특혜
	underprivileged [ʌ̀ndərprívəlidʒd]	형 혜택을 못 받는	_____ young children 수능 혜택을 받지 못하는 어린아이들
23	**due** [dju:]	형 ~할 예정인, 지불 기일이 된	become _____ 지급 기일이 되다
	overdue [óuvərdú]	형 (지불·반납 등의) 기한이 지난	an _____ book 반납 기한이 지난 책
24	**oversee** [óuvərsì]	동 감독하다	_____ many functional areas 모의 많은 기능의 영역들을 감독하다
	overhear [óuvərhír]	동 우연히 듣다, 엿듣다	_____ what you said to the cashier 모의 당신이 계산원에게 했던 말을 엿듣다

의미가 대치되는 어휘 쌍

| 25 | **overestimate** [óuvəréstəmèit] | 동 과대평가하다 | _____ the positive 모의
 긍정적인 면을 과대평가하다 |
| | **underestimate** [ʌ́ndəréstəmèit] | 동 과소평가하다 | _____ their abilities 모의
 그들의 능력을 과소평가하다 |

TIP 접두사 over-('지나치게 많은'의 의미)가 붙는 단어 overload 과적하다 oversupply 과잉 공급하다 overact 과장된 연기를 하다

의미가 비슷한 어휘 쌍

| 26 | **affiliate** [əfílièit] | 동 제휴[연계]하다 | be _____d with the local company
 지역 회사와 제휴하다 |
| | **associate** [əsóuʃièit] | 동 연상하다, 연관짓다 | _____ with those buildings' function 수능
 그러한 건물들의 기능과 결부시키다 |

| 27 | clan [klæn] | 몡 씨족, 일가 | the senior female member of the _____ 모의
 그 일가의 고령의 여성 구성원 |
| | tribe [traib] | 몡 부족, 종족 | an ancient _____ 모의
 고대 부족 |

| 28 | fragment [frǽgmənt] | 몡 조각, 파편, 일부분 | _____s from old songs 수능
 옛날 노래의 일부분들 |
| | particle [páːrtikl] | 몡 입자[조각] | most of the plastic _____s 모의
 대부분의 플라스틱 조각들 |

| 29 | gigantic [dʒaigǽntik] | 혱 거대한 | one of these _____ animals 모의
 이 거대한 동물 중 한 마리 |
| | immense [iméns] | 혱 거대한, 수많은 | the _____ benefits 모의
 많은 이점 |

| 30 | afflict [əflíkt] | 동 괴롭히다, 피해를 입히다 | be _____ed with the disease
 질병으로 고통받다 |
| | torment [tɔːrmént] | 동 고통을 안겨 주다, 괴롭히다 | _____ themselves with doubt EBS
 의심으로 그들 스스로를 괴롭히다 |

| 31 | basis [béisis] | 몡 기초, 기준 | on the _____ of DNA evidence 모의
 DNA 증거에 기초하여 |
| | foundation [faundéiʃən] | 몡 토대, 기초 | the _____ for healthy living 모의
 건강한 삶을 위한 토대 |

TIP basis / foundation / base의 의미 차이 basis 토대, 근거(무엇을 뒷받침하거나 그것의 전개 기반이 되어 주는 원칙·생각·사실)
foundation 토대, 근거(흔히 basis보다 더 크거나 더 중요한 것에 관해 씀) base 기초, 토대(무엇을 전개하는 데 기초가 되는 생각·사실·상황)

품사가 **바뀌는** 어휘 쌍

| 32 | consume [kənsúːm] | 동 소비하다, 먹다 | _____ additional calories 수능
 추가적인 칼로리를 더 섭취하다 |
| | consumption [kənsʌ́mpʃən] | 몡 소비 | the product's immediate _____ 모의
 그 제품의 직접적인 소비 |

| 33 | oblige [əbláidʒ] | 동 의무적으로 ~하게 하다 | be _____d to consider anything 모의
 어떤 것을 고려해야 할 의무가 있다 |
| | obligation [àbləɡéiʃən] | 몡 의무 | have the moral _____ 모의
 도덕적인 의무가 있다 |

 상식 다:품 퍼네이션(Funation) '기부'를 의미하는 'donation'에 '재미, 즐거움'을 뜻하는 'fun'을 합쳐 만든 용어이다. 게임 등 쉽고 간단한 방식으로 즐기며 기부하는 문화를 일컫는 말로, 복잡하거나 번거로운 기부 방식을 지양하고 다양한 방식으로 기부자들이 쉽게 기부에 참여할 수 있게 한 것이 특징이다. 카드 수수료의 일부를 기부하거나 공연 수익금을 기부하는 것 역시 넓은 의미의 퍼네이션에 해당한다.

Review

A 예비 영단어 또는 우리말 뜻 쓰기

1. heir _____

2. insist _____

3. neutral _____

4. underestimate _____

5. siege _____

6. extinct _____

7. dramatize _____

8. 겹치다, 겹쳐지다 _____

9. 축소해서 말하다 _____

10. 상기시키다, 생각나게 하다 _____

11. 심부름 _____

12. 성향, 기질, 추세 _____

13. 저장, 보관 _____

14. 의무 _____

B 내신 필수 밑줄 친 단어와 의미가 같은 표현 고르기

1. Because the plastic <u>particles</u> in the ocean are so small, there is no way to clean up the ocean. 모의

   ① sums ② squares ③ amounts ④ fragments

2. Many were probably killed or severely injured in the close encounters that were necessary to slay one of these <u>gigantic</u> animals. 모의

   ① slim ② immense ③ extinct ④ broad

3. Between 1989 and 2007, 201 prisoners in the United States were proven innocent on the <u>basis</u> of DNA evidence. 모의

   ① state ② quest ③ foundation ④ instinct

4. The natural <u>tendency</u> is for plant species to move into that area, bringing the ecosystem back towards the biome state. 모의

   ① trend ② siege ③ affair ④ method

5. Severe mercury poisoning occurred in many people who <u>consumed</u> the fish. 수능

   ① put ② ate ③ caught ④ released

▶ 정답 p. 267

C 수능 필수 문맥상 알맞은 단어 고르기

모의 1. Behaviors which are successful have insisted / persisted in the form of customs, while those which are unsuccessful have suffered extinction.

모의 2. Something about these extinct / instinct creatures from long ago seems to hold almost everyone's attention, young or old, boy or girl.

모의 3. We undertake / underestimate the risk of dying from less spectacular means, such as diabetes or stomach cancer.

모의 4. In an ancient bribe / tribe living in small huts in a tiny village settlement, a mother would have been able to hear any of the babies crying in the night.

모의 5. Keeping a diary of things that they appreciate forgets / reminds them of the progress they made that day in any aspect of their lives.

모의 6. Since our hotel was opened in 1976, we have been committed to protecting our planet by reducing our energy consumption / production and waste.

모의 7. The atmospheric increases in greenhouse gas emissions caused by the transport, land clearance, methane emissions, and grain cultivation associated / disassociated with the livestock industry are the main drivers behind increases in global temperatures.

STEP 1
Single Words

기출 예문으로 핵심 어휘 학습

01 ★★★
submit
[səbmít]
⑧ 제출하다, 항복하다

Each participant can _____ up to two entries. 모의
각 참가자는 최대 두 작품까지 제출할 수 있다.

02 ★★☆
eclipse
[iklíps]
⑲ (해·달의) 식(蝕)

At twelve, she aided her father in calculating the exact moment of an annular _____. 모의
열두 살 때, 그녀는 아버지가 금환 일식의 정확한 순간을 계산하는 일을 도왔다.

03 ★★☆
respectively
[rispéktivli]
⑨ 각자, 각각

Smartphone video was the least used device in 2014 and 2015, _____. 모의
2014년과 2015년에 각각 스마트폰 비디오는 가장 적게 사용된 기기였다.

04 ★★☆
roam
[roum]
⑧ 돌아다니다, 배회[방랑]하다

Lions once _____ed the countryside attacking villagers and their precious buffalo. 모의
사자들은 한때 마을 사람들과 그들의 귀중한 물소들을 공격하면서 시골을 돌아다녔다.

05 ★★☆
subtle
[sʌ́tl]
⑲ 미묘한, 절묘한, 교묘한

In fact, consensus rarely comes without some forms of _____ coercion. 모의
사실, 몇몇 형태의 교묘한 강압이 없이 의견 일치가 이뤄지는 일은 드물다.

06 ★★★
justify
[ʤʌ́stəfài]
⑧ 정당화시키다[하다]

It is easy to _____ your failure to help by telling yourself someone else will stop. 모의
다른 누군가가 멈춰 설 것이라고 스스로에게 말함으로써 도와주지 못한 당신의 불이행을 정당화하는 것은 쉽다.

07 ★★☆
subtract
[səbtrǽkt]
⑧ 빼다

_____ your current age from 79, the average life expectancy. 모의
평균 수명인 79세에서 당신의 현재 나이를 빼라.

08 ★★☆
collide
[kəláid]
⑧ 충돌하다, 부딪치다

Billiard balls rolling around the table may _____ and affect each other's trajectories. 모의
당구대를 굴러다니는 당구공들은 충돌해서 서로의 궤도에 영향을 미칠지도 모른다.

09 ★★☆
gourmet
[gúərmei]
⑲ 미식가, 식도락가

Wilderness dining has two extremes: _____ eaters and survival eaters. 수능
야생에서의 식사에는 양극단의 사람들이 있는데, 그것은 미식가와 생존을 위해 먹는 사람이다.

10 ★★★
notify
[nóutəfài]
통 알리다[통지하다]

Some airlines make attempts to _____ passengers about flight delays. **EBS**
일부 항공사들은 항공기 연착에 대해 승객들에게 알리려고 한다.

11 ★★☆
suggestive
[səgdʒéstiv]
형 연상시키는

The music was _____ of warm spring days.
그 음악은 따뜻한 봄날을 연상시켰다.

12 ★★☆
creek
[kri:k]
명 개울, 시내

After several attempts, I eventually got out of the _____ and up over the rocks. **EBS**
몇 번의 시도 끝에, 나는 마침내 개울에서 빠져나와 바위 위로 올라갔다.

13 ★★★
likewise
[láikwàiz]
부 똑같이, 마찬가지로, 또한

_____, the map must remove details that would be confusing. **모의**
마찬가지로 지도는 혼란스럽게 할 세부 사항을 제거해야 한다.

14 ★★☆
deviation
[dì:viéiʃən]
명 일탈, 편차

You have to pay close attention to someone's normal pattern in order to notice a _____ from it when he or she lies. **모의**
누군가 거짓말을 할 때 행동 양식에 변화가 있음을 알아차리기 위해서는 그 사람이 평소에 보이는 행동 양식을 자세히 살펴봐야 한다.

15 ★★☆
medieval
[mì:díí:vəl]
형 중세의

It still carries the features of a busy _____ town in a strategically important location for defense. **모의**
그것은 여전히 방어를 위해 전략적으로 중요한 위치에서 분주한 중세 도시의 특성들을 유지하고 있다.

16 ★★★
superstition
[sù:pərstíʃən]
명 미신

According to an ancient _____, moles reveal a person's character. **수능** 고대의 미신에 따르면, 점은 개인의 성격을 드러낸다.

17 ★☆☆
grim
[grim]
형 엄숙한[단호한], 암울한

They painted a _____ picture of growing crime.
그들은 증가하는 범죄에 대한 암울한 그림을 그렸다.

18 ★★☆
outdated
[áutdèitid]
형 구식인

You start to feel a sense of relief as you rid your space of old, broken, and _____ things. **EBS**
당신의 공간에서 오래되고, 고장 나고, 유행이 지난 것들을 제거할 때, 당신은 안도감을 느끼기 시작한다.

STEP 2
Word Pairs
관련어 '쌍'으로 암기

철자가 **비슷한** 어휘 쌍

| 19 | **warfare** [wɔ́ːrfɛ̀ər] | 명 전투, 전쟁 | play a major part in _____ 모의
 전쟁에서 큰 역할을 하다 |
| | **welfare** [wélfɛ̀ər] | 명 복지, 행복 | the _____ policy 모의
 복지 정책 |

| 20 | **aptitude** [ǽptətjùːd] | 명 소질, 적성 | a natural _____
 천부적인 소질 |
| | **altitude** [ǽltətjùːd] | 명 고도, 고지 | live in high _____ areas 모의
 고도가 높은 지역에서 살다 |

| 21 | **derive** [diráiv] | 동 끌어내다, 얻다 | _____ the most useful information 모의
 가장 유용한 정보를 도출하다 |
| | **deprive** [dipráiv] | 동 빼앗다, 박탈하다 | be _____d of the right 모의
 권리를 박탈당하다 |

의미가 **대치되는** 어휘 쌍

| 22 | **abstract** [æbstrǽkt] | 형 추상적인 | _____ summaries of lengthy articles 모의
 긴 글을 추상적으로 요약해 놓은 것 |
| | **concrete** [kánkriːt] | 형 사실에 의거한, 구체적인 | _____ and detailed 모의
 구체적이고 상세하게 |

| 23 | **casual** [kǽʒuəl] | 형 격식을 차리지 않는, 평상시의 | a _____ atmosphere
 격의 없는 분위기 |
| | **formal** [fɔ́ːrməl] | 형 격식을 차린, 정중한, 형식적인 | a _____ occasion 모의
 공식적인 행사 |

TIP **casual의 다른 의미** 형 태평스러운 a casual manner 태평스러운 태도 형 임시의, 비정기적인 casual workers 임시직 노동자들

| 24 | **appeal** [əpíːl] | 동 호소하다, 간청하다 | _____ to our emotion 모의
 우리의 감정에 호소하다 |
| | **refuse** [rifjúːz] | 동 거절[거부]하다 | _____ the advantage of that industry 모의
 그 산업의 이익을 거부하다 |

의미가 **반대되는** 어휘 쌍

| 25 | **curable** [kjúərəbl] | 형 (병이) 치유 가능한 | a _____ disease
 치유 가능한 병 |
| | **incurable** [inkjúərəbl] | 형 치유할 수 없는, 불치의 | an _____ disease
 불치병 |

의미가 **비슷한** 어휘 쌍

| 26 | **seize** [siːz] | 동 붙잡다[움켜잡다] | _____ him by the shoulder 모의
 그의 어깨를 붙잡다 |
| | **snatch** [snætʃ] | 동 와락 붙잡다, 잡아채다 | _____ her child 모의
 그녀의 아이를 붙잡다 |

| 27 | **foremost** [fɔ́rmòust] | 형 가장 중요한[유명한] | one of America's _____ researchers EBS
 미국의 가장 유명한 연구원 중 한 명 |
| | **primary** [práiməri] | 형 주된, 주요한 | the _____ source of information 모의
 정보의 주요한 원천 |

| 28 | **border** [bɔ́ːrdər] | 명 국경 (지역), 경계 | the _____ between Iraq and Iran 모의
 이라크와 이란 사이의 국경 지대 |
| | **boundary** [báundəri] | 명 경계, 한계 | the _____ between good and bad 수능
 좋음과 나쁨의 경계 |

| 29 | **discomfort** [diskʌ́mfərt] | 명 불편, 불쾌, 불안 | experience their customers' _____ 모의
 그들 고객의 불편을 경험하다 |
| | **anxiety** [æŋzáiəti] | 명 불안(감), 염려 | such as _____ and depression 모의
 불안과 우울증과 같은 |

TIP '걱정'을 나타내는 단어 worry 걱정   concern (특히 많은 사람들이 공유하는) 우려[걱정]   care 걱정, 염려   apprehension 우려, 불안

| 30 | **discriminate** [diskrímənèit] | 동 식별[구별]하다, 분간하다 | _____ between letters and numbers
 문자와 숫자를 식별하다 |
| | **distinguish** [distíŋgwiʃ] | 동 구별[식별]하다 | _____ valuable information 모의
 가치 있는 정보를 식별하다 |

품사가 바뀌는 어휘 쌍

| 31 | **evolve** [ivɑ́lv] | 동 발달하다, 진화하다 | _____ from an individual's social context 모의
 개인의 사회적 환경으로부터 발달하다 |
| | **evolution** [èvəlúːʃən] | 명 진화, 발전 | the course of _____ 모의
 진화의 과정 |

| 32 | **ferment** [fɔ́ːrment] | 동 발효되다, 발효시키다 | _____ grapes into wine
 포도를 발효시켜 와인으로 만들다 |
| | **fermentation** [fɔ̀ːrmentéiʃən] | 명 발효 | cooking and _____ EBS
 조리와 발효 |

| 33 | **identify** [aidéntəfài] | 동 확인하다[알아보다] | _____ the particular cry 모의
 특유의 울음소리를 식별하다 |
| | **identification** [aidèntifəkéiʃən] | 명 신원 확인, 신분 증명, 식별 | a positive _____ of the variety 모의
 품종에 대한 확실한 확인 |

 상식다:품 **그로서란트 (Grocerant)** 식료품점인 '그로서리(grocery)'와 '레스토랑(restaurant)'의 합성어로 식자재 구매와 요리를 한 곳에서 즐길 수 있는 매력적인 식문화 복합공간을 의미한다. 재료를 사서 즉석에서 조리해 먹을 수 있을 뿐만 아니라 방금 먹은 음식의 재료를 살 수도 있는 공간이다. 우리나라에서는 2012년경부터 등장했는데, 백화점 업계가 온라인 쇼핑과 해외직구 열풍으로 명품이나 패션 등으로 차별화하는 게 어려워지자 집객 효과를 노리기 위해 경쟁적으로 그로서란트를 선보이고 있다.

Review

A 예비 영단어 또는 우리말 뜻 쓰기

1. submit	_____	8. 중세의	_____
2. respectively	_____	9. 일탈, 편차	_____
3. deprive	_____	10. 미신	_____
4. subtract	_____	11. 발효되다, 발효시키다	_____
5. abstract	_____	12. 정당화시키다[하다]	_____
6. creek	_____	13. 진화, 발전	_____
7. refuse	_____	14. 충돌하다, 부딪치다	_____

B 내신 필수 밑줄 친 단어와 의미가 같은 표현 고르기

1. The backwards journey took three minutes, until the mother could <u>snatch</u> her child. 모의

   ① put　　　　② teach　　　　③ seize　　　　④ collide

2. The <u>boundary</u> between good and bad is a reference point that changes over time and depends on the immediate circumstances. 수능

   ① circle　　　　② border　　　　③ angle　　　　④ deviation

3. Attention, rather than information, becomes the scarce resource, and those who can <u>distinguish</u> valuable information from background clutter gain power. 모의

   ① notify　　　　② justify　　　　③ associate　　　　④ discriminate

4. According to Cambodian legends, lions once <u>roamed</u> the countryside attacking villagers and their precious buffalo. 모의

   ① ran　　　　② crawled　　　　③ wandered　　　　④ leapt

5. You will be <u>notified</u> of the final results by e-mail about a week after the audition. 수능

   ① informed　　　　② identified　　　　③ practiced　　　　④ submitted

▶ 정답 p. 267

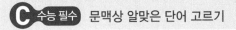

C 수능 필수 문맥상 알맞은 단어 고르기

모의　1. Everybody must be a good citizen concerned with the health and warfare / welfare of all.

수능　2. Their knowledge of the deadly effects of extreme altitude / aptitude was limited and their equipment was poor.

모의　3. To derive / deprive the most useful information from multiple sources of evidence, you should always try to make these sources independent of each other.

모의　4. In his famous work *Three Musicians*, he used concrete / abstract forms to shape the players in such an unexpected way that when you first see this artwork, you assume that nothing makes sense.

모의　5. When a casual / formal occasion comes along, such as a family wedding or a funeral, they are likely to cave in to norms that they find overwhelming.

모의　6. I tried everything to interest her in writing class, but she would appeal / refuse to write anything.

모의　7. If he had not disrupted their sleeping routines and allowed them to experience their customers' comfort / discomfort , the workshop may have ended without any noteworthy changes.

수능　8. Where the risk of death from fishing increases as an animal grows, evolution / revolution favors those that grow slowly, mature younger and smaller, and reproduce earlier.

Single Words

기출 예문으로 핵심 어휘 학습

---

01 ★★☆

restore
[ristɔ́ːr]

(동) 회복시키다, 복구하다

Paying promptly will _____ your membership to good standing. 모의

신속히 지불해 주시면 귀하의 회원 자격이 정상으로 회복될 것입니다.

---

02 ★★☆

supervise
[súːpərvàiz]

(동) 감독[지도]하다

He _____d the children playing near the pool.

그는 풀장 가까이에서 노는 아이들을 지도했다.

---

03 ★★☆

currency
[kə́ːrənsi]

(명) 통화

It is why they eventually became more valuable as toilet paper than _____. 모의

이것은 결국 그것이 통화보다 휴지로서 더 가치가 있게 되었던 이유이다.

---

04 ★★☆

trace
[treis]

(명) 자취, 흔적
(동) 추적하다

The scientific study of the physical characteristics of colors can be _____d back to Isaac Newton. 모의

색의 물리적 특성에 관한 과학적 연구는 Isaac Newton에게로 거슬러 갈 수 있다.

---

05 ★★☆

buildup
[bíldʌ̀p]

(명) 증강, 축적, 발전

It also reduces dental plaque _____. EBS

그것은 치석의 형성을 줄이기도 한다.

---

06 ★★★

disrupt
[disrʌ́pt]

(동) 방해하다

As soon as harmony is _____ed, we do whatever we can to restore it. 모의

조화가 방해받자마자 우리는 그것을 복구하기 위해 할 수 있는 무엇이든지 한다.

---

07 ★★☆

weave
[wiːv]

(동) 짜다, 엮다

It is better to _____ something more into the context of the existing structure. 모의

기존 구조의 맥락 안에 무언가를 더 엮어 넣는 것이 더 낫다.

---

08 ★★★

curriculum
[kəríkjuləm]

(명) 교육과정

We're offering a personalized 3.5-hour _____. 모의

저희는 개인에게 맞춘 세 시간 반의 교육과정을 제공하고 있습니다.

---

09 ★★☆

rubbish
[rʌ́biʃ]

(명) 쓰레기

What day do they collect the _____?

쓰레기는 무슨 요일에 수거하러 오나요?

공부한 날 1회   월   일   2회   월   일   3회   월   일

10 ★★★

temperate
[témpərət]

형 온화한, 차분한

In _____ parts of the world, either trees dominate (in forests) or grasses dominate (in grasslands). 모의

지구 상의 온화한 지역에서 (숲에서는) 나무가 우세하거나 혹은 (초원에서는) 풀이 우세하게 된다.

11 ★★☆

assault
[əsɔ́ːlt]

명 폭행(죄)
동 폭행하다

They physically _____ed each other. EBS

그들은 서로에게 신체적으로 폭행을 가했다.

12 ★★★

territory
[térətɔ̀ːri]

명 지역, 영토, 영역

You have to venture beyond the boundaries of your current experience and explore new _____. 수능

위험을 무릅쓰고 현재 경험의 한계를 넘어가서 새로운 영역을 탐사해야 한다.

13 ★★☆

distill
[distíl]

동 증류하다, 추출하다

They interview successful entrepreneurs and _____ their success secrets into a formula. EBS

그들은 성공한 기업가들을 인터뷰하여 그들의 성공 비결을 공식으로 추출한다.

14 ★★☆

pope
[poup]

명 교황

He met with politicians, world leaders such as _____ Paul VI, philosophers, students and teachers. 모의

그는 정치인, 교황 바오로 6세와 같은 세계적인 지도자, 철학자, 학생, 그리고 교사들을 만났다.

15 ★★☆

radical
[rǽdikəl]

형 급진적인, 과격한, 혁명적인

After having spent that night in airline seats, the company's leaders came up with some _____ innovations. 모의

그날 밤 비행기 좌석에서 하룻밤을 보낸 후, 그 회사의 임원들은 획기적인 혁신안을 생각해냈다.

16 ★★☆

underneath
[ʌ̀ndərníːθ]

전 부 ~의 밑[아래]에

Both will be published in the same way—with a vocal line and a basic piano part written out _____. 모의

둘 다 같은 방식으로, 즉 노래 파트와 그 아래쪽에 기본적인 피아노 파트가 세세하게 적힌 상태로 출판되기 마련이다.

17 ★★☆

pitch
[pitʃ]

명 정점, 최고조, 음의 높이

In fact, the best professional singers require humid settings to help them achieve the right _____. 모의

사실, 최고의 전문 가수는 적절한 음조를 얻도록(정확한 음높이에 도달하도록) 돕기 위해서 습한 환경을 필요로 한다.

18 ★★☆

plantation
[plæntéiʃən]

명 농장

Banana _____s are found in tropical regions.

바나나 농장은 열대 지역에서 발견된다.

STEP 2
Word Pairs

관련어 '쌍'으로 암기

철자가 비슷한 어휘 쌍

| 19 | **draft** [dræft] | 명 초안, 원고
동 초안[원고]을 작성하다 | a rough _____ of a paper 모의
어떤 과제물의 대략적인 초안 |
| | **drift** [drift] | 명 표류, 흐름, 이동
동 표류[부유]하다 | be _____ing through the air 모의
공중을 부유하고 있다 |

| 20 | **fad** [fæd] | 명 (일시적인) 유행 | the _____ for his character 모의
그의 캐릭터에 대한 유행 |
| | **fade** [feid] | 동 바래다[희미해지다] | _____ away with time 모의
시간이 지나면서 희미해지다 |

의미가 대치되는 어휘 쌍

| 21 | **verse** [vəːrs] | 명 운문 | write short _____ EBS
짧은 운문을 쓰다 |
| | **prose** [prouz] | 명 산문 | Arabs' artistic _____ EBS
아랍의 예술적인 산문 |

| 22 | **dawn** [dɔːn] | 명 새벽, 여명 | summer's early _____s
여름날의 이른 여명 |
| | **dusk** [dʌsk] | 명 황혼, 땅거미 | from _____ to dawn EBS
해질 무렵부터 새벽까지 |

| 23 | **digestion** [didʒéstʃən] | 명 소화, 소화력 | the biological process of _____ 모의
소화의 생물학적인 과정 |
| | **indigestion** [indidʒéstʃən] | 명 소화불량 | have _____
소화불량에 걸리다 |

의미가 비슷한 어휘 쌍

| 24 | **epic** [épik] | 명 서사시 | a British _____ about the Arab rebellion 모의
아랍인들의 반란에 대한 영국의 서사시 |
| | **lyric** [lírik] | 명 노래 가사, 서정시 | _____s and melody 모의
노래 가사와 멜로디 |

TIP '시'와 관련된 단어 poem 시 poetry (집합적으로) 시 pastoral 전원시 sonnet 소네트(14행시) ode 송시

| 25 | **designate** [dézignèit] | 동 지정하다, 지명하다 | _____ his successor
그의 후임자를 지명하다 |
| | **nominate** [námənèit] | 동 (후보자로) 지명하다, 임명하다 | be _____d for an Academy Award 모의
아카데미 상 후보자로 지명되다 |

| 26 | **despise** [dispáiz] | 동 경멸하다, 멸시하다 | _____ laziness
게으름을 싫어하다 |
| | **detest** [ditést] | 동 몹시 싫어하다, 혐오하다 | _____ people who tell lies
거짓말하는 사람을 혐오하다 |

| 27 | **blush** [blʌʃ] | 동 얼굴을 붉히다 | _____ with shame EBS
부끄러워서 얼굴을 붉히다 |
| | **flush** [flʌʃ] | 동 붉어지다, 상기되다 | _____ with warmth 모의
따뜻함으로 상기되다 |

| 28 | **dedicate** [dédikèit] | 동 바치다, 전념[헌신]하다 | _____ to the preservation of our natural environment 수능 우리의 자연환경 보호에 헌신하다 |
| | **devote** [divóut] | 동 바치다, 쏟다 | _____ resources to restoring the walking paths
모의 산책로를 복구하는 데 자원을 투입하다 |

| 29 | **illusion** [ilúːʒən] | 명 오해[착각], 환상 | this memory _____ 모의
이러한 기억 착오 |
| | **fallacy** [fǽləsi] | 명 틀린 생각, 오류 | a common logical _____ 모의
흔한 논리적 오류 |

| 30 | **defect** [díːfekt] | 명 결함 | this rather obvious _____ 수능
이런 다소 분명한 결함 |
| | **imperfection** [ìmpərfékʃən] | 명 미비점, 결함 | a slight _____
약간의 결함 |

| 31 | **bold** [bould] | 형 용감한, 대담한 | his _____ rescue 모의
그의 대담한 구조 |
| | **daring** [dɛ́əriŋ] | 형 대담한 | a _____ walk in space
우주 속에서의 대담한 발걸음 |

TIP '용감한'을 나타내는 단어 brave 용감한 courageous 용감한 gallant 용감한 valiant 용맹한

품사가 바뀌는 어휘 쌍

| 32 | **admit** [ædmít] | 동 인정[시인]하다 | _____ stupidity 모의
어리석음을 인정하다 |
| | **admission** [ædmíʃən] | 명 가입, 입장, 입학 | _____ to attractions 모의
관광 명소 입장 |

| 33 | **commit** [kəmít] | 동 (범죄를) 저지르다[범하다] | _____ the "sin" of failing 모의
실패하는 '죄'를 저지르다 |
| | **commission** [kəmíʃən] | 명 위원회[위원단], 수수료 | the Securities and Exchange _____ 모의
증권 거래 위원회 |

 상식 다:품 노시보 효과(Nocebo effect) 진짜 약을 줘도 환자가 효과가 없다고 생각하면 약효가 제대로 발휘되지 않거나 건강을 해치는 결과로 이어지는 현상을 의미한다. 아무런 효과가 없는 약을 먹더라도 약이 효과가 있다는 긍정적인 믿음을 가지면 치료 효과를 볼 수 있음을 의미하는 '플라시보 효과(Placebo effect)'의 정반대 현상이다. 노시보 효과와 관련해 치료의 부작용이나 일어날지 모르는 약의 부작용에 대한 환자의 예상이 치료 결과에 매우 심각한 영향을 줄 수 있다는 보고가 발표되고 있다.

A 예비 영단어 또는 우리말 뜻 쓰기

1. restore _____
2. verse _____
3. currency _____
4. despise _____
5. rubbish _____
6. dawn _____
7. disrupt _____

8. 온화한, 차분한 _____
9. (일시적인) 유행 _____
10. 증류하다, 추출하다 _____
11. ~의 밑[아래]에 _____
12. 인정[시인]하다 _____
13. 짜다, 엮다 _____
14. 위원회[위원단], 수수료 _____

B 내신 필수 밑줄 친 단어와 의미가 같은 표현 고르기

1. He shifted from writing short <u>verse</u> to lengthy works as he got older. EBS

   ① tale   ② prose   ③ fable   ④ poetry

2. "Survivorship bias" is a common logical <u>fallacy</u>. 모의

   ① fantasy   ② secret   ③ error   ④ theory

3. To compensate for this rather obvious <u>defect</u>, a specially selected species of fish called the Large-mouthed Bass was introduced. 수능

   ① trace   ② buildup   ③ currency   ④ imperfection

4. His <u>bold</u> rescue of their daughter made him a most treasured member of the family. 모의

   ① daring   ② radical   ③ boring   ④ temperate

5. In fact, the best professional singers require humid settings to help them achieve the right <u>pitch</u>. 모의

   ① beat   ② tone   ③ mood   ④ lyric

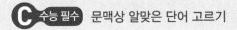

수능 필수 문맥상 알맞은 단어 고르기

모의 1. And so we draft / drift , driven by the winds of circumstance, tossed about by the waves of tradition and custom.

모의 2. A summer vacation will be recalled for its highlights, and the less exciting parts will fad / fade away with time, eventually to be forgotten forever.

모의 3. He met with politicians, world leaders such as Pope / Pipe Paul VI, philosophers, students, teachers, and numerous individuals who had read and been inspired by his books.

모의 4. When you don't know something, deny / admit it as quickly as possible and immediately take action — ask a question.

모의 5. When we commit / comment the "sin" of failing to take care of our bodies through proper nutrition, exercise, and rest, we're missing the mark of what life is all about.

수능 6. The Nature Foundation is a world-wide organization indicated / dedicated to the preservation of our natural environment.

모의 7. After having spent that night in airline seats, the company's leaders came up with some radical / typical innovations.

EBS 8. Arabs' artistic verse / prose and poetical production have remained insufficiently known and appreciated in the West.

STEP 1
Single Words
기출 예문으로 핵심 어휘 학습

---

01 ★★☆
insane
[inséin]

형 정신 이상의, 미친

Will those people think I'm _____ ? **EBS**
그 사람들이 내가 미쳤다고 생각할까?

---

02 ★★☆
sway
[swei]

동 흔들리다[흔들다]

The tree he was holding onto was _____ing dangerously.
모의 그가 붙잡고 있는 나무가 위험하게 흔들리고 있었다.

---

03 ★★☆
cue
[kjuː]

명 신호
동 신호를 주다

Rules can be thought of as formal types of game _____s.
모의 규칙은 공식적인 유형의 경기 신호라 생각할 수 있다.

---

04 ★★☆
insomnia
[insámniə]

명 불면증

She told the man that she could help him get over his _____. **EBS**
그녀는 그 남자에게 자신이 그가 불면증을 극복하도록 도움을 줄 수 있다고 말했다.

---

05 ★★★
liberate
[líbərèit]

동 해방시키다

Financial security can _____ us from work we do not find meaningful. **수능**
재정적 안정은 우리가 의미 있다고 생각하지 않는 일로부터 우리를 해방시켜 줄 수 있다.

---

06 ★★☆
upcoming
[ə́pkə̀miŋ]

형 다가오는, 곧 있을

She decided to take advantage of an _____ project for the class. **모의**
그녀는 다가오는 학급의 프로젝트를 이용하기로 마음먹었다.

---

07 ★★★
comprise
[kəmpráiz]

동 ~으로 구성되다
[이뤄지다]

A football game is _____d of exactly sixty minutes of play.
모의 미식축구 경기는 정확히 60분 경기로 구성된다.

---

08 ★★☆
condemn
[kəndém]

동 규탄[비난]하다

This open letter _____ing the trial will be published in unchanged form. **EBS**
그 재판을 비난하는 이 공개 서신은 원래대로의 형태로 출간될 것이다.

---

09 ★★☆
flashback
[flǽʃbæ̀k]

명 플래시백[회상 장면], 회상

Those who had sat quietly after watching the video experienced an average of six _____s. **모의**
비디오를 본 후에 조용히 앉아 있었던 사람들은 평균 6개의 회상 장면을 경험했다.

공부한 날 1회 | 월 일 2회 | 월 일 3회 | 월 일

10 ★★★
confess
[kənfés]
동 자백하다, 고백하다

He later _____ed that he was having a great deal of trouble completing his tasks. 모의
나중에 그는 자신의 업무를 완수하는 데 많은 어려움이 있다고 고백했다.

11 ★★★
inherit
[inhérit]
동 상속받다, 물려받다

The efforts may show profit on the balance sheets of our generation, but our children will _____ the losses. 수능
그 노력은 우리 세대의 대차대조표에서는 이익을 보여 줄지 모르지만, 우리의 자녀들은 그 손실을 물려받을 것이다.

12 ★★☆
dependable
[dipéndəbl]
형 믿을[신뢰할] 수 있는

She chose a fancy-looking door lock, against the advice of the locksmith who did not think it was _____. 모의
그녀는 그것(자물쇠)이 믿을 만하지 않다고 생각하는 자물쇠 업자의 조언을 듣지 않고, 화려해 보이는 문 자물쇠를 선택했다.

13 ★★☆
naughty
[nɔ́:ti]
형 버릇없는, 말을 안 듣는

He seems a bit _____ but a responsible little boy.
그는 약간은 버릇없어 보이지만 책임감이 있는 꼬마이다.

14 ★★★
classify
[klǽsəfài]
동 분류[구분]하다

Our children can recognize, _____, and order information about their environment. 모의
우리 아이들은 자신들의 환경에 대한 정보를 인식하고, 분류하며, 체계화할 수 있다.

15 ★★☆
bait
[beit]
명 미끼

Adrian's dad taught him which kinds of _____ were suitable for catching various kinds of fish. 모의
Adrian의 아버지는 그에게 다양한 종류의 물고기를 잡는 데 어떤 미끼가 적합한지를 가르쳤다.

16 ★★★
possess
[pəzés]
동 소유[보유]하다

The creativity that children _____ needs to be cultivated throughout their development. 수능
아이들이 지닌 창의력은 그들의 성장 기간 내내 육성되어야 할 필요가 있다.

17 ★★★
flourish
[flə́:riʃ]
동 번창하다, 발달하다

Overall, only one in 30 complex tonal languages _____ed in dry areas. 모의
전반적으로 복잡한 성조 언어는 30개 중 오직 하나 꼴로 건조한 지역에서 발달했다.

18 ★★☆
vanish
[vǽniʃ]
동 사라지다

This year somewhere between three and a hundred species will _____. EBS
올해 3개에서 100개 사이 어딘가에 이르는 종이 사라질 것이다.

231

STEP 2
Word Pairs
관련어 '쌍'으로 암기

철자가 비슷한 어휘 쌍

19 shrub
[ʃrʌb]
명 관목
a tree, _____, or even a window ledge 모의
나무, 관목, 혹은 심지어 창문 선반

shrug
[ʃrʌg]
동 (어깨를) 으쓱하다
_____ their shoulders 모의
그들의 어깨를 으쓱하다

20 virtual
[və́:rtʃuəl]
형 사실상의, 가상의
across _____ and actual borders 모의
가상 그리고 실제 경계를 넘어서

virtue
[və́:rtʃu:]
명 선, 미덕
an important _____ 수능
중요한 미덕

21 loan
[loun]
명 대출[융자](금)
take out a _____ 모의
대출을 받다

moan
[moun]
명 신음
동 신음하다
a painful _____ EBS
고통스러운 신음

접사가 힌트를 주는 어휘 쌍

22 flaw
[flɔ:]
명 결함, 흠
a mathematical _____ EBS
수학적 결함

flawless
[flɔ́:lis]
형 흠 하나 없는, 나무랄 데 없는
a _____ diamond
흠이 없는 다이아몬드

TIP 접미사 -less('~이 없는', '~하지 않는'의 의미)가 붙는 단어 meaningless 무의미한 endless 끝없는 selfless 이기적이지 않은

의미가 비슷한 어휘 쌍

23 reinforce
[rì:infɔ́:rs]
동 강화하다
_____ human rights values 수능
인권이라는 가치를 강화하다

fortify
[fɔ́:rtəfài]
동 기운[용기]을 돋우다,
강화하다
_____ his claim EBS
그의 주장을 확고히 하다

24 eternal
[itə́:rnəl]
형 영원한
as stable, _____, and unshakable 모의
안정적이고 영원하며 확고부동한 것으로

perpetual
[pərpétʃuəl]
형 끊임없이 계속되는, 영속적인
the _____ darkness EBS
영속적인 어둠

25 discard
[diskɑ́:rd]
동 버리다, 폐기하다
a _____ed book 모의
버려진 책 한 권

rid
[rid]
동 없애다, 제거하다
get _____ of your belongings 모의
당신의 소유물들을 처분하다

26 exaggerate
[igzǽdʒərèit]
동 과장하다
_____ about the time 모의
시간에 대해 과장하다

overstate
[òuvərstéit]
동 과장하다
_____ profitability 모의
수익성을 과장하다

| 27 | **component**
[kəmpóunənt] | 몡 (구성) 요소, 부품 | the most significant _____ of agriculture 모의
농업의 상당히 많은 부분을 차지하는 요소 |
| | **ingredient**
[ingrí:diənt] | 몡 재료[성분], 구성 요소 | an essential _____ for future success 모의
미래 성공을 위한 핵심적인 요소 |

| 28 | **degenerate**
[didʒénərèit] | 동 악화되다, 퇴화하다 | _____ as we age EBS
우리가 나이 들어감에 따라 퇴화하다 |
| | **deteriorate**
[ditíəriərèit] | 동 악화되다 | seem to _____ EBS
악화되는 것처럼 보이다 |

| 29 | **amend**
[əménd] | 동 개정[수정]하다 | _____ his tax return EBS
그의 소득 신고서를 수정하다 |
| | **reform**
[rifɔ́:rm] | 동 개혁[개선]하다 | _____ painting 수능
회화에 혁신을 일으키다 |

| 30 | **countless**
[káuntlis] | 혱 무수한, 셀 수 없이 많은 | _____ examples of scientific inventions 모의
과학적 발명의 셀 수 없이 많은 예 |
| | **innumerable**
[injú:mərəbl] | 혱 셀 수 없이 많은, 무수한 | _____ books
무수한 책들 |

| 31 | **anguish**
[ǽŋgwiʃ] | 몡 괴로움, 비통 | quite a bit of _____ 모의
상당한 괴로움 |
| | **distress**
[distrés] | 몡 고통, 괴로움, 곤란 | whine softly in _____ 모의
곤란해 하며 작은 소리로 낑낑거리다 |

TIP '고통'과 관련된 단어 pain (육체적) 아픔, 고통 suffering (육체적·정신적) 고통 misery 고통, 괴로움 agony 극도의 (육체적·정신적) 고통

품사가 바뀌는 어휘 쌍

| 32 | **generous**
[dʒénərəs] | 혱 후한, 관대한 | give the man a _____ offering 모의
그 남자에게 후한 돈을 주다 |
| | **generosity**
[dʒènərásəti] | 몡 너그러움, 관대함 | act out of _____ 모의
관대함으로 행동하다 |

| 33 | **scarce**
[skɛərs] | 혱 부족한, 드문 | a _____ resource 모의
희소 자원 |
| | **scarcity**
[skɛ́ərsəti] | 몡 부족, 결핍 | lead to _____ of attention 모의
주의력 부족을 초래하다 |

 상식 다:품 큐토크라시(Cutocracy) '귀엽다'라는 뜻의 'cute'와 '정부, 통치' 등의 뜻을 가진 'cracy'가 합쳐진 용어이다. 예쁘고 귀여운 것이 곧 권력이라는 의미를 빗댄 신조어이다. 매력이 있어야 팔리는 제품과 서비스를 뜻하는 말이지만, 매력이라는 것이 완벽함이나 편리함을 의미하지는 않는다. 오히려 불편하고 단점이 있어도 이것이 매력으로 인정되기도 한다.

A 예비 영단어 또는 우리말 뜻 쓰기

1. sway _____
2. virtue _____
3. liberate _____
4. flaw _____
5. upcoming _____
6. eternal _____
7. exaggerate _____

8. 자백하다, 고백하다 _____
9. 후한, 관대한 _____
10. 상속받다, 물려받다 _____
11. 분류[구분]하다 _____
12. 규탄[비난]하다 _____
13. 사라지다 _____
14. 부족, 결핍 _____

B 내신 필수 밑줄 친 단어와 의미가 같은 표현 고르기

1. It must not upset the balance of the environment; it must either adapt to or indeed reinforce this balance. 모의

   ① sway   ② fortify   ③ classify   ④ comprise

2. People usually exaggerate the amount of time they waited. 모의

   ① confess   ② discard   ③ condemn   ④ overstate

3. The inquisitive mind is an essential ingredient for future success. 모의

   ① component   ② type   ③ virtue   ④ skill

4. There are countless examples of scientific inventions that have been generated by accident. 모의

   ① much   ② limited   ③ innumerable   ④ several

5. Plentiful information leads to a scarcity of attention. 모의

   ① loan   ② bait   ③ mass   ④ shortage

▶ 정답 p. 268

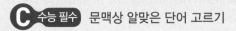 **문맥상 알맞은 단어 고르기**

모의 1. Older, more dominant males will reclaim their old territories: a tree, shrub / shrug , or even a window ledge.

모의 2. Architects do not control how the residents of those buildings present themselves or see each other — but the designers of virtue / virtual spaces do, and they have far greater influence on the social experience of their users.

모의 3. A team of economists looked at how consumers reacted to various pitches by banks to take out a moan / loan .

수능 4. Financial security can liberate / deliberate us from work we do not find meaningful and from having to worry about the next paycheck.

수능 5. The efforts may show profit on the balance sheets of our generation, but our children will inherit / disinherit the losses.

모의 6. She chose a fancy-looking door lock, against the advice of the locksmith who did not think it was dependable / undependable .

모의 7. Adrian's dad taught him which kinds of bat / bait were suitable for catching various kinds of fish, and he also learned which sinkers were right for the different fishing areas.

모의 8. High building density, by providing more built-up space on individual sites, can maximize the utilization of the plentiful / scarce urban land.

01 ★★☆
vegetation
[vèdʒətéiʃən]
명 초목[식물]

During the day, they lie in holes in tree trunks and in dark, thickly tangled _____. 모의
낮 동안에는, 그들은 나무 둥치의 구멍이나, 어둡고 두껍게 엉킨 초목에 누워 있다.

02 ★★☆
morale
[məræl]
명 사기, 의욕

When people are overloaded with work, group _____ becomes much lower. EBS
사람들에게 너무 많은 일이 부과되면, 집단의 사기는 훨씬 떨어진다.

03 ★★★
contagious
[kəntéidʒəs]
형 전염성의, 전파하는

Congratulations, hugs, and laughter were _____. 수능
축하, 포옹, 그리고 웃음이 전파되었다.

04 ★★☆
bearable
[béərəbl]
형 참을[견딜] 만한

A cool breeze made the heat _____.
시원한 바람 덕택에 더위가 견딜 만 했다.

05 ★★☆
estate
[istéit]
명 사유지[토지], 재산

Real _____ sites tell their visitors about new properties that have come on the market. 모의
부동산 사이트는 시장에 나온 새로운 부동산에 대해 방문자들에게 알려 준다.

06 ★★☆
velocity
[vəlásəti]
명 속도

The success of many athletic actions depends on power, the combination of _____ and force. EBS
많은 운동 동작의 성공은 힘, 즉 속도와 근육의 힘의 조합에 달려 있다.

07 ★★☆
trim
[trim]
동 다듬다, 손질하다

_____ rough edges with a sharp knife.
매끈하지 못한 가장자리는 날카로운 칼로 다듬어라.

08 ★★☆
earnest
[ə́ːrnist]
형 성실한, 진심 어린

Despite his _____ efforts, he could not find a job.
그는 진심 어린 노력에도 불구하고 일자리를 찾을 수가 없었다.

09 ★★★
simulate
[símjulèit]
동 ~한 체[척]하다,
모의 실험하다

She tried to _____ surprise at the news.
그녀는 그 소식을 듣고 놀라는 척 하려고 했다.

10 ★★☆

conscience
[kánʃəns]

명 양심

Zach's _____ whispered that a true victory comes from fair competition. 모의

Zach의 양심은 진정한 승리란 공정한 경쟁으로부터 나오는 것이라고 속삭였다.

11 ★★☆

valiant
[vǽljənt]

형 용맹한, 단호한

He mourned for his _____ men.

그는 용맹한 부하들의 죽음을 애도했다.

12 ★★☆

timber
[tímbər]

명 수목[산림], 목재

Abundant _____ would do away with the need to import wood from Scandinavia. 모의

풍부한 목재가 스칸디나비아로부터 목재를 수입할 필요가 없게 해 줄 것이다.

13 ★★☆

regenerate
[ridʒénərèit]

동 재건하다, 재생되다

Once the vegetation has started to recover, insects, birds and other animals will travel into the newly _____d area. 모의

일단 식물이 회복하기 시작하면 곤충, 새, 다른 동물들이 그 새로 재생된 영역 속으로 이동할 것이다.

14 ★★☆

dispatch
[dispǽtʃ]

동 보내다[파견하다]

I _____ed a hastily written email to a friend. EBS

나는 서둘러 쓴 이메일을 친구에게 보냈다.

15 ★★☆

trigger
[trígər]

명 방아쇠
동 촉발시키다, 유발하다

Things you typically encounter that might not usually _____ fear now do so. 모의

여러분이 일반적으로 마주치고 보통은 두려움을 유발하지 않을 것들이 이제는 그렇게 한다.

16 ★★☆

reckon
[rékən]

동 (~라고) 생각하다

Some authorities _____ that one in twelve of the words Shakespeare used was an invented word. EBS

어떤 권위자들은 셰익스피어가 사용했던 12개의 단어 중 하나는 새로 만들어진 단어라고 생각한다.

17 ★★☆

versus
[və́ːrsəs]

전 ~대(對), ~에 대한

It will be determined by the relative importance that you place on family _____ health. 모의

그것은 가족 대 건강에 대해 여러분이 부가하는 상대적 중요성에 의해 결정될 것이다.

18 ★★★

contaminate
[kəntǽmənèit]

동 오염시키다

They _____d the fresh flow of water. 모의

그것들이 새롭게 흘러 들어온 물을 오염시켰다.

STEP 2
Word Pairs

관련어 '쌍'으로 암기

철자가 **비슷한** 어휘 쌍

| 19 | **cling** [kliŋ] | 동 꼭 붙잡다, 매달리다, 달라붙다 | _____ to the pen 모의
 펜에 달라붙다 |
| | **fling** [fliŋ] | 동 내던지다[내팽개치다] | begin to _____ tofu 모의
 두부를 내던지기 시작하다 |

| 20 | **sermon** [sə́:rmən] | 명 설교 | midway through the _____ EBS
 설교 중간쯤에 |
| | **summon** [sʌ́mən] | 동 소환하다 | _____ all his remaining strength EBS
 그의 남은 힘을 모두 끌어내다 |

의미가 **대치되는** 어휘 쌍

| 21 | **acute** [əkjúːt] | 형 급성의 | _____ appendicitis
 급성 맹장염 |
| | **chronic** [krɑ́nik] | 형 만성적인 | severe _____ pain EBS
 심각한 만성적 통증 |

| 22 | **debilitate** [dibílətèit] | 동 심신을 약화시키다 | be _____d by disease
 병으로 쇠약해지다 |
| | **recover** [rikʌ́vər] | 동 (건강을) 회복하다, 되찾다 | _____ his health 모의
 그의 건강을 회복하다 |

의미가 **비슷한** 어휘 쌍

| 23 | **settle** [sétl] | 동 해결하다[끝내다] | _____ their disagreements the same way 모의
 그들의 불일치를 같은 방법으로 해결하다 |
| | **resolve** [rizɑ́lv] | 동 해결하다, 해소하다 | _____ the series' many puzzles 모의
 그 시리즈물의 많은 의문들을 해소하다 |

TIP **settle**의 다른 의미 동 정착하다 settle in Paris 파리에 정착하다 동 결정하다 settle his route 그의 진로를 결정하다

| 24 | **firm** [fəːrm] | 형 단단한, 확고한 | one precondition of a _____ grasp 모의
 단단히 붙잡는 것에 대한 한 가지 전제 조건 |
| | **solid** [sɑ́lid] | 형 단단한, 고체의 | _____ rock 모의
 단단한 암석 |

| 25 | **shallow** [ʃǽlou] | 형 얕은, 피상적인 | _____ processing 모의
 얕은 사고 과정 |
| | **superficial** [sùːpərfíʃəl] | 형 깊이 없는, 피상[표면]적인 | a person's _____ qualities 모의
 사람의 피상적인 특성 |

| 26 | **aspect** [ǽspekt] | 명 측면, 양상 | incorporate _____s of yourself 수능
 여러분 자신의 측면들을 포함시키다 |
| | **feature** [fíːtʃər] | 명 특색, 특징, 특성 | universal _____s discovered in different cultures
 수능 다양한 문화에서 발견되는 보편적인 특징들 |

| 27 | **explode**
[iksplóud] | 동 폭발하다[폭파시키다] | after the space shuttle *Challenger* _____ d 모의
우주왕복선 'Challenger호'가 폭발한 후 |
| | **erupt**
[irʌ́pt] | 동 분출하다, 폭발하다 | when the Colombian volcano _____ ed in 1846 EBS
콜롬비아의 화산이 1846년에 폭발했을 때 |

| 28 | **extent**
[ikstént] | 명 정도[규모], 크기 | the _____ of protected land areas EBS
육지 보호 구역의 규모 |
| | **magnitude**
[mǽgnətjùːd] | 명 규모, 크기, 중요도 | the _____ of the difference 모의
그 차이의 크기 |

| 29 | **shatter**
[ʃǽtər] | 동 산산이 부서지다 | the sound of _____ ing glass
유리가 산산조각 나는 소리 |
| | **burst**
[bəːrst] | 동 터지다, 파열하다 | _____ into laughter 모의
웃음보를 터뜨리다 |

품사가 바뀌는 어휘 쌍

| 30 | **ideology**
[àidiálədʒi] | 명 이데올로기, 이념 | such powerful carriers of _____ 수능
매우 강력한 이데올로기의 전달자 |
| | **ideological**
[àidiəládʒikəl] | 형 사상적인, 이념적인 | the simple _____ messages 수능
간단한 이데올로기의 메시지들 |

| 31 | **deficient**
[difíʃənt] | 형 부족한[결핍된] | view ourselves as morally _____ 모의
우리 스스로를 도덕적으로 부족하다고 간주하다 |
| | **deficiency**
[difíʃənsi] | 명 결핍[부족] | experience a salt _____ 수능
소금 결핍을 경험하다 |

| 32 | **delicate**
[délikət] | 형 연약한, 섬세한 | require a more _____ touch 모의
더 섬세한 접촉을 요구하다 |
| | **delicacy**
[délikəsi] | 명 연약함, 섬세함 | the _____ of the fabric
그 천의 약한 특성 |

| 33 | **prophesy**
[práfəsài] | 동 예언하다 | _____ war
전쟁을 예언하다 |
| | **prophecy**
[práfəsi] | 명 예언 | a self-fulfilling _____ 모의
자기 충족적인 예언 |

TIP '예측하다'와 관련된 단어 predict 예측[예견]하다 forecast 예측[예보]하다 foretell 예언[예지]하다 divine (직감으로) 알다, 예측하다

 상식 다:품 모루밍(Morooming)족 '모바일(mobile)'과 '쇼루밍(showrooming)'의 합성어이다. 상품을 오프라인에서 보고 모바일로 구매하는 사람들을 일컫는 말로, 스마트폰의 보급과 편리한 모바일 결제 서비스의 발달로 등장한 사람들이다. 모바일을 통해 물건을 사면 다른 유통 경로를 이용할 때보다 더 저렴하기 때문에 모루밍족이 증가하고 있으며, 이에 따라 오프라인 매장은 온라인 쇼핑몰의 전시장(showroom)으로 변하고 있다.

Review

A 예비 영단어 또는 우리말 뜻 쓰기

1. morale _____
2. summon _____
3. bearable _____
4. chronic _____
5. trim _____
6. velocity _____
7. aspect _____

8. 양심 _____
9. 용맹한, 단호한 _____
10. 보내다[파견하다] _____
11. 오염시키다 _____
12. 예언 _____
13. ~대(對), ~에 대한 _____
14. 산산이 부서지다 _____

B 내신 필수 밑줄 친 단어와 의미가 같은 표현 고르기

1. It would be great if Congress settled their disagreements the same way. 모의

   ① shattered   ② dispatched   ③ resolved   ④ simulated

2. Arguments are the building blocks of philosophy, and the good philosopher is one who is able to create the best arguments based on a solid foundation. 모의

   ① firm   ② delicate   ③ valiant   ④ contagious

3. He emphasizes the need to go beyond a person's superficial qualities in order to understand them. 모의

   ① deep   ② earnest   ③ shallow   ④ deficient

4. If there is a difference, then the magnitude of the difference gives a clue as to how much genes are involved. 모의

   ① aspect   ② extent   ③ feature   ④ velocity

5. Experiments show that rats display an immediate liking for salt the first time they experience a salt deficiency. 수능

   ① frequency   ② sufficiency   ③ delicacy   ④ scarcity

▶ 정답 p. 269

C 수능 필수 문맥상 알맞은 단어 고르기

모의 1. You will find that the bits of paper or chalk dust cling / fling to the pen.

모의 2. This instinctive exchange gradually helped the sick twin to recover / debilitate and regain his health.

모의 3. An egg requires a more delicate / delicious touch than a rock.

EBS 4. When people are overloaded with work, group mortal / morale becomes much lower.

모의 5. Wearers become immersed in the computerized scene and use the gloves to pick up and move simulated / stimulated objects.

모의 6. Once the vegetation has started to recover, insects, birds and other animals will travel into the newly degenerated / regenerated area.

모의 7. Researchers have reported various nonverbal feathers / features of sarcasm.

EBS 8. To push the heavy door open, the old man had to sermon / summon all his remaining strength.

01 ★★☆
tangible
[tǽndʒəbl]

형 분명히 실재하는[보이는], 만질 수 있는

It is something _____, clearly defined and measurable. 모의
그것은 실체가 있고 분명히 정의되며 측정할 수 있는 어떤 것이다.

---

02 ★★☆
stain
[stein]

명 얼룩
동 얼룩지게 하다, 더럽히다

He laughed and wiped away the tear _____s from my face. 모의
그는 웃으면서 내 얼굴의 눈물 자국을 닦아 주었다.

---

03 ★★☆
tuition
[tʃuːíʃən]

명 수업, 교습

The _____ fee is $50 per person with a free personal locker. 모의
수강료는 1인당 50달러이고 개인용 사물함이 무료로 제공됩니다.

---

04 ★★★
startle
[stáːrtl]

동 깜짝 놀라게 하다

He was _____d, because she seemed to know what he was thinking about. 모의
그는 깜짝 놀랐는데, 왜냐하면 그가 생각하고 있는 것을 그녀가 알고 있는 것처럼 보였기 때문이었다.

---

05 ★★☆
via
[váiə, víːə]

전 ~을 경유하여[거쳐], 통하여

If you make your purchase by phone or online, a membership card will be sent _____ mail within 3 days. 모의
전화 또는 온라인으로 구매하시면 회원 카드가 3일 이내에 우편으로 발송될 것입니다.

---

06 ★★☆
subordinate
[səbɔ́ːrdənət]

형 종속된, 부수적인
명 하급자, 부하

Depending on the type of bridge and the site, it is _____ to the surroundings, or it makes a strong statement. 모의
다리의 유형과 지역에 따라, 다리는 주변 환경에 종속적이기도 하고, 강하게 드러나기도 한다.

---

07 ★★☆
wail
[weil]

명 울부짖음, 통곡
동 울부짖다, 통곡하다

The sound of a baby's _____ echoed down the corridor.
아기 울음소리가 복도를 따라 울려 퍼졌다.

---

08 ★★★
scope
[skoup]

명 기회, 능력, 범위

After identifying the existence of a problem, we must define its _____ and goals. 모의
문제의 존재를 확인한 후에 우리는 그 문제의 범위와 목적들을 정의해야 한다.

---

09 ★★☆
maturity
[mətʃúərəti]

명 성숙, 원숙, 완전한 발달

Forty years ago they had to wait until six or seven to reach _____. 수능
40년 전에 그것들은 성숙기에 도달하려면 6세 혹은 7세가 될 때까지 기다려야만 했다.

10 ★★★
undertake
[ʌ́ndərtèik]
동 착수하다, 시작하다

They decided to _____ their journey absolutely penniless.
EBS 그들은 완전히 무일푼으로 여행을 시작하기로 결심했다.

11 ★★☆
illuminate
[ilú:mənèit]
동 (~에 불을) 비추다, 밝히다

In theory, blue lights are more attractive and calming than the yellow lights that _____ much of the city at night. 모의
이론상으로 파란색 전등은 밤에 도시의 상당 부분을 밝히는 노란색 전등보다 더 매력적이고 차분하게 만든다.

12 ★★☆
stink
[stiŋk]
동 (고약한) 냄새가 나다, 악취가 풍기다

Being happy means that you recognize that life sometimes _____s. 모의
행복하다는 것은 삶이 때로는 악취를 풍긴다는 것을 인식하는 것을 의미한다.

13 ★★★
transmit
[trænsmít]
동 전송하다, 전달하다

Electric bulbs _____ light but keep out the oxygen. 수능
전구는 빛을 전달하지만 산소는 들어오지 못하게 한다.

14 ★★☆
trivial
[tríviəl]
형 사소한, 하찮은

The question seems _____. EBS
그 질문은 사소해 보인다.

15 ★★☆
ultimate
[ʌ́ltəmət]
형 궁극[최종]적인, 최후의

It is easy to do this when material wealth is elevated to the position of the _____ end. 수능
물질적 부유함이 궁극적인 목적의 위치로 높여질 때에 이렇게 하기 쉽다.

16 ★★★
wound
[wu:nd:]
명 상처, 부상
동 상처[부상]를 입히다

The slave searched for herbs to cure the lion's _____ and took care of the lion. 모의
그 노예는 사자의 상처를 치료해 줄 약초를 찾아서 그 사자를 돌봐주었다.

17 ★★☆
commemorate
[kəmémərèit]
동 기념하다

A statue has been built to _____ the 100th anniversary of the poet's birth. EBS
그 시인의 탄생 100주년을 기념하기 위해 동상이 세워졌다.

18 ★★☆
tangle
[tǽŋgl]
동 헝클리다, 헝클어지다

The muddy Flint River ran silently between walls of pine and water oak covered with _____d vines. EBS
탁한 플린트강은 담처럼 서 있는 소나무와 뒤엉킨 덩굴로 뒤덮인 떡갈나무 사이를 소리 없이 흘렀다.

STEP 2
Word Pairs
관련어 '쌍'으로 암기

19 inhibit
[inhíbit]
동 억제[저해]하다
encourage some uses and _____ others 수능
어떤 사용을 권장하고 다른 사용을 억제하다

prohibit
[prouhíbit]
동 금하다[금지하다]
_____ the use of these chemicals EBS
이 화학 물질의 사용을 금지하다

TIP '금지하다'를 나타내는 단어 forbid 금(지)하다 ban 금(지)하다 bar 금(지)하다 block 막다, 저지하다

20 attribute
[ətríbju:t]
동 (~을 …의) 결과로[덕분으로] 보다
_____ environmental damage to tourism 수능
환경 훼손을 관광산업의 탓으로 돌리다

contribute
[kəntríbju:t]
동 (~의) 한 원인이 되다, 기여하다
_____ to ecological decline 수능
생태계 쇠퇴의 원인이 되다

21 conceive
[kənsí:v]
동 상상하다, 생각하다
_____ what it must be like
그것이 어떤 모습이어야 하는지 상상하다

perceive
[pərsí:v]
동 감지[인지]하다
_____ the new behavior as safe or risky 모의
새로운 행동을 안전하다고 혹은 위험하다고 인지하다

22 dilute
[dilú:t]
형 묽은
동 희석하다, 묽게 하다
_____ vinegar 모의
묽은 식초

condense
[kəndéns]
동 농축되다[시키다], 응축하다
_____ a gas to a liquid
기체를 액체로 응축하다

23 emerge
[imə́:rdʒ]
동 나오다[모습을 드러내다], 일어나다
_____ from the fog
안개 속에서 모습을 드러내다

submerge
[səbmə́:rdʒ]
동 잠수하다, 물[액체] 속에 잠기다
be _____d beneath a lake 수능
호수 밑으로 잠기다

24 entail
[intéil]
동 수반하다
_____ many years of education and training 모의
상당 기간의 교육과 훈련을 수반하다

involve
[inválv]
동 수반[포함]하다
_____ improving the dull parts 모의
지루한 부분을 개선하는 것을 포함하다

25 equivalent
[ikwívələnt]
형 동등한[맞먹는]
the _____ of 2,000 nuclear bombs 모의
2천 개의 핵폭탄에 상당하는 것

identical
[aidéntikəl]
형 동일한, 똑같은
an _____ bottle of water 모의
똑같은 물병

26 hire
[haiər]
동 고용하다, 빌리다
_____ homeless people 모의
살 곳이 없는 사람들을 고용하다

engage
[ingéidʒ]
동 고용하다, 관여하다
be _____d as a copywriter
카피라이터로 고용되다

27 eminent
[émənənt]
형 저명한

an _____ psychiatrist EBS
저명한 정신과 의사

prominent
[prámənənt]
형 중요한, 유명한

_____ nineteenth-century composers 모의
저명한 19세기 작곡가들

28 decorate
[dékərèit]
동 장식하다, 꾸미다

_____ a cake 수능
케이크를 장식하다

ornament
[ɔ́:rnəmənt]
동 장식하다

a room richly _____ed with carving
조각으로 화려하게 장식된 방

29 enchant
[intʃǽnt]
동 황홀하게[넋을 잃게] 만들다

be _____ed by the beauty EBS
아름다움에 매혹되다

fascinate
[fǽsənèit]
동 마음을 사로잡다, 매혹[매료]하다

be _____d by the beautiful leaves and flowers 수능
아름다운 잎과 꽃에 마음이 사로잡히다

30 inspect
[inspékt]
동 점검[검사]하다

_____ your copier 모의
당신의 복사기를 점검하다

survey
[sərvéi]
동 살피다, 점검하다

_____ the damage
손상을 점검하다

TIP '점검하다'와 관련된 단어 check (무엇이 올바른지, 상태가 좋은지 등을) 점검[확인]하다 examine (무엇이 잘못되거나 문제가 될 만한 것이 없는지) 점검[검사]하다 go over (실수·손상·위험성 등을 확인하기 위해) 점검하다

31 hygiene
[háidʒi:n]
명 위생

problems with food _____ EBS
식품 위생의 문제들

sanitation
[sæənitéiʃən]
명 위생 시설[관리], 공중 위생

disease resulting from poor _____
열악한 위생 시설로 발생한 질병

32 anticipate
[æntísəpèit]
동 예상하다, 예측하다

_____ what might happen in the future 모의
미래에 일어날 수 있는 일들에 대해 예측하다

predict
[pridíkt]
동 예측[예견]하다

_____ team success 모의
팀의 성공을 예견하다

33 apparatus
[æpərǽtəs]
명 기구, 기계, 장치

some physical _____ 모의
몇몇 물리적인 도구

machinery
[məʃí:nəri]
명 기계(류), 기구, 장치

all dangerous equipment and _____ 모의
모든 위험한 장비와 기계들

 상식 다:품 셰어런츠(Sharents) 셰어런츠는 '공유하다'를 뜻하는 'share'와 '부모(parents)'의 합성어로, 블로그·트위터·페이스북 등 소셜 미디어에 자녀의 일거수일투족을 올리는 부모를 일컫는 말이다. 셰어런츠가 자녀의 일상을 소셜 미디어에 올리는 행위는 '셰어런팅(sharenting)'이라고 한다. 셰어런팅은 부모의 지위를 관심받기 위한 경쟁으로 변질시키는 현상으로 여러 가지 사회 문제를 낳고 있다.

A 예비 영단어 또는 우리말 뜻 쓰기

1. prohibit _____
2. tuition _____
3. condense _____
4. startle _____
5. scope _____
6. wail _____
7. identical _____

8. 착수하다, 시작하다 _____
9. 전송하다, 전달하다 _____
10. 묽은; 희석하다, 묽게 하다 _____
11. 상상하다, 생각하다 _____
12. 사소한, 하찮은 _____
13. 기념하다 _____
14. 상처; 상처를 입히다 _____

B 내신 필수 밑줄 친 단어와 의미가 같은 표현 고르기

1. He noted that large sections of the working classes were barred from entering skilled professions because they <u>entailed</u> many years of education and training. 모의

   ① startled　　　② transmitted　　　③ enlarged　　　④ involved

2. Some <u>prominent</u> journalists say that archaeologists should work with treasure hunters because treasure hunters have accumulated valuable historical artifacts. 수능

   ① trivial　　　② eminent　　　③ ultimate　　　④ subordinate

3. I was <u>fascinated</u> by the beautiful leaves and flowers of the mangroves. 수능

   ① engaged　　　② tangled　　　③ enchanted　　　④ commemorated

4. For both basketball and soccer, they found that top talent did in fact <u>predict</u> team success, but only up to a point. 모의

   ① mention　　　② undertake　　　③ anticipate　　　④ prevent

5. My grandmother <u>decorated</u> a cake with "HAPPY BIRTHDAY BETTY." 수능

   ① ornamented　　　② conceived　　　③ inspected　　　④ decoded

▶ 정답 p. 269

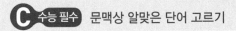 **문맥상 알맞은 단어 고르기**

수능 1. Their physical layout encourages some uses and inhabits / inhibits others; we do not go backstage in a theater unless especially invited.

수능 2. The impacts of tourism on the environment are evident to scientists, but not all residents attribute / contribute environmental damage to tourism.

모의 3. According to Peter Salovey, one of the originators of the concept of emotional intelligence, it depends on whether they receive / perceive the new behavior as safe or risky.

모의 4. Monopoly effects can also emerge / submerge in the labor market.

모의 5. In contrast to literature or film, it leads to 'real', tangible / intangible worlds, while nevertheless remaining tied to the sphere of fantasies, dreams, wishes — and myth.

수능 6. Young fish produce many fewer eggs than large-bodied animals, and many industrial fisheries are now so intensive that few animals survive more than a couple of years beyond the age of maturity / immaturity .

수능 7. Raising awareness of children from a very early age about the particular characteristics of SNS and the potential long-term impact of a seemingly important / trivial act is crucial.

수능 8. We define cognitive intrigue as the wonder that stimulates and intrinsically motivates an individual to voluntarily engage / encourage in an activity.

VOCA 다:품을 모두 끝낸 너를 칭찬해!

TWO THUMBS UP!

자, 한 권을 끝낸 소감을 쓰며 스스로를 돌아 봐. 어떤 방법이 가장 효과적이었어?

어려운 점은 뭐였어? 다음엔 어떻게 할까? 그리고 너를 향한 칭찬 한마디도 꼭!

VOCA 다:품

수능 기본 영단어

Answers

Day 1 pp. 12-13

A 1. 정확, 정밀, 꼼꼼함 2. 즉시의, 즉각적인 3. 풍부한 4. 의심 많은, 회의적인 5. 공격받기 쉬운, 취약한, 연약한 6. 짜증이 난, 화난 7. 기르다, 발전시키다, 촉진하다 8. accompany 9. disregard 10. persuasive 11. sympathetic 12. temporary 13. competitive 14. laboriously

B 1. ③ 2. ② 3. ④ 4. ① 5. ②

C 1. repetitive 2. bothering 3. clear 4. permanent 5. irrational 6. doubt 7. criticizing

 해석

B 1. Amy는 자신의 학교에서 다섯 명의 최우수 의대 졸업생 중 한 명으로 호명되어 매우 기뻤다.
2. 그 비디오를 보기 전에 그들은 평온하고 편안함을 느꼈다고 이야기했지만, 그 이후에 그들은 매우 불안해했다.
3. 사람들은 즉각적인 생산물을 선호하는 경향이 있다.
4. 많은 정보가 불분명하고 그 중 어느 것도 확인되지 않았다.
5. 선수 생활의 초기에 정신 능력 훈련을 도입하는 것은, 그들이 잠재 능력의 최고치까지 발달하도록 도울 기초를 놓을 수 있다.

C 1. 날마다 해야 하는 많은 학업이 지루하고 반복적이기 때문에, 여러분은 그것을 계속할 수 있는 많은 의욕이 필요하다.
2. 상담원은 (상담) 의뢰인에게 그들을 괴롭히고 있는 그 어떤 것과도 약간의 감정적 거리를 두라고 자주 충고한다.
3. 얼마나 일찍 아이들이 컴퓨터를 시작해야 너무 일찍 시작하는 것이 될까? 만약 아이가 한 살 미만이라면 대답은 분명하다. 왜냐하면, 아이의 시력은 화면에 집중할 수 있을 정도로 충분히 발달되지 않았고, 심지어 혼자 앉아 있을 수조차 없기 때문이다.
4. 일은 영구적이지 못할 수 있으며 여러분은 무수하게 많은 이유로 인해 일자리를 잃을지도 모르는데, 여러분은 그 이유 중 몇몇에 대해서는 아무런 책임도 없을 수 있다.
5. 진화적 성공의 관점에서 고려해 볼 때, 사람들이 하는 비이성적인 것처럼 보이는 선택들 중 많은 것들이 결국에는 그다지 어리석어 보이지 않는다.
6. 우리가 어떤 주장을 믿고 싶지 않을 때, 우리는 "내가 그것을 믿어야만 하나?"라고 자신에게 묻는다. 그런 후에 우리는 정반대의 증거를 탐색하고 만일 우리가 그 주장을 의심할 단 한 개의 이유라도 발견하면 그 주장을 무시할 수 있다.
7. 실험 대상자들은 지능검사에서 자신이 낮은 점수를 받았다고 들었을 때, 그들은 지능검사의 타당도를 비판하는 기사를 읽기로 선택한다.

Day 2 pp. 18-19

A 1. 모순되다, 부정하다, 반박하다 2. 고립, 분리, 격리 3. 직감[직관]적으로 4. 드러내다, 밝히다, 폭로하다 5. 신성한, 성스러운 6. 희생, 제물 7. 무관심한, 무심한 8. interference 9. concerned 10. triumphant 11. conceal 12. solemn 13. hardship 14. forbid

B 1. ② 2. ② 3. ③ 4. ① 5. ④

C 1. concealed 2. allows 3. connectedness 4. thankful 5. hardship 6. avoid 7. assistance

 해석

B 1. 그녀는 자신의 학문적 성과에 기뻐하며 자리로 돌아왔다.
2. 다수의 심리학 직종이 슬픔을 관리하고 완화시키는 일에 활용된다.
3. 저희 서비스에 관해서 저희에게 보내 주셨던 편지에 대해 감사를 드립니다.
4. 사람들이 어디를 보는지는 어떤 환경적 정보에 그들이 주목하고 있는지를 드러내기 때문에, 눈의 움직임이 마음을 들여다보는 창이라고들 말해 왔다.
5. 고등학교 운동장은 화려한 드레스와 정장을 입고 즐거운 사진사들을 위해 자세를 취하는, 옷을 잘 차려입은 사람들로 가득 찼다.

C 1. 그 소설은 영웅들의 내면화된 인생 이야기 속에서 숨겨진 인생의 전체를 드러내고 구성한다.
2. 일을 더 잘하거나 최소한 다르게 하는 사람들을 벤치마킹할 수 있게 해 주는 과정이 없는 상태에서, 교사들은 하나의 시각, 즉 자신의 시각만을 갖게 된다.
3. 소셜 텔레비전 시스템은 서로 다른 장소에 있는 TV 시청자들 사이의 사회적 상호 작용을 가능하게 한다. 이 시스템들은 TV를 이용하는 친구들 사이에 더 큰 유대감을 만드는 것으로 알려져 있다.
4. 많은 성공적인 사람들은 잠들기 직전, 낮 동안에 일어났던 고마운 세 가지 일들에 대해 돌아보거나 적어 보는 시간을 가진다. 감사하는 일들에 대해 일기를 쓰는 것은 그들이 그날 이룬 발전을 떠올리게 한다.
5. 그날 하루가 얼마나 힘들었는지에 관계없이, 일기를 쓰는 것은 특히 그들이 어려움을 겪을 때 동기를 유지하도록 해 주는 핵심적인 역할을 한다.
6. 성공적인 사람들은 대개 부정적인 자기 대화의 덫을 피한다. 왜냐하면, 그것이 더 많은 스트레스를 유발할 뿐이라는 것을 그들이 알기 때문이다.
7. 최신 연구는 정서적 체계가 여러분이 좋고 나쁜 것 사이에서 빨리 선택하도록 돕고, 고려해야 할 것들의 수를 줄여주면서 여러분의 의사 결정에 결정적인 도움을 준다는 것을 보여 준다.

Day 3 | pp. 24-25

A 1. 선입견을 가진, 편향된 2. 줄어들다 3. 당황한, 창피한, 난처해하는 4. 드문, 보기 힘든, 희귀한 5. 부적절한, 부적합한 6. 깜짝 놀란, 겁먹은 7. 오류를 증명하다, 논박하다 8. disadvantage 9. intolerance 10. testify 11. unintelligent 12. risky 13. distracted 14. inaccurately

B 1. ③ 2. ④ 3. ② 4. ④ 5. ②

C 1. overlook 2. narrowly 3. controlling 4. rare 5. advantage 6. natural 7. accurately

 해석

B 1. 그들은 아주 다양한 분야에서 성공적인 것으로 인정받아 온 사람들을 인터뷰했다.
2. 제품 통합이 보편화됨에 따라 사용자 수요가 증가할 것으로 예상된다.
3. 글을 쓰는 너무 많은 사람이 '논리적'이라는 용어를 연대기적이라는 의미라고 해석하고, 보고서와 논문을 이전 작업에 대한 주의 깊은 재검토로 시작하는 것이 습관이 되었다.
4. 갈릴레오 작품의 주된 부분이 아리스토텔레스가 틀렸음을 입증하는 것에 할애되었다.
5. 줄어드는 포도주 소비에 대한 한 가지 이유는 프랑스인의 식사 속도가 빨라진 것이다.

C 1. 우리는 왜 학교와 대학이 세상 물정에 밝은 사람들의 지적 잠재력을 간과하는지에 대한 주요한 이유 중 하나를 고려하지 않는다. 말하자면 우리는 이러한 세상 물정에 밝은 사람들을 반지성적인 근심거리와 연관시킨다는 사실이다.
2. 우리는 교육받은 삶, 지성인의 삶을 우리가 본질적으로 중요하며 학문적이라고 고려하는 과목과 교과서에 지나치게 좁게 연관시킨다.
3. 기대감이 더 높아질수록 만족감을 느끼기는 더욱 어려워진다. 우리는 기대감을 통제함으로써 삶에서 느끼는 만족감을 향상시킬 수 있다.
4. 역사가와 같은 직업은 드문 직업이고, 이것이 아마 여러분이 역사가를 만나본 적이 없는 이유가 된다.
5. 갈등을 덜어 주는 좋은 방법은 말다툼이다. 그것은 이점을 갖고 있다. 화가 날 때, 입 밖에 내지 않은 진실이 일반적으로 나오게 된다. 그것들은 특히 그 순간에 약간 감정을 상하게 할 수도 있다. 그러나 끝에 가서는 서로를 조금 더 잘 알게 된다.
6. 아이들 간의 갈등과 싸움의 대부분은 자연스러운 것이다. 그것들이 지속적인 것처럼 보일 때조차, 현명한 부모는 지나치게 걱정하지 않는다.
7. 자존감이 낮은 사람들은 자주 자신의 능력을 과소평가한다. 그리고

직장에서의 나쁜 평가나 아는 누군가로부터의 무례한 말과 같은 부정적인 피드백을 받을 때, 그들은 그것이 자신의 자존감을 정확하게 반영한다고 믿을 가능성이 있다.

Day 4 | pp. 30-31

A 1. 명백히 하다, 분명하게 하다 2. 유익한, 교육적인, 교훈적인 3. 질투하는, 시샘하는 4. 분명한, 명백한 5. 확대하다, 과장하다 6. 경쟁하다 7. 감탄하는, 대단하게 여기는 8. essence 9. destructive 10. delighted 11. availability 12. diversify 13. reliability 14. favorable

B 1. ③ 2. ② 3. ③ 4. ① 5. ④

C 1. eliminated 2. undermined 3. benefits 4. accelerate 5. magnify 6. hurts 7. unavailability

 해석

B 1. 할당 표본 추출에도 정말 결점이 있다.
2. 모든 디자인 과정의 첫 번째 단계는 문제 상황을 인식하고 그에 대한 해결책을 찾아내려는 결정이다.
3. 불안은 지성을 약화시킨다.
4. 어떤 사람들은 동물들의 이성, 자주성 혹은 지성의 결핍 때문에 동물이 인간보다 더 적은 내재적 가치를 가진다고 생각한다.
5. 정부는 긍정적 시장 이미지를 증진하기 위해 주민들 사이에서 방문객에 대한 우호적인 태도를 촉진하는 인식 제고 운동을 벌일 수 있고 실제로 흔히 하고 있다.

C 1. 수많은 자기계발서는 일반적으로는 부정적인 감정, 특히 슬픔을 제거될 필요가 있는 '문제적 감정'의 범주로 지정하면서 긍정적 사고와 긍정적 행동의 장점을 장려한다.
2. 내가 자만심으로 나의 나이에 대해 거짓말을 하고 나의 거짓말이 밝혀진다면, 비록 심각한 손해는 끼치지 않았을지라도 나는 일반적으로 당신의 신뢰를 약화시켰을 것이다.
3. 모든 거짓말은 밝혀졌을 때 간접적인 해로운 영향을 미치게 된다. 그러나 매우 가끔 어떤 거짓말에서 발생한 이로움이 이러한 해로운 영향들보다 더 클 수도 있다. 예를 들어 누군가가 심각하게 아프다면 그들의 수명에 대해 그들에게 거짓말하는 것은 그들에게 더 오래 살 기회를 줄 수도 있다.
4. 그들에게 진실을 말하는 것은 아마도 그들의 신체적 쇠약을 가속화하는 우울함을 유발할 수도 있을 것이다.
5. 때때로 자신에 대한 우리의 판단은 터무니없이 부정적이다. 몇몇 연구는 자존감이 낮은 사람이 자신의 실패를 확대하는 경향이 있다는 것을 보여주었다.

6. 자존감이 낮은 사람은 우울해질 위험이 평균보다 높다. 이것은 한 개인의 정신적 그리고 정서적 안녕뿐만 아니라 그 사람의 신체적 건강과 사회적 관계의 질 또한 해친다.

7. 사람은 장기적인 관계를 목표로 하고 있는 사람에게 자기 자신을 항상 쉽게 만날 수 있게 해서는 안 된다. 일정 정도의 만날 수 없음이 여러분을 더욱 신비롭고 도전적인 존재로 만들어 줄 것이다.

Day 5 | pp. 36-37

A 1. 휴식, 휴업 2. 타협, 화해, 양보; 타협하다 3. 부당한, 불공평한 4. 속이다, 기만하다 5. 일관성, 한결같음 6. 창고, 저장소 7. 영향력 있는, 영향력이 큰 8. realm 9. intentionally 10. affection 11. tribute 12. variation 13. stereotype 14. dormitory

B 1. ③ 2. ② 3. ③ 4. ④ 5. ②

C 1. unjust 2. ensuring 3. active 4. lack 5. deconstruct 6. automatically 7. consistency

 해석

B 1. 인간과 개 양쪽 모두의 뇌는 한 번에 한 가지 감각을 증강하는 경향이 있다.

2. 인간의 말하는 능력이 발달함에 따라, 우리의 먹잇감을 속이고 포식자를 속이는 능력뿐만 아니라 다른 인간들을 속이는 능력 역시 발달했다.

3. 사무직원들은 전화벨 소리, 급작스러운 회의, 그리고 떠들어대는 동료들 때문에 주기적으로 방해를 받는다.

4. 고대의 성곽 중 어느 것도 직경 5킬로미터보다 더 넓은 범위를 에워싸지 않았다.

5. 역진행 수업을 시행하는 교육자들은 학생들의 학습 일정표에 대한 예상과 학생들의 학습 평가에서도 융통성이 있다.

C 1. Dworkin의 관점에서 정의는 한 사람의 운명이 운이 아닌 그 사람의 통제 내에 있는 것들에 의해 결정되는 것을 요구한다. 행복에서의 차이가 개인의 통제 밖에 있는 환경에 의해 결정된다면, 그 차이는 불공평하다.

2. 우리는 기회의 평등 또는 기본적인 자원에의 접근의 평등을 보장함으로써 행복의 불평등을 제거하기 위해 노력해야 한다.

3. 만약 우리가 부정적으로 느끼고 있다면, 우리가 일상생활에서 활동적인 상태이고 싶어 하는 것을 멈추기가 매우 쉬울 수 있다.

4. 우울증을 겪는 많은 사람들이 계속 잠을 자고, 외출하거나 운동을 하려는 동기가 없는 것으로 발견된다. 불행히도, 이러한 운동의 부족이 실제로 많은 부정적인 감정을 악화시킬 수 있다.

5. 운동과 움직임은 사실상 당신이 하는 매우 건강하고 긍정적인 일이며, 그것(부정적인 감정)들이 더는 당신의 삶에 영향을 미치지 않고 관계를 해치지 않도록 당신이 자신의 부정적인 감정들을 해

체하기 시작하는 훌륭한 방법이다.

6. 연구자들은 실험 대상자들이 각각의 활동에서 무의식적으로 같은 생리학적 강도를 목표로 할 것을 발견하리라고 예상했다. 어쩌면 그들은 어떤 기계를 사용하고 있는지와 관계없이 무의식적으로 최대 심박 수의 65퍼센트로 운동할 것이었다.

7. 지도 위의 선의 정밀성, 기호가 사용되는 일관성, 지명이 쓰이고 배열되는 외관상의 확실성, 그리고 범례와 축척의 정보 등 모든 것은 지도에 과학적인 정확성과 객관성의 분위기를 부여한다.

Day 6 | pp. 42-43

A 1. 치료(약), 요법, 해결책; 치료하다, 개선하다 2. 그에 따라, 그러므로 3. 세분화된 4. 제공하다, 갖추다 5. 동종의, 동질의 6. 임의적인, 자의적인, 멋대로인 7. 헛된, 결실[성과] 없는 8. inseparable 9. easygoing 10. regime 11. productive 12. rationalize 13. resistant 14. fortune

B 1. ③ 2. ① 3. ② 4. ③ 5. ②

C 1. concentrated 2. subdivided 3. rationalizing 4. mental 5. satisfied 6. free 7. dependently

 해석

B 1. 뇌 가소성이라는 특성이 발달 과정 동안 가장 뚜렷함에도 불구하고, 뇌는 평생에 걸쳐 변화할 수 있는 상태로 남아 있다.

2. 신입사원들에게는 새로운 역할을 쉽게 하는 데 필요한 모든 정보가 제공된다.

3. 인터넷이 사고(思考)의 보조물[보조재료]로 여겨질 수 있는 단 하나의 영역은 새로운 정보의 신속한 습득이다.

4. B 유형의 성격을 가진 사람들은 경쟁심이 그다지 강하지 않고 항상 시간에 쫓기지도 않기에 느긋하고 태평하다.

5. 카본 싱크의 가치는 초과한 이산화탄소를 제거함으로써 대기 안의 평형 상태를 만드는 데 도움을 줄 수 있다는 것이다.

C 1. 민주주의에 대해 지속적인 관심이 있었던 그는 기업에서든, 정치적 지도자들에게서든, 혹은 배타적인 정치 제도에서든 집중된 권력의 위험성을 이해하는 데 선견지명이 있었다.

2. 결국, 그는 국가가 '(지방 의회 구성단위가 되는) 구'로 세분되어야 할 필요성을 인식했는데, '구'는 그곳에 사는 모든 사람이 정치적인 과정에 직접 참여할 수 있을 정도로 작은 정치 단위였다.

3. 일부 코치들은, 정신 능력 훈련(MST)이 고도로 숙련된 선수들의 기량을 완벽하게 하는 데만 도움이 될 수 있다고 잘못 믿고 있다. 그 결과, 그들은 자신이 엘리트 선수를 지도하고 있지 않으므로 MST가 덜 중요하다고 합리화하면서 MST를 피한다.

4. 사실상 높은 경쟁 수준에서는 모든 선수가 성공할 수 있는 신체 능력을 갖추고 있다. 결과적으로 정신적 요인에서의 어떠한 작은 차이라 하더라도 경기력의 결과를 결정하는 데 지대한 역할을 할

수 있다.

5. 관객들은 실제 삶에서든 영화에서든 다른 사람의 이목구비의 움직임을 자세히 관찰하는 습관을 지니고 있지 않다. 그들은 자신들이 보는 것의 의미를 이해하는 것으로 만족해한다.

6. 현실에서는 불완전하게 인식되고, 그저 암시되기만 하며, 다른 것들과 뒤엉킨 것들이 예술 작품에서는 완전하고, 온전하며, 관계없는 문제들로부터 자유로운 것처럼 보인다.

7. 사람들이 의존적으로 다른 사람과 함께 일할 때, 군중의 지혜는 종종 집단의 우매함으로 바뀐다.

A 1. 폭로, 발각, 털어놓은 이야기 2. ~보다 오래 가다 3. 평가
4. 어설픈, 서투른, 눈치 없는 5. 신진대사, 물질대사 6. 기존의, 틀에 박힌, 전통적인 7. ~이 되게 만들다, 제공하다, 표현하다
8. concise 9. integrity 10. federal 11. hesitating
12. mortgage 13. ethnic 14. retarded

B 1. ① 2. ③ 3. ② 4. ④ 5. ②

C 1. determined 2. convergence 3. cautious 4. precise
5. inconsistent 6. external 7. respondents

 해석

B 1. 2010년과 2015년 두 해 모두 채식주의자 고기 대용품 판매는 네 가지 유형의 윤리적 농산물 중에서 가장 적었다.

2. 비록 전체 인구가 설문을 받았다고 할지라도, 소수점 둘째 자리까지 그 결과를 주는 것은 터무니없는 것일 것이다.

3. 걱정에 빠지기 쉬운 사람일수록 학업 성취도가 더 부진하다.

4. 관찰된 언어적, 비언어적 행동에 대한 두 가지 가능한 해석을 마련하고, 여러분이 내린 평가의 정확성을 결정하기 위하여 그것에 대한 설명을 찾을 수 있는지 알아보라.

5. 훨씬 더 심각한 예는 썩어가는 빈민가를 '표준 이하 주거'라고 묘사하는 것을 포함하고 있는데, 이는 비참한 상태를 적당해 보이도록 하고 조치의 필요성이 덜 중요하게 만든다.

C 1. 토요일 오후를 가족과 함께 편안하게 쉬면서 보낼 것인지 아니면 운동을 하면서 보낼 것인지 정하는 것은 가족 대 건강에 대해 여러분이 부가하는 상대적 중요성에 의해 결정될 것이다.

2. 모바일 기술과 인터넷의 융합은 기업이 소비자와 상호작용하는 방식을 지속적으로 혁신할 것이다.

3. 그녀의 외아들은 항상 그녀의 관심의 초점이었으며, 그녀는 시장에서 그를 잃어버리지 않으려고 조심했다.

4. 법정 안에서 법적 절차 과정에서 관련된 사람들의 정확한 위치는 설계의 필수적인 부분이며 법이 유지되는 것을 확실히 하는 꼭 필요한 부분이다.

5. 변화를 인식함에 있어, 우리는 가장 최근의 변화를 가장 혁명적인

것으로 여기는 경향이 있다. 이는 종종 사실과 일치하지 않는다. 통신기술에 있어서 최근의 발전은 19세기 말에 일어났던 발전보다 상대적으로 더 혁명적이지는 않다.

6. 외적인 보상을 통제하는 체제를 가진 지배적인 가르침이 질 낮은 학습의 원인이 될 수도 있다는 30년간의 증거가 있으므로, 내적인 동기 부여 이론에 기초를 둔 교수법을 사용하는 것이 문화적으로 다양한 학생들 사이에서 학습을 증진시키는 데 더 효과적인 접근법인 것 같다.

7. 두 개의 파이 도표들은 2012년에 검색 엔진을 사용해서 찾은 정보 중 얼마나 많은 것이 두 집단의 응답자들에 의해 정확하거나 신뢰할 만하다고 여겨지는지를 보여준다.

A 1. 개념, 관념, 생각 2. 의식하는, 자각하는 3. 방향, 지시, 감독
4. 졸리는 5. 의심할 여지없이, 분명히 6. 흑자, 과잉, 여분 7. 유아의; 유아, 아기 8. plea 9. drought 10. assent 11. retire
12. blunt 13. deficit 14. inevitable

B 1. ③ 2. ② 3. ③ 4. ④ 5. ②

C 1. conscious 2. deficits 3. sharp 4. curb 5. former
6. complement 7. collective

해석

B 1. 그들이 제안한 조건에 찬성할 사람은 아무도 없을 것이다.

2. 공간과 식량이 부족할 때, 송어는 더 작은 크기를 유지하고 더 느리게 번식한다.

3. 그들은 자신들의 소송을 변호하도록 최고 변호사를 고용했다.

4. 그 매듭은 풀기가 불가능한 그런 방식으로 묶여 있었다.

5. 과학에 관해 특징적인 점은 부정적인 사례들을 찾는 것, 즉 하나의 이론이 옳다는 것을 증명하기보다 오히려 그것이 잘못된 것임을 입증할 방법을 찾는 것이다.

C 1. 덜 의식적으로 검토한 후 서재용 가구를 선택했던 사람들은 매우 주의 깊게 검토한 후 구매했던 사람들보다 더 만족했다.

2. 사람과 쥐 모두 자신의 섭식 행동을 물, 열량, 소금의 부족에 대응하여 적절히 조정한다. 실험에서는 쥐가 소금 결핍을 처음 경험할 때 소금에 대한 즉각적인 선호를 보이는 것으로 나타난다.

3. 한 무더기의 바싹 마른 갈색의 전나무 잎이 나무 아래 쌓여 있었고 그 날카로운 전나무 잎이 내 몸에 주었던 고통을 상상할 수 없을 것이다.

4. 우리가 분노와 우리의 부정적인 생각과 감정을 억제할 필요가 있다고 말하는 것은 우리의 감정을 부정해야 함을 의미하지는 않는다.

5. 그 호수가 겪은 심한 기후 변화와 담수의 유입량을 초과한 계속된 증발로 인해 호수의 크기가 이전의 20분의 1로 줄어들었다.

6. '풍수'는 건물이 자연 지형을 보완하는 특징적인 중국의 경관을 형성하는 데 일조해 왔다.
7. 과학적 의사전달의 기준은 지식은 학문 분야의 전문가들에게 정당성을 인정받지 않은 한 지식이 아니라는 것을 전제한다. 과학적 진실은 집단의 산물이 아닌 한 설 자리가 거의 없다.

Day 9
pp. 60-61

A 1. 분명히, 절대로, 확실히 2. 계란형의, 타원형의; 타원형
3. 윤리적인, 도덕적인 4. 반대의, 역전된; 뒤바꾸다, 뒤집다, 되돌리다 5. 필수의, 의무적인, 강제적인 6. 깨우다, 불러일으키다
7. 되살리다, 부활시키다 8. relevant 9. retort 10. routine
11. revenge 12. irrigation 13. devotedly 14. compulsive

B 1. ① 2. ④ 3. ② 4. ② 5. ③

C 1. arouse 2. compulsory 3. reversed 4. disagree
5. comparative 6. retail 7. extraordinary

 해석

B 1. 조사관으로서, 나는 Puerto Rico의 비극적인 호텔 방화 사건의 조사를 돕기 위해 eye-blocking 행동을 활용했다.
2. 결과적으로, 부모가 제공해 주는 물리적 음식뿐만 아니라 심리적·사회적 음식은 모두 건강해야 하는데, 그렇지 않으면 그 아이들은 부모의 건강에 해로운 (삶의) 형태를 반복하는 것을 배우게 된다.
3. 이것은 (걸음마를 배우는) 아기들 사이의 끊임없는 싸움으로 문제를 겪고 있는 부모들의 일상적인 경험이다.
4. 노련한 무술인들은 그들의 경험을 필수적인 것과 무관한 것을 걸러내는 여과기로 사용한다.
5. 몇몇 연구원들은 협동하려는 욕구가 인류에게 그저 선천적인 것이라고 생각한다.

C 1. 건물은 이러한 투사된 경험을 통해서 우리 마음속에 공감할 수 있는 반응을 불러일으키며, 이러한 반응의 강도는 우리의 문화, 믿음, 기대에 의해 결정된다.
2. 이러한 예비적인 구조적 분석과 조형물을 위해 선정된 장소에 대한 얇은 설계 작업에 들어가기 전에 필수적인데, 그것은 특정 장소에의 성공적인 통합을 위한 요건이다.
3. 일반적으로 원형 배치는 사람들의 소속 욕구를 활성화했다는 것을 연구는 알아냈다. 그러나 이런 효과는 좌석 배치가 각지거나(L자 모양을 생각하라) 사각일 때 뒤바뀌었다. 이런 좌석 배치는 고유성에 대한 사람들의 욕구를 활성화하는 경향이 있었다.
4. 몇몇 사람들은 세 살 아이를 컴퓨터에 노출시키는 것에 대해 동의하지 않는다. 그들은 부모가 컴퓨터 대신 독서, 스포츠, 놀이와 같은 전통적인 방식으로 아이들에게 자극을 줘야 한다고 주장한다.
5. 몇 년을 비교적 안전하게 지낸 뒤에 다른 종류의 재난이 큰바다 쇠오리에게 타격을 주었다.

6. 농부가 소비자에 직접 접근하면 판매를 통해 벌어들인 매 1달러 중에서 더 많은 수익을 가져갈 수 있는데, 이는 중간 상인이 없어지기 때문이다. 이것은 생산자의 수익을 증가시키고 이들의 농장이 전통적인 소매 체인점에 견줄 만한 경쟁력을 유지하게 한다.
7. 사람들이 평형을 이루는 경향성보다도 더 강력한 방법들을 사용하여 개입하는 방식들을 알아내는 특별한 예들을 제외하고는, 우리의 습관, 행동, 사상, 그리고 삶의 질은 거의 동일하게 유지된다.

Day 10
pp. 66-67

A 1. 적절성, 타당성, 예절 2. 세입자, 거주자, 주민 3. 혼잡, 밀집, 정체 4. 가난, 빈곤 5. 평판, 명성 6. 집회, 회의, 협정 7. 고정된, 정지 상태의; 잡음, 정전기 8. precaution 9. satire 10. rust
11. accommodate 12. burnout 13. bulletin 14. variability

B 1. ① 2. ② 3. ③ 4. ② 5. ④

C 1. reputation 2. decay 3. occupied 4. static
5. caution 6. emphasizes 7. gross 8. premature

 해석

B 1. 나는 그 상황에 대해 자세히 알아보고 직원들을 대상으로 한 추가적인 고객 서비스 훈련을 계획하였다.
2. 그 남자는 밭에 씨를 뿌릴 것이다.
3. 그들은 수많은 반짝이는 별들이 박힌 밤하늘을 말없이 응시하였다.
4. 계속 고정되어 있던 주식 시장의 주가가 이제 다시 오르고 있다.
5. 우리가 적절한 영양, 운동, 휴식을 통해서 우리의 몸을 관리하는 데 실패하는 '죄'를 저지를 때, 우리는 인생의 중요한 것의 과녁에서 빗나가고 있는 셈이다.

C 1. 초기의 잇단 실패에서 회복한 후, 에디슨은 위대한 발명가로 자신의 명성을 되찾았다.
2. 더 윤택한 상황에 있는 브리슬콘 소나무는 더 빨리 자라지만 더 일찍 죽고 곧 썩는다.
3. 모든 최적의 장소는 이미 찼다.
4. 움직이는 꽃들은 정적인 다른 꽃들보다 꽃가루 매개 곤충들의 방문을 더 자주 받는다.
5. 침팬지들은 모두 등의 털을 곤두세운 채로 울타리로 둘러싸인 구역에 들어갔고 극도로 신중하게 위험 지역에 접근하여 손 대신 막대기로 나뭇잎이 쌓인 곳을 쿡쿡 찔렀다.
6. 은퇴한 FBI 범죄 심리 분석관인 Mary Ellen O'Toole은 그들을 이해하기 위해 사람의 피상적인 특성을 넘어설 필요성을 강조한다.
7. 나의 친구는 과학적인 발전이 전쟁과 기아를 없앰으로써 세상의 불행을 치유하지 못했다는 것과, 엄청난 인간 불평등이 아직도 널리 퍼져 있으며, 행복이 보편적이지 않다는 것에 실망했다.
8. 결과가 아직 알려지지 않은 점을 고려하면 그들의 비판은 시기상조인 것 같다.

A 1. 제지하다, 억제하다 2. 조종하다, 조작하다, 다루다 3. 고안하다, 발명하다 4. 굳어지다, 굳히다 5. 세련된, 윤이 나는 6. 지질학 7. 고발하다, 기소하다, 비난하다 8. portray 9. device 10. incompetent 11. transgenic 12. preoccupation 13. divisible 14. leakage

B 1. ④ 2. ③ 3. ① 4. ② 5. ②

C 1. capable 2. prefer 3. manipulated 4. imaginary 5. restricted 6. devise 7. portrays

 해석

B 1. 전형적인 설명에 의하면 나무는 뿌리가 깊고, 반면에 풀은 뿌리가 얕다.
2. 도둑질하는 이런 벌은 이상한 낌새를 못 챈 (숙주라 알려진) '보통' 벌의 집으로 슬며시 들어가서 숙주 벌이 자기 자신의 새끼를 위해 모으고 있는 꽃가루 덩어리 근처에 알을 낳는다.
3. 몇 명의 사람이 체포되었지만 아무도 기소당하지는 않았다.
4. Apelles는 참을 수가 없었는데, 그는 그 비판이 부당하고 그 남자는 해부학적 구조에 대해 아무것도 모른다는 사실을 알고 있었기 때문이었다.
5. 그는 적절한 가격에 그 조각품을 사게 되어 기뻤다.

C 1. 인간은 도구들을 올바르게 조작하고 그것들을 적절하고 유용한 위치에 설치하는 데 있어서 훨씬 더 많은 능력을 지니고 있다. 컴퓨터는 동일한 지역적인 혹은 환경적인 요소들을 관리하는 데 있어서 인간보다 민감하지도 못하며 정확하지도 않다.
2. 단지 찻잎이 단단히 말려 있지 않다는 이유로 그 차의 음용 가능성과 맛을 평가해서는 안 된다. 사람들이 단단하게 말린 더 비싸거나 더 높은 등급의 홍차보다 더 느슨하게 말린 홍차의 맛을 선호하는 것을 발견하는 것은 흔하다.
3. 그들의 연구에서, 그들은 스포츠에서 신체가 어떻게 훈련되고, 단련되며, 다루어지는지에 대한 중요한 질문을 하고 있다.
4. 비록 어떤 사람들은 오직 외로운 사람들만이 가상의 놀이 친구들과 논다고 생각해 왔지만, 우리의 연구는 이러한 것들을 발명해내는 아이들이 종종 대단히 우수하고 상상력이 풍부한 아이라는 점을 매우 명백히 한다.
5. 식물은 대략 3/4에 이르는 질소로 구성된 환경 속에 둘러싸여 있지만, 그들의 성장은 질소 부족에 의해 제한되는 경우가 빈번하다.
6. 도덕적 상상력을 발휘하는 것은 다른 사람들을 돕는 창의적이고 혁신적인 방법을 고안하기 위해 우리의 지성을 사용하는 것을 의미한다.
7. 뉴스 기사가 독자에게 엄청난 신뢰를 받고 있기 때문에, 그것은 큰 위험이 될 수 있다. 만약 뉴스 보도가 취재 대상을 사회적으로 일탈했다거나 아니면 도덕적으로 부적절하다고 묘사하면, 그 결과로 생기는 오명은 심각하고 오래갈 수 있다.

A 1. 고유한, 본래부터의, 타고난 2. 공정한, 치우치지 않은 3. 기질, 성질 4. 고장, 실패, 붕괴, 몰락 5. 강렬한, 극도의, 극심한 6. 뚜렷한, 분명한, 별개의 7. 널찍한, 넓은 8. evaporate 9. immortal 10. linger 11. endorsement 12. farewell 13. chamber 14. parental

B 1. ③ 2. ② 3. ① 4. ③ 5. ①

C 1. impartial 2. mortal 3. frantic 4. mature 5. grumbling 6. distinct 7. vicious 8. spatial

 해석

B 1. 그들이 서로를 용서하지 못하는 것이 의사소통의 완전한 실패를 초래했다.
2. 고립 상태에서는 희망은 사라지고 절망이 지배하며, 당신은 더는 자신을 가두는 눈에 보이지 않는 벽 너머로 삶을 바라볼 수 없게 된다.
3. 그 나라에서는 삼림 벌채가 중단될 예정이다.
4. 사실, 사람들은 공격적인 행동이나 수동적인 기질과 같은 성격 요인을 설명하기 위해 출생 순서를 사용해 왔다.
5. 여기에서 단지 미각에만 국한되지 않고, 후각, 촉각, 그리고 청각도 포함하는 복합적인 감각 분석을 토대로, 음식의 섭취나 거부에 대한 최종 결정이 이뤄진다.

C 1. 부모가 항상 공정한 것은 아니며, 따라서 아이들이 싸울 때 유능한 심판이 될 수 없다.
2. 배가 가라앉기 시작하자 그들은 자신들이 치명적인 위험에 처해 있다는 것을 깨달았다.
3. 그 전화는 도움이 절실히 필요하여 안절부절못하는 고객으로부터 걸려왔다.
4. 아이들은 우리가 보고 있지 않는 동안 무력한 아기들에서 성숙한 어른들이 된다.
5. 그는 직장에서 아주 험한 대우를 받는다고 내게 늘 투덜거린다.
6. 디자인과 스타일링이 서로 관련되어 있지만, 그것들은 완전히 별개의 영역이다.
7. 불행하게도 이러한 회피 때문에 그 아이는 자신의 수학 기술을 발전시키지 못하고, 따라서 자신이 갖춘 능력을 개선하지 못하게 되며, 그래서 악순환이 시작된 것이다.
8. 경험이 많은 택시 기사들의 뇌에서는, 공간 표상을 기억해내는 데 특화된 부분이 비정상적으로 커져 있다.

A 1. 유력한, 강력한 2. 고려하다, 생각하다, 응시하다 3. 당뇨병 4. (약의) 1회 복용량, 투여량 5. 늪, 습지 6. 고독, 쓸쓸한 곳 7. 오만한, 거만한 8. dwell 9. sewage 10. terrain 11. doze 12. cherish 13. diminution 14. dismal

B 1. ② 2. ① 3. ③ 4. ④ 5. ③

C 1. mediating 2. dose 3. arrogant 4. contracts 5. diminished 6. retain 7. disastrous

 해석

B 1. 그들은 자기 부모들의 행동의 많은 부분을 본받고 반(半) 무의식적으로 받아들여서 그것은 그들 자신의 것이 된다.
2. 불쾌한 냄새에 둘러싸인 채, 붐비는 대피소의 구석 바닥에 누워 나는 잠들 수 없었다.
3. 그 장소는 그의 음울한 기분을 반영했다.
4. 그는 거기에 구체적인 설명 없이 그의 많은 소장품을 전시하였다.
5. 꿈은 적절하게 해석되면 우리가 미래를 예지할 수 있게 해 주는 예언적인 의사소통 수단으로 간주되어 왔다.

C 1. 그녀는 가정에서 중재하는 역할을 맡고 있다.
2. 의사들은 항상 이러한 부작용들을 최소화하기 위해 가능한 한 낮은 복용량의 약을 사용하는 방법을 찾으려고 노력한다.
3. 자격증을 받는 것은 우리를 더욱 오만하게 만들며 때때로 그 분야에서 대단히 탁월한 '면허가 없는' 사람으로부터 배우는 것을 꺼리게 만든다.
4. 주요한 구조 조정을 겪고 있는 한 전자 회사의 고객 서비스 직원들은 장비를 설치하고 수리하는 것 외에도 장비에 대한 서비스 계약 판매를 시작해야 한다는 말을 들었다.
5. 스트레스를 받고 과부하된 상태에서 당신의 효율성은 급격히 감소한다.
6. 애완동물은 시설에 수용된 노인들에게 매우 유익하게 이용된다. 그런 시설에서 직원들은 모든 환자가 건강이 쇠퇴하고 있을 때 낙관주의를 유지하기가 힘들다. 그러나 동물은 노인들이 예전에 어떠했는지에 대한 기억이 전혀 없어서 그들이(노인들이) 마치 어린이들인 것처럼 그들을 반긴다.
7. 희귀한 식물을 연구하는 사람들은 나무 타기 놀이에 대해 걱정한다. 그들은 나무 타는 사람들이 그것들의 정확한 위치를 알게 되면 가장 크고 높은 나무들을 오르려고 할지도 모른다고 걱정한다. 인간과 희귀 식물 간의 어떠한 접촉도 식물에는 재난이 될 수 있는 것이다.

A 1. (권력·영향력을) 행사하다, 발휘하다, 노력하다 2. 살충제, 농약 3. 옹호하다, 지지하다 4. 도구, 기구; 시행하다 5. 연속적인 사건들, 순서, 결과 6. 통치, 군림; 통치하다 7. 명령[지시]하다, 권한을 주다 8. hemisphere 9. deform 10. solvent 11. detergent 12. tactical 13. dismissal 14. prevail

B 1. ② 2. ④ 3. ③ 4. ① 5. ④

C 1. needy 2. mandatory 3. dismissed 4. renewed 5. choke 6. exert 7. coincidence

 해석

B 1. 우리는 우리가 비행기 추락, 자동차 사고, 또는 살인의 희생자가 될 위험성을 과대평가한다.
2. Emily Holmes는 한 집단의 성인들에게 사람의 수술과 치명적인 도로 교통사고의 생생한 실제 장면을 포함한 트라우마를 일으키는 내용의 열한 개의 영상을 다루고 있는 비디오를 보라고 요청했다.
3. 그는 웃으면서 내 얼굴의 눈물 자국을 닦아 주셨는데, 그것은 그렇게 오래 지체된 선물에 대한 그분의 진심 어린 사과의 표시였다.
4. 미국에서 우리는 모두 식료품에 표기되어 있는 의무적인 영양 정보에 익숙하다.
5. 그녀는 바닥에 털썩 주저앉아 흐느껴 울기 시작했다.

C 1. 그는 온라인에서 불쌍한 사람들을 위한 작은 집을 더 짓기 위하여 모금 운동을 하여 한 달 만에 8만 달러가 넘는 금액을 모금했다.
2. 재난 대비는 필수적이며, 대비는 계획을 필요로 한다.
3. 소수 집단은 많은 힘이나 지위를 가지고 있지 않은 경향이 있고 심지어 말썽꾼, 극단주의자, 또는 단순히 '별난 사람'으로 일축될 수도 있다.
4. 우리는 최근에 한 해 더 살 계획으로 임대 계약을 갱신하였다.
5. 수년 간 기업주들은 환경 보호와 일자리를 상호 배타적인 것으로 묘사해 왔다. 그들은 공해 방지, 자연 구역과 멸종 위기에 처한 종들의 보호, 그리고 재생 불가능한 자원의 사용에 대한 제한은 경제를 억압하고 사람들을 실직하게 할 것이라고 주장한다.
6. 코치는 선수들의 부모를 알아 가는 데 더 많은 노력을 기울이고, 그렇게 함으로써 부모가 자신들의 자녀와 팀 전체를 기꺼이 돕는 방식을 결정해야 한다.
7. 세계 보건 기구(WHO)에서 산업화된 나라 전역에 수면 부족 유행병을 선포하였다. 지난 세기에 걸쳐 수면 시간이 가장 급격하게 감소한 국가들이 신체 질환과 정신 질환 비율에서 가장 많은 증가를 겪고 있는 국가들이라는 것은 우연의 일치가 아니다.

A 1. 의도, 의지, 의향 2. 민첩한, 조심하는; 경고하다, 주의하다

3. 튼튼한, 견고한 4. 순종적인, 복종하는 5. 할당하다, 배분하다

6. 지방 자치제의 7. 굽히지 않는, 몹시 힘든, 격렬한 8. auditory

9. subsequently 10. proportion 11. bypass 12. patch

13. gist 14. resume

B 1. ③ 2. ① 3. ② 4. ② 5. ③

C 1. resume 2. Stable 3. rush 4. simultaneously 5. fist

6. passersby 7. obedient 8. strenuous

 해석

B 1. 브리슬콘 소나무의 주변 환경의 가혹함이 그 나무들을 강하고 튼튼하게 만드는 지극히 중요한 요인이다.

2. 그들은 자신들이 일을 더 잘할 수 있도록 도와주는 다양한 지식에 몰두하고 싶어 한다.

3. 그는 한 회사에 의해 한 달간 그곳에서 지내도록 초청을 받았고 사무실과 연구 보조원을 배정받았다.

4. 이 침팬지가 울타리로 둘러싸인 구역 밖에서 동료들과 재회했을 때, 그들은 빠르게 일상적인 활동을 재개했다.

5. 우리가 두려워하는 최악의 것은 우리의 모호하고, 불명확한 공포보다 훨씬 덜 끔찍하다.

C 1. 최고의 신문을 수년 간 믿을 수 있게 배달해 주신 점에 대해 감사드립니다. 우리의 상황이 변하면, 귀사에 전화를 드려 배달을 다시 부탁드리도록 하겠습니다. 그러는 동안에는, 늦어도 이번 주말까지는 배달이 중단될 수 있기를 바랍니다.

2. 우리가 혼돈 속에서 살지 않기 위해서 안정적인 패턴이 필요하다. 그러나 그것은 굳어버린 행동, 심지어는 더는 쓸모도 없고, 건설적이지도 않으며, 건강한 상태를 만들어 내지도 않는 행동마저도 버리는 것을 어렵게 만든다.

3. 새로운 기기를 사는 것이 여러분에게 흥분감을 줄 수 있지만, 그것은 아마도 일시적일 것이다.

4. 멀티태스킹은 다수의 일이 하나의 자원(CPU)을 번갈아 공유하는 것에 관한 것이지만, 이윽고 맥락이 뒤바뀌었고 그것은 다수의 일이 하나의 자원(사람)에 의하여 동시에 수행되고 있는 것을 의미하는 것으로 이해되었다.

5. 내게서 선물을 받은 후, 반짝이는 눈을 가진 어린 소년 Michael이 주머니에 손을 넣어 뭔가를 꺼냈고, 그것을 자신의 움켜쥔 주먹 안에 숨긴 채 가지고 있었다. "이제 제가 '당신께' 뭔가를 드리고 싶어요." 그(Michael)는 자신의 손을 내게 뻗으면서 미소를 지었다.

6. 도시의 한 행상인은 가게를 차리고 지나가는 사람들에게 도넛과 커피를 팔았다.

7. 이 아이들은 순종적이고 예의가 바르다.

8. 극도의 열기와 습기는 격렬한 육체노동에 종사하려는 노동자들의 욕구를 줄인다.

A 1. 계발, 이해, 깨달음 2. 생산하다, 양보하다, 굴복하다 3. 축축한, 눅눅한, 습한 4. 요새, 견고한 장소 5. 가정용품, 기구, 용구

6. 피난민, 망명자 7. 확언하다, 단언하다, 주장하다 8. formular

9. frugal 10. peep 11. wield 12. dense 13. sarcastic

14. reptile

B 1. ④ 2. ③ 3. ② 4. ④ 5. ①

C 1. enriched 2. damp 3. utmost 4. affirm 5. refuge

6. spare 7. yield

 해석

B 1. 그녀의 바로 머리 위에 있는 갑판 바닥에서 개들이 사납게 짖는 소리를 들었을 때, 그녀는 붙잡힐까 두려워서 감당할 수 없을 정도로 떨었다.

2. 바닥이 축축해졌다.

3. 그들은 뛰어난 성과를 창출했다.

4. 지속적인 부정적 장소 이미지를 해결하는 것이 아프리카, 중동, 라틴 아메리카, 동유럽, 그리고 아시아에서 관광을 발전시키는 데 매우 중요하다.

5. Evelyn은 그녀의 어린 딸인 Julie가 열병에 걸린 듯 뒤척이면서 이상한 작은 울음소리를 내고 있는 것을 발견했다.

C 1. 그것을 기술의 도움으로 막강한 힘을 부여받은, 로봇의 도움을 받는 인간으로 생각해 보라. 우리가 점점 더 정교한 과업을 수행하는 동안, 지루한 일을 하는 것은 로봇에게 의존함으로써 우리의 일은 질이 높아지게 된다.

2. 갑자기 자전거를 타고 있던 소년이 눅눅한 나무 표면에 미끄러져 Rita에게 비스듬히 부딪쳤고, 이 때문에 그녀는 난간의 열린 부분을 통해 밀려 나갔다.

3. 작가는 슬픈 결말이 정말로 타당한지를 최대한 주의를 기울여 평가해야 한다.

4. 사회 과학에서 많은 경우, 증거는 특정 이론을 확언하기 위해서만, 즉 그 이론을 뒷받침하는 긍정적인 사례들을 찾기 위해서만 활용된다.

5. 우리는 새들을 찾으면서 보호 구역에서 대략 5시간을 보낼 것이다.

6. 제품 보증서에는 귀사에서 여분의 부품과 재료들은 무료로 제공하지만, 기사의 노동에 대해서는 비용을 부과한다고 되어 있습니다.

7. 기자들은 많은 시민이 다른 어떤 방법으로도 얻을 수 없다고 느끼는 신뢰성, 지위, 보장된 많은 독자를 제공할 수 있다. 하지만, 그런 혜택을 얻기 위해, 취재 대상들은 자신들의 이야기가 대중에게 전달되는 방식에 대해서 기자들에게 통제권을 양도해야 한다.

A 1. 물품, 상품 2. 빙하 3. 대처하다, 대응하다 4. 당혹하게 하다, 혼란시키다 5. 반대자, 상대 6. 구성하다, 간주하다, 제정하다 7. 연기하다, 미루다 8. entitle 9. canal 10. encounter 11. reference 12. await 13. behalf 14. endure

B 1. ② 2. ③ 3. ④ 4. ② 5. ①

C 1. habitual 2. autonomous 3. merchant, merchandise 4. postponed 5. evoke 6. opponents 7. endurance

 해석

B 1. 2만 명의 사람들이 수예로 만든 리본으로 펜타곤(미국 국방부 건물)을 둘러쌌다.

2. 그 사람은 자기 자신의 행동이 그 원칙에 위배되면 죄책감을 느끼는 경향이 있을 것이다.

3. 사회봉사 기관은 실직한 사람의 금전적인 지원에 대한 요청을 거절하고 대신 교육을 제안할지 모른다.

4. 격정과 편견을 줄이고 이것들을 관찰과 추론으로 바꾸면 사건을 더 잘 이해하고 예측할 수 있다는 것을 그들은 알아냈다.

5. 1998년의 판권 기간 연장법에 따라 평생 동안에 추가해서 70년이라는 기준이 정해졌는데, 이는 1976년의 판권법이 설정한 50년이라는 기한을 늘린 것이었다.

C 1. 우리가 자동적으로 행하는 습관적 행동은 우리의 의도와 관련이 있으며 이러한 행동은 우리의 삶에서 우리를 위험으로부터 지켜 주는 데 도움을 줄 수 있다.

2. 'Science지'에 게재된 새로운 연구에 의하면, 보행자를 지키기 위해 탑승자를 희생하도록 프로그램된 운전자 없는 자동차들에 대하여 사람들은 일반적으로 찬성하지만, 이 동일한 사람들은 그러한 자율 자동차를 본인이 스스로 타는 것에 대해서는 열광하지 않는다는 것이 드러났다.

3. Gregorio Dati는 Florence의 성공한 상인으로, 이문이 남는 많은 협력 관계를 맺고 양털, 비단, 그리고 다른 상품 장사를 했다.

4. 이 위대한 음악가들은 보통 펜이나 피아노와는 상관없이 마음속으로 작곡을 하였으며 절대적으로 필요할 때까지 자신들의 음악을 종이에 옮기는 유쾌하지 않은 육체노동을 미루어두었을 뿐이었다.

5. 옛날 노래에 나오는 구절처럼 옷은 소중한 추억과 가슴 아픈 기억을 모두 생각나게 할 수 있다.

6. 그들은 중요한 토너먼트에서 상대편 선수를 물리치기 위해서 육체적인 경기에서뿐만 아니라 정신적인 경기에서도 이길 수 있는 힘과 체력을 지니고 있다.

7. 느린 근섬유는 반복적인 수축을 견딜 수는 있지만, 신체를 위한 신속한 힘을 많이 만들지는 않는 근육 세포이다. 그것은 장거리 경주와 같이 느리고 꾸준한 근육 활동이 필요한 지구력 운동에서 더 잘 작동한다.

A 1. 괜찮은, 품위 있는 2. 원시의, 초기의; 원시인 3. 갈망하다, 동경하다 4. 뒤집다, 도치시키다 5. 유창한, 설득력 있는 6. 조각 조각으로 찢다, 째다 7. 온전한, 손상되지 않은, 그대로인 8. legislate 9. infer 10. catastrophe 11. indulge 12. grieve 13. stubborn 14. auditorium

B 1. ② 2. ③ 3. ④ 4. ① 5. ③

C 1. strive 2. shredded 3. eligible 4. primitive 5. affordable 6. valuable 7. suppressed

 해석

B 1. 우리는 동양 철학에서 "사물의 방식"이라고 불리는 것을 이해하려고 노력할 수 있다.

2. 대부분의 사람들이 당신이 그러는 것과 마찬가지로 우정을 갈망한다는 것을 기억해라.

3. 귀금속은 내재적인 아름다움을 지니고 있을 뿐만 아니라 고정된 양으로 존재하기 때문에 수천 년에 걸쳐 돈으로서 바람직했다.

4. 불교도들은 그들의 관습을 조상 숭배를 하는 유교적 풍습이 포함되도록 바꾸었다.

5. 이는 겉으로는 자기 통제를 보일 필요가 있다고 느껴서, 혹은 다른 이들이 어떻게 생각할지에 대한 두려움에서 분노와 같은 감정을 억제하는 사람의 경우와는 매우 다르다.

C 1. 만약 그 직원이 개별적인 보상이 가능하다는 것을 안다면, 그는 기대 이상의 결과를 내기 위해 노력을 할 가능성이 더 크다.

2. 음식 때문에 쥐들이 꾀었고 그것들은 모든 커튼, 칸막이, 그리고 방석을 갈기갈기 찢어 놓았다.

3. 전문적인 사진작가를 제외하고 18세 이상이면 누구나 그 대회에 참가할 자격이 있다.

4. 원시적인 무기로만 무장한 사냥꾼들은 화난 매머드의 실제 적수가 되지 못했다. 많은 사람이 이 거대한 동물 중 한 마리를 잡기 위해 (그것과) 가까이 맞닥뜨렸을 때 아마도 죽거나 심각한 상처를 입었을 것이다.

5. 인간의 진보를 지키고 유지하기 위한 현재의 여러 노력은 이미 초과 인출된 환경의 자원 계좌를 너무 많이 너무 빠르게 이용하고 있으므로, 그 계좌를 지급불능으로 만들지 않고서는 먼 미래까지 감당할 수 없다.

6. 돈을 벌고자 하는 욕구는 우리에게 도전 정신을 심어 주고 영감을 줄 수 있다. 그렇다고 하더라도, 가치가 있는 것은 돈 '그 자체로서'가 아니라 그것이 잠재적으로 더 긍정적인 경험을 만들어 낼 수 있다는 사실이다.

7. 어떤 정책 과정이 사용되든, 그리고 그 정책 과정이 얼마나 민감하고 차이를 얼마나 존중하든, 정치적 견해는 억압될 수 없다. 다시 말해, 정치적 견해에는 끝이 없다(다양성이 있을 수밖에 없다).

A 1. 정교한, 공들인 2. 연대, 결속, 단결 3. 애국자 4. 뿌리째 뽑다, 근절하다 5. (거칠게) 밀치다, 찌르다 6. 바꾸다, 변경하다 7. 순간적인, 잠깐의 8. emulate 9. widespread 10. janitor 11. insure 12. thrift 13. expire 14. steep

B 1. ② 2. ② 3. ③ 4. ① 5. ④

C 1. observation 2. thrived 3. optional 4. altered 5. remarkable 6. prosper 7. disposable 8. ambitious

 해석

B 1. 판매는 주로 수익을 위해 제품을 판매하고자 하는 회사의 요구에 초점을 맞춘다.
  2. 우리가 어떤 사람이 그의 생활 연령에 비해 '젊어 보인다'고 놀라면서 말할 때 우리는 우리 모두가 생물학적으로 서로 다른 속도로 나이가 든다는 것을 말하고 있는 것이다.
  3. 정보를 제공하는 피드백은 노력에 대한 칭찬처럼 매우 효과적이며 마찬가지로 그 과업과 이후의 수행에 대한 열정을 신장시킨다.
  4. 완벽한 차 한 잔을 만들기 위해서는, 티백을 뜨거운 물에 3분 이하로 담가야 한다.
  5. 웜뱃은 뒷발로 흙을 거칠게 밀쳐내면서 그들의 앞발로 땅을 판다.

C 1. 여러분은 누군가가 훌륭한 동료 또는 절친한 친구라는 것을 알게 될 수도 있으니, 단시간의 관찰로 사람을 여러분의 삶에서 제거하지 마라.
  2. 자연은 모든 체계의 산출물이 다른 체계에 유용한 투입물이 되는 체계의 아름다운 조화이다. 이러한 순환은 생명이 수백만 년 동안 우리 지구에서 번창해 왔던 근본적인 이유이다.
  3. 애완동물 주인의 참의 의상은 선택 사항이지만 (입을 것을) 권장합니다.
  4. 어떤 면에서 변형되거나 손상을 입은 생태계는 그 지역의 생물군계와 균형을 이루지 못하게 될 것이다.
  5. tarsier(안경원숭이)는 쥐보다 크지 않은 크기의 작은 영장류이다. 모든 tarsier는 완전히 야행성이고, 이러한 생활 방식을 위하여 많은 뛰어난 신체적 적응 장치들이 있다.
  6. 안정적인 관계들을 발전시키고 이런 종류의 상호 이타주의를 실천했던 초기 인류 집단들은 번창하고 번식할 수 있는 더 나은 위치에 있다.
  7. 이러한 역학은 편의성과 환경에 대한 우려에 똑같은 가치를 두는 부모들의 예에서도 분명히 볼 수 있다. 그들이 자신의 아기를 위해 일회용 기저귀를 산다면 그들은 가치 갈등을 경험할 수도 있다.
  8. 어릴 때 나는 특별히 학구적이거나 야심이 있지 않았고, 분명히 공부를 그다지 열심히 하지도 않았다.

A 1. 진짜의, 진품의, 진정한 2. 유명한, 명성 있는 3. 뒤집다, 전복하다 4. 출시하다, 시작하다, 발사하다 5. 발굴하다 6. 변동하다, 오르내리다 7. (팔목·발목을) 삐다 8. populous 9. resent 10. tolerate 11. spur 12. antibiotic 13. engross 14. conserve

B 1. ② 2. ③ 3. ② 4. ④ 5. ③

C 1. distorted 2. renowned 3. overturned 4. compassion 5. excessive 6. conservative 7. destroyed

 해석

B 1. 그녀는 너무 자주 넘어져 발목을 삐어서 다시 춤을 출 수 있게 되기까지 3개월 동안 쉬어야 했다.
  2. 그는 내가 저녁 식사를 하러 그들의 집을 방문하지 않은 것이 그들을 모욕한 것이라고 설명했다.
  3. 고밀도의 사육은 몇몇 경우에서 가두리에 있는 어류뿐만 아니라 지역의 야생 어류 개체군 또한 황폐화하는 전염성 질병의 발발을 초래했다.
  4. 저는 귀사가 진짜 맛을 보여 주는 데 많은 노력을 하고 있다는 것을 알고 있습니다.
  5. 초기 신석기 지역에서 발굴된 무덤들은 땅에 파인 단순한 구덩이이다.

C 1. 물속에 있는 물체를 물 밖에서 보면, 그것은 비틀어져 보인다.
  2. 한 유명한 프랑스 학자에 따르면, 인구의 규모와 복잡성의 증가가 과학 발전의 추진력이었다고 한다.
  3. 많은 규칙이 더 최근 들어 급진적인 개념에 의해 뒤집어진 이후에도, 대개 작곡가들은 전체적이고 통일적인 구조를 생산해내는 방식으로 여전히 자신들의 생각을 구성했다.
  4. 다른 사람의 관점을 취한다는 의미의 '공감'은 그 사람을 향한 연민을 느낀다는 의미의 '공감'과는 같지 않지만, 전자는 자연스럽게 후자로 이어질 수 있다.
  5. 광고주들은 흔히 과도한 정밀성을 가진 정보를 우리에게 주지만 그것은 그들의 연구의 신뢰성 부족을 숨기려는 의도로 간주되어질 수 있다.
  6. 스웨덴 법은 모든 마을마다 적어도 두 개의 신문들이 발행되어야 한다고 요구하고 있다. 한 신문은 일반적으로 진보적이고 두 번째 신문은 보수적이다.
  7. 제2차 세계대전 동안에 도망가던 나치 병사들이 Ponte Vecchio를 파괴했더라면 그녀는 그것을 결코 볼 수 없었을 것이다.

A 1. (사람, 동물의) 살, 고기 2. 익히지 않은, 원자재의 3. 신중한
4. 감정, 정서 5. 만족스러운, 충분한 6. ~에도 불구하고 7. 나누
어 주다, 분배하다 8. merit 9. diplomacy 10. absorb
11. meanwhile 12. delusion 13. status 14. inhabit

B 1. ③ 2. ④ 3. ② 4. ① 5. ③

C 1. raw 2. despite 3. meaningful 4. status
5. distributed 6. merit 7. absorb 8. adequate

 해석

B 1. 친밀함과 의미 있는 관계를 추구하는 것은 오랫동안 인간의 생존
에 필수적이었다.
2. 나이가 들어감에 따라 사람의 지위가 올라간다.
3. 일반적인 데이트 규칙에는 과학적 가치가 있다.
4. 청소년들은 대부분 소통을 위해 인터넷을 사용하면서 빠른 속도
로 과학기술에 몰입해 왔다.
5. 사람들은 자신의 부나 가난에 따라 심지어 같은 도시에서도 매우
다른 세상에서 살 수 있다.

C 1. 기초 과학 연구는 기술과 공학에서 문제점을 해결하기 위해서 사
용하는 원료를 제공한다.
2. Keith는 예기치 않게 피아노의 단점에도 불구하고 생애 최고의
공연을 하고 있었다.
3. 많은 포유류가 각기 다른 물체에 대해 각기 다른 소리를 내지만,
조류가 낼 수 있는 유의미한 소리의 범위에 필적할 수 있는 포유
류는 거의 없다.
4. 이 간단한 명령의 사용도 관리자가 그 수습 직원에게 명령할 수
있게 하는 지위의 차이가 존재한다는 것을 보여 준다.
5. 정부의 재화와 용역은 대체로 비시장적 배분을 이용하여 개인들
의 집단에 분배된다.
6. 각 정찰벌은 다른 정찰벌들에게 그들이 찾은 장소의 장점을 납득
시키기 위해 'waggle dance'를 춘다.
7. 카본 싱크는 이러한 초과한 이산화탄소 중 거의 절반을 흡수할
수 있었고 지구의 바다가 그 일의 주된 역할을 해 왔다.
8. 소비자들이 정보에 근거한 선택을 하기 위한 적절한 정보가 결여
되어 있을 때, 자주 정부가 개입해 회사에 정보를 제공하도록 요
구한다.

A 1. 측정, 측량 2. 극복하다 3. 비롯되다, 유래하다 4. 외향적
인, 사교적인 5. 은유, 비유 6. 붙이다, 첨부하다 7. 빈도, 주파수
8. diagnose 9. speculate 10. pavement 11. exclusive
12. migrate 13. extensive 14. edible

B 1. ② 2. ④ 3. ④ 4. ① 5. ③

C 1. overcome 2. attached 3. malnutrition 4. adapt
5. decades 6. exclusive 7. extension 8. edible

 해석

B 1. 우리가 다른 사람의 걸음걸이, 자세, 그리고 얼굴 표정의 특징을
받아들이는 정도까지 그들의 감정 공간에 존재하기 시작한다.
2. 당신의 마음은 아직 이 비교적 새롭게 생겨난 것에 적응하지 못
했다.
3. 계속 기도하는 어느 시점에선가, 내 이름이 불리기 전, 혼돈 속에
서, 믿을 수 없는 평화가 나를 감쌌다.
4. Adrian은 이 여행에서 낚시와 인생에 관해서 많은 것을 배웠다.
5. 문제는 우리가 어떤 지식을 얻을 때까지는 그 지식이 쓸모가 있
을 것인지를 알아낼 방법이 우리에게 없다는 것이다.

C 1. 좋은 관리자들은 과업을 맡길 때의 처음의 불안감을 극복하는 것
을 배워왔다.
2. 1856년에 그는 간단한 상자형 카메라를 방수 처리하고 막대에 부
착하여 남부 England 연안의 바닷속으로 내려보냈다.
3. 수렵 채집 생활인들을 굶주림과 영양실조로부터 보호했던 성공
비결은 그들의 다양화된 음식이었다.
4. 어떤 광고주들은 TV 광고 프레임 속에 쿠폰을 몰래 숨겨 놓으며
이러한 기술들에 적응하려 노력한다.
5. 우리는 앞으로 올 30년(사실, 아마도 앞으로 올 한 세기)을 영속
적인 정체성 위기 속에서 보내며, 계속 우리 자신에게 인간이 무
엇에 소용이 있는지를 질문하게 될 것이다.
6. 제국에 의해 확산된 문화적 사상들은 거의 지배층의 독점적 창조
물이 아니었다.
7. 1990년대에 유일한 지적 재산권 도구인 특허법이 종자 변종의 영
역까지 확장되면서 개인 종자 회사를 위한 시장은 더 커지기 시
작했다.
8. 안전을 위해서 사람은 야생 버섯을 먹기 전에 식용 버섯을 식별
할 수 있어야 한다.

Day 23 | pp. 144-145

A 1. 약국, 약학 2. 숨을 들이마시다 3. 줄어들다, 수축하다
4. 탈수하다, 건조시키다 5. 글을 모르는, 문맹의 6. 땀, 땀 흘리기
7. 자신감 있는, 확신하는 8. mechanism 9. exhale 10. split
11. moderate 12. adopt 13. duplicate 14. annoy

B 1. ③ 2. ② 3. ④ 4. ① 5. ③

C 1. appliance 2. inhale 3. adopt 4. mechanism
5. shrink 6. tied 7. antipathy 8. synonym

 해석

B 1. 우리의 신체가 다른 사람의 신체를 모방함에 따라 우리는 감정적인 일치를 경험하게 된다.
2. 우리가 과학에서 할 수 있는 것은 가설을 거부하기 위해 증거를 사용하는 것뿐이다.
3. 나는 그의 대답에 너무 짜증이 나고 속이 상해서 학년의 나머지 기간 동안 지칠 줄 모르고 공부를 했다.
4. 어떤 점에서, 차는 중국의 초원이나 목초지에 전파된 후, 유목민들과 사냥꾼들에게 삶을 바꿀 정도의 중요한 역할을 했다.
5. 많은 사람은 짝에게 똑같이 나눈 몫을 제안하며, 그것은 두 사람을 모두 행복하게 하고 장래에 서로를 기꺼이 신뢰하게 한다.

C 1. 세탁기는 그 전기적이고 기계적인 체계 때문에 대형 가전제품 중 가장 기술적으로 진보한 예 중 하나이다.
2. 여러분이 좋아하는 한 향기를 찾아서 진정되고 평온함을 느낄 때 그 향기를 들이마셔라.
3. 심사숙고 끝에 그들은 특수 장애가 있는 네 명의 해외 아이를 입양하기로 했다.
4. 우리는 또한 내부 통제 체제를 가지고 있다: 너무 더우면 땀을 흘리기 시작한다.
5. 그것은 죽음 후에 인간 몸에 수분이 빠지면서 피부가 수축하게 또는 더 작아지게 만들기 때문이다.
6. 대부분의 사람에게 있어 감정은 상황적이다. 그 감정 자체는 그것이 일어나는 상황과 연결되어 있다.
7. 권력과 권력을 가진 사람들에 대한 우리의 반감을 고려해 볼 때, 민주주의 정치체계가 권력에 대한 견제 방안을 가지고 있는 것은 놀랍지 않다.
8. '산업 민주주의'라는 용어는 흔히 노동자 참여의 동의어로 쓰인다.

Day 24 | pp. 150-151

A 1. 생기를 되찾게 하다, 상쾌하게 하다 2. 파산, 파탄 3. 못된 짓을 하다, 비행을 저지르다 4. 대피시키다, 피난하다 5. 친숙함, 익숙함 6. 가능성 7. 파괴하다, 무너뜨리다 8. deliberate
9. civilization 10. refute 11. civil 12. murmur 13. imply
14. surgery

B 1. ② 2. ④ 3. ① 4. ③ 5. ②

C 1. facility 2. extrinsic 3. introvert 4. imply
5. possibility 6. prescribe 7. residences 8. surgery

 해석

B 1. 그 비언어적 메시지는 의도적인 것이지만, 상대방에게 자신의 솔직한 반응을 간접적으로 알게 하려고 계획된 것이다.
2. 그 훈련의 목적은 개인의 행동의 중요성을 보여 주는 것이다.
3. 전기 요금 청구서 대금을 치르거나, 자동차를 사거나, 옷을 사거나, 혹은 심지어 케이크를 구울 때조차, 여러분은 상품과 관련된 경비에 돈을 쓰고 있다.
4. 물질적 부유함이 본질적으로 그리고 그 자체로써 의미를 만들어 내거나 감정적인 풍요로움을 반드시 가져오는 것은 아니다.
5. 분노를 조절하는 다양한 방식을 배운 사람은 더 유능하고 자신감이 있다.

C 1. 생활 보조 시설뿐만 아니라 이 아파트의 임대료도 지불하는 것은 저희에게 상당한 어려움이 될 것입니다.
2. 성적과 같은 외적인 동기 부여 요인의 부정적인 영향은 다양한 문화권 출신의 학생들에게서 서류로 입증되어 왔다.
3. 내성적인 사람은 여러분이 여러분의 관계에 관해 일시적으로 불확실하다고 느낄 때 하는 것처럼 직접 대면하는 의사소통보다 온라인으로 하는 의사소통을 더 좋아할 수도 있다.
4. Glasgow에서의 파란색 전등은 경찰차 위의 전등을 흉내 내 경찰이 언제나 지켜보고 있음을 암시하는 듯했다.
5. 당사자가 처벌 결과의 가능성을 피하는 법을 배우고 있으므로 심리학자들은 이것을 회피 훈련이라고 부른다.
6. 일반적인 의료 소비자들은 자신들의 의학적 상태를 진단하는 방법을 알지 못하며 서비스를 주문하거나 약물을 처방하는 면허를 가지고 있지 않다.
7. 우리는 아름다운 정원이 있는 개인 거주지를 가이드 없이 여행하는 2018 Secret Garden Tour에 여러분이 참여하기를 바랍니다.
8. 그는 건강을 되찾기 위해 수술과 집중적인 물리치료를 받았다.

Day 25 | pp. 156-157

A 1. 도입하다, 부과하다 2. 치켜세우다, 아첨하다 3. 두드러진, 우세한, 유력한 4. 부수적인 5. 혁명 6. 묘사[이야기], 서술 7. 보상하다 8. resign 9. betray 10. definition 11. omit 12. dialect 13. commodity 14. fertilizer

B 1. ③ 2. ② 3. ① 4. ④ 5. ③

C 1. vomit 2. flatter 3. depressed 4. incidental 5. profits 6. sophisticated 7. Revolution 8. reward

 해석

B 1. 이제는 세계 보건 기구(WHO)에서 수면 부족 유행병을 선포할 정도였다.
2. 자녀에게 거짓된 칭찬을 하는 것이 잘못된 판단이듯, 자녀의 모든 성취에 대해 보상하는 것 또한 실수이다.
3. 5퍼센트의 실업률은 수백만 명의 미국인들이 일당을 벌지 못한다는 것을 의미한다.
4. 물론 그 즐거운 안도는 아주 오래 지속되지는 않을 것이고, 여러분은 곧 바위 뒤에서 다시 몸을 떨고 있게 될 것이며, 새로워진 고통에 의해 결국 더 좋은 피난처를 찾게 될 것이다.
5. 역사는 흥미로운 해석의 행위, 즉 과거의 사실을 수집하여 그것을 흥미진진한 이야기로 엮는 것이다.

C 1. 어김없이, 그들이 방금 무엇을 먹었는지 알게 되면 바로 누군가는 먹은 것을 토하곤 했다.
2. 자기 인식에 특별히 관련되지 '않은' 곳에서는, 우리는 '반영'을 하고, 그럼으로써 다른 사람들이 성취한 것과 관련지어서 자신을 치켜세운다.
3. 방문하는 자녀들은 부모님이나 조부모님이 예전에 어떠했는지를 기억하고 그들의 무능함에 의기소침해할 수밖에 없다.
4. 배경, 시기, 대화, 그리고 다른 부수적 세부 사항은 바뀌어 있다.
5. 봉제 장난감 곰 제조사들은 어느 곰이 최고로 잘 팔리고 있는지를 분명히 알아챘으며 그래서 자기들의 이익을 최대화하기 위해서 이런 것들을 더 많이 그리고 인기가 덜한 모델을 더 적게 만들었다.
6. 우리가 점점 더 정교한 과업을 수행하는 동안, 지루한 일을 하는 것은 로봇에게 의존함으로써 우리의 일은 질이 높아지게 된다.
7. 시민의 직접적인 참여는 미국 혁명을 가능하게 하고 새로운 공화국에 활력과 미래에 대한 희망을 부여했던 존재였다.
8. 일단 보상이 기다리고 있다는 것을 강아지가 알면, 그 경험을 재미있는 게임으로 받아들인다.

Day 26 | pp. 162-163

A 1. 상당한, 많은 2. ~에 반하여 3. 격려하다, 분리하다 4. 비만 5. (유심히) 살피다 6. 확인하다, 입증하다 7. 신념, 믿음 8. manuscript 9. soar 10. obscure 11. constrain 12. pursue 13. frontier 14. plunge

B 1. ③ 2. ② 3. ③ 4. ④ 5. ①

C 1. considerable 2. bound 3. plunged 4. belief 5. resists 6. induce 7. continuous

 해석

B 1. 그리스인은 두드러진 물체와 그것의 속성에 초점을 맞추느라 인과 관계의 근본적인 성질을 이해하지 못했다.
2. 사람의 마음을 끌고 설득력 있는 전략적 비전은 엄청난 동기 부여의 가치를 지닌다.
3. 단어들의 의미가 불변이 아니고 이해는 언제나 해석을 포함하기 때문에, 의사소통 행위는 항상 공동의 창의적 노력이다.
4. 인간의 갓난아기 또한 단 음료에 대한 강한 선호를 보인다.
5. 하지만 가족 결혼이나 장례식 같은 공식적인 행사가 생길 때 그들은 저항하기 힘들다고 느껴지는 규범에 어쩔 수 없이 따르기 쉽다.

C 1. 동기 부여의 한 가지 결과는 상당한 노력을 필요로 하는 행동이다. 예를 들면, 만약 좋은 차를 사고자 하는 동기가 있다면, 당신은 온라인으로 차들을 검색하고, 광고를 자세히 보며, 자동차 대리점들을 방문하는 것 등을 할 것이다.
2. 과학의 방법론을 고려해 보면, 중력의 법칙과 게놈은 누군가에 의해 반드시 발견되게 되어 있었고, 그 발견자의 신원은 그 사실에 부수적이다.
3. Rita에 대한 사랑은 그녀의 두려움을 압도했고, 그녀는 난간의 같은 열린 공간으로 뛰어넘어 물속으로 뛰어들었다.
4. 자기 민족 중심주의는 자신의 문화가 모든 가능한 문화 중에 최고라는 믿음이다.
5. 시간의 경과와 달리 생물학적 노화는 쉬운 측정을 방해한다.
6. 때때로 처벌이 몇 번 가해진 후에는 그것(처벌)이 계속될 필요가 없는데, 그 이유는 처벌하겠다고 단순히 위협만 해도 바라는 행동을 끌어내기에 충분하기 때문이다.
7. 이 작업은 우리 도시의 기본 시설과 서비스를 항상 유지하고 향상시키기 위한 우리의 지속적인 노력의 일부이다.

A 1. 피식 웃다, 킥킥거리다 2. 환경, 상황 3. 세심한, 민감한
4. 견습생, 도제 5. 모이다, 모으다, 조립하다 6. 증거, 증언
7. 극적인, 인상적인 8. odor 9. prospect 10. disgust
11. verdict 12. deserve 13. theory 14. descend

B 1. ② 2. ① 3. ④ 4. ③ 5. ④

C 1. circumstances 2. sensitive 3. prospect
4. descendants 5. output 6. disgust 7. desirable
8. deserved

A 1. 맥락, 문맥 2. 양립될 수 있는, 화합할 수 있는 3. 줄여 쓰다
[축약하다] 4. 면역의, 면역성이 있는 5. 주장하다, 요구하다
6. 연합하다, 통합시키다 7. 견뎌[이겨]내다 8. parallel
9. withhold 10. overtake 11. unanimous 12. thorough
13. dominate 14. anecdote

B 1. ③ 2. ④ 3. ② 4. ① 5. ④

C 1. dual 2. by-product 3. dominated 4. unite
5. context 6. immune 7. thorough 8. withholding

 해석

B 1. 그곳은 개선하고 혁신하며 실험하고 성장할 수 있는 기회가 있는 장소이다.
2. 지적 재산의 개념은 로마 제국 시대 동안에 계속해서 발전했다.
3. 우리는 인지적 호기심을 한 개인이 어떤 활동에 자발적으로 참여하도록 자극하고 내재적으로 동기를 부여하는 경이감으로 정의한다.
4. 법정 안에서 법적 절차 과정에서 관련된 사람들의 정확한 위치는 설계의 필수적인 부분이며 법이 유지되는 것을 확실히 하는 꼭 필요한 부분이다.
5. 선풍적인 공연의 일환으로 그녀는 축제에서 친구들과 함께 노래를 부르고 춤을 추었다.

C 1. 하지만 많은 경우에서 좋음과 나쁨의 경계는 시간이 지나면서 변하는 기준점이며 당면한 상황에 의해 결정된다.
2. 하지만 이 해결책은 우리가 또한 점점 환한 빛에 더 민감해지기 때문에 모든 상황에서 효과가 있는 것은 아니다.
3. 우리는 갚으려는 의도나 예상도 없이 미래의 세대들로부터 환경의 자본을 빌린다.
4. 진화는 동물이 남기는 후손들의 수를 최대화하기 위해 작용한다.
5. 다시 말해, 그 공장의 생산품은 이제 수량보다는 무게로 측정될 것이었다.
6. 아름다움에 대한 감탄을 불러일으키는 대신, 예술가들은 당황스러움, 충격, 그리고 심지어는 혐오감을 불러일으킬 수도 있다.
7. 그런 이론들의 배경에 있는 전제는, 의견 차이는 잘못된 것이고 의견 일치가 바람직한 상황이라는 것이다.
8. 그녀는 그 관심을 받을 자격이 있었는데, 이 비행이 그녀가 이 동일한 항공사로 400만 마일 넘게 비행하는 획기적인 기록을 세웠기 때문이다.

 해석

B 1. 역사의 바다에는 두 개의 사이렌이 숨어 있는데, 그것들은 과거를 이해하고 제대로 인식하려고 하는 사람들을 유혹해 오해와 오역의 암초 위에 올려놓는다.
2. 미국에서는, 약국의 모든 처방약들 중 25퍼센트가 식물에서 얻은 물질들을 포함한다.
3. 안으로 들어갔을 때 그는 매우 여위고 허약한 자기 친구를 보고는 충격을 받았다.
4. 한 여성은 울부짖으며 어린 소녀를 꽉 잡고 있었다.
5. 만약 강한 결속력이 작은 불찬성이라도 덜 가능하게 만든다면, 집단과 단체의 수행은 손해를 입을 것이다.

C 1. 판권 법률들은 이중의 목적에 기여한다는 점에 주목하라.
2. 그 맛있는 식사의 부산물인 다람쥐 배설물은 그것을 섭취하는 미생물에게 중요한 투입물이다.
3. 20세기로 바뀔 무렵, 음악 고전 작품의 영구적인 레퍼토리가, 피아노, 성악, 실내악 연주에서부터 오페라와 오케스트라의 연주회에 이르기까지 콘서트 음악의 거의 모든 분야를 지배했다.
4. 자기 시대 중심주의와 자기 민족 중심주의는 결합하여 모든 다른 개인들과 문화를 자신들의 현재 문화의 '우월한' 기준에 의해 판단하는 개인들과 문화를 만들어 낸다.
5. 시간적 해상도는 위성의 원격 감지의 맥락에서 특히 흥미롭다.
6. 신체는 면역 체계라 불리는, 병균에 대항하는 효율적인 자연적 방어 체계를 갖고 있다.
7. 우리 중 그러한 제한을 귀찮아하는 사람들은 거의 없는데, 그 이유는 우리의 사회화가 매우 철저해서 우리는 대개 우리의 역할이 적절하다고 말해 주는 것을 하기 '원하기' 때문이다.
8. 칭찬을 멈추는 것이 적어도 처음에는 이상하게 보일 수 있고, 여러분이 쌀쌀하게 굴고 있거나 무언가를 억누르고 있는 것처럼 느껴질 수 있다.

Day 29 | pp. 180-181

A 1. (타국으로의) 이주[이민] 2. 주된, 주요한 3. 생생한, 선명한
4. 필요(성), 필수품 5. 모으다, 축적하다 6. 익명의 7. 행동하다
8. inflow 9. inject 10. intimate 11. impulse
12. proceed 13. peasant 14. eject

B 1. ④ 2. ② 3. ③ 4. ① 5. ②

C 1. firsthand 2. limb 3. emergency 4. artificial
5. vertical 6. lever 7. proceeds 8. intimate

Day 30 | pp. 186-187

A 1. 조심[주의]하다 2. 마찰 3. 이런 이유로 4. 반사하다, 반영하다 5. 중간의, 중급의 6. 자만심, 우월감, 자부심 7. 국내의, 가정의 8. pedestrian 9. confirm 10. barter 11. phase
12. defeat 13. certificate 14. require

B 1. ③ 2. ② 3. ④ 4. ② 5. ①

C 1. famine 2. friction 3. confirm 4. reflect 5. requires
6. domestic 7. fake

 해석

B 1. 드론은 이전에는 도달하기 어렵거나 비용이 많이 들었던 장소에서 유의미한 자료를 모을 수 있다.
2. 마침내 그들은 거래를 성사시켰고 그는 적절한 가격에 그 조각품을 사게 되어 기뻤고 Bob에게 고마움을 표했다.
3. 과학적 지식은 연속적인 실험을 통해 발전되는 것으로 여겨진다.
4. 1824년에 동부 Cherokee 연합 협의회에서는 Sequoyah의 업적에 경의를 표하여 그에게 메달을 수여했다.
5. 인플루엔자에 걸릴 때, 그는 이 사건을 세금 징수원이나 자신의 장모에 대한 자신의 행동 탓으로 결코 보지 않는다.

C 1. 지어낸 이야기와 직접 한 경험을 말하는 것은 종이 한 장 차이이다.
2. 단순히 학습된 사실은 인공 팔과 다리, 틀니, 혹은 밀랍 코와 같이 우리에게 달라붙어 있다.
3. 저희 회사에서 최근에 출시한 교사용 비상 훈련 프로그램을 소개하게 되어 기쁩니다.
4. 인공 지능의 도래가 주는 가장 큰 이점은 AI가 인간성을 정의하는 데 도움을 줄 것이라는 것이다.
5. 수직적 전이에서는, 더 높은 수준으로 진행하기 전에 더 낮은 수준의 지식이 필수적이다.
6. 배관공은 그 문제를 해결하기 위해 변기 수조 안에 있는 레버를 조정할 수 없었다.
7. 야구는 전통적인 삶과 마찬가지로 자연의 리듬, 구체적으로 말해 지구의 자전에 따라 진행된다.
8. 하지만 많은 이들이, 적어도 때로는, 가까운 친구나 가족들과의 친밀한 서신 왕래를 위해 이메일을 사용할 것이다.

 해석

B 1. Schreiber는 운동할 때 웨어러블 기기를 사용하지 않기로 맹세한다.
2. 나는 사회 과학 분야에 속한 다양한 과목을 가르쳤는데 동일한 과목을 가르치는 나의 동료들이 어떻게 가르치는지에 대해 아는 것이 거의 없었다.
3. 어떤 문화 항목이 받아들여지는가는 그 항목의 용도 및 이미 존재하는 문화적 특성과의 양립 가능성에 대체로 달려 있다.
4. 우리가 점점 더 정교한 과업을 수행하는 동안, 지루한 일을 하는 것은 로봇에게 의존함으로써 우리의 일은 질이 높아지게 된다.
5. 조도의 변화에 적응하는 우리의 능력은 쇠퇴한다.

C 1. 할 것은 너무 많고 그것을 할 시간은 충분하지 않다는 느낌인 '시간 기근'은 불필요한 스트레스와 줄어든 성과의 원인이다.
2. 이러한 종류의 전기는 마찰에 의해서 만들어지고, 그 펜은 전기를 띠게 된다.
3. 이러한 잘못을 저지르는 것을 피하는 데 도움을 주기 위해서는 인식 점검을 해 보는데, 그것은 다른 사람들과 그들의 행동에 대한 우리의 인식을 확인하거나 조사하기 위하여 일련의 질문을 깊이 생각한다는 것을 의미한다.
4. 아무리 눈에 띄지 않는다 할지라도, 지도는 정말로, 그 지도가 만들어지는 정치적, 사회적 환경뿐만 아니라, 지도 제작자나, 혹은 더욱 가능성이 있는 것으로서, 제작자의 후원자의 세계관을 반영한다.
5. 2파운드의 고기를 생산하려면 2파운드의 채소를 생산하는 것의 약 5배에서 10배의 물이 필요하다.
6. 개발도상국은 성장에 투자하기에 제한된 국내 저축을 가지고 있고, 자유화는 그들이 국제 공동 자금을 이용하도록 허용한다.
7. 영리한 기술자들은 가짜 온도 조절 다이얼을 설치함으로써 통제에 관한 환상을 만들어낸다.

A 1. 봉투 2. 무한한 3. 탄압[억압]하다 4. 막대[방해하다]
5. 장수 6. 관중 7. 없어도 되는, 불필요한 8. punctual
9. notable 10. decline 11. entrepreneur 12. commercial
13. cathedral 14. confidence

B 1. ② 2. ① 3. ④ 4. ③ 5. ②

C 1. infinite 2. secure 3. indispensable 4. decline
5. entrepreneur 6. confidence 7. spectators 8. removed

 해석

B 1. 극심한 스트레스 요인과 직면할 때, 당신은 즉각적인 반응을 보이며 반격할지도 모른다.
2. 때때로 부는 돌풍이 나뭇가지들을 부러뜨렸다.
3. 나는 낚시, 등산, 거대한 바다거북과 내가 관심을 가지고 있다고 생각하지 않았던 많은 다른 주제에 관한 훌륭한 책들을 읽어 왔다.
4. 이 정보는 비밀로 지켜져야 한다.
5. 사람들은 수천 년 동안 가장 심오한 철학적 문제들 중 몇몇에 대해 숙고해 왔다.

C 1. 여러분이 어렸고 어른들은 무한한 힘을 가졌다고 상상하던 때를 기억하는가?
2. 미적 발달은 경쟁과 어른의 판단에서 벗어난 안전한 환경에서 생겨난다.
3. 과학은 동시대의 작가에게 필수 불가결한 정보의 원천이다.
4. 몇몇 주민들은 관광산업이 더 많은 공원과 휴양지를 제공하고, 도로와 공공시설의 질을 개선하며, 생태계 쇠퇴의 원인이 되지는 않는다고 생각한다.
5. 여러 연구에서 어느 누구도 기업가가 되도록 '타고난' 것은 아니며 모든 사람은 기업가가 될 잠재력이 있다는 것을 보여 준다.
6. 독서는 당신의 품성을 형성하는 데 도움을 주고 자신감과 개성을 북돋아 주기 때문에 좋은 습관이다.
7. 그의 몸이 마침내 도는 것을 멈췄을 때, 그의 팔은 무대 위의 춤꾼들을 벗어나, 관중 속에 서 있는 Dan Tres를 똑바로 가리켰다.
8. 사람들에게서 태양이든, 신체적 피로든, 아니면 시계 자체든, '실제' 시간 신호를 제거할 때, 오래지 않아 그들의 시간 감각은 고장이 난다.

A 1. 의회, 국회 2. 충분한 3. 수동적인, 소극적인 4. 인정, 승인
5. 거의, 대략 6. 우아한 7. 개시되게 하다, 착수시키다
8. furthermore 9. valid 10. plow 11. dimension
12. stray 13. bribe 14. offend

B 1. ③ 2. ④ 3. ② 4. ① 5. ③

C 1. sufficient 2. valid 3. incredible 4. goodwill 5. dim
6. plowed 7. patent

 해석

B 1. 스키 타는 것을 배우는 것은 성인이 겪을 수 있는 가장 당혹스러운 경험들 중의 하나이다.
2. 그들이 코를 사용하는 능력이 아주 뛰어나서 우리는 그들이 어느 때건 뭐든지 냄새를 맡을 수 있다고 추정한다.
3. Viola는 엄마를 흘긋 쳐다보고, "아니요, 안 돼요, Tate 씨, 안 되겠어요."라고 말했다.
4. 아메리카 원주민들은 그것의 꽃눈을 구워서 먹었다.
5. 잘 되었을 때, 즉, 전문가에 의해서 행해졌을 때에는 읽는 것과 스키 타는 것은 모두 우아하고 조화로운 활동들이다.

C 1. 그들은 흔히 많은 토르티야와 콩을 먹어서 충분한 단백질을 섭취하며 배부를 때까지 먹는다.
2. 승차권은 첫 사용으로부터 24시간 동안 유효하다.
3. 그 아기들의 가족과 의사들은 만질 수 없는 사랑의 힘과 믿을 수 없는 나눔의 힘을 목격하였다.
4. 호의를 보이려면 음식은 예기치 않게 나타나야 한다.
5. 밤하늘의 흐릿한 빛 아래에서 더 큰 거울은 무엇이든 당신이 보고자 하는 것으로부터 더 많은 빛을 모으게 해 준다.
6. 거의 2세기 동안, 미국인들은 자국의 늪과 습지를 경작하거나 그 위를 덮어왔다.
7. 타자기에 대한 최초의 영국 특허권이 1714년에 발급되었지만, 150년이 더 지나서야 타자기는 상업적으로 판매되었다.

Day 33 | pp. 204-205

A 1. 박수(갈채) 2. 건설하다 3. 역설 4. 명령; 명령하다 5. 뛰다, 뛰어오르다 6. 협상[교섭]하다 7. 허용[허락]하다 8. minimize 9. recur 10. architecture 11. equator 12. correspond 13. convenience 14. reap

B 1. ① 2. ④ 3. ② 4. ③ 5. ①

C 1. construct 2. command 3. leaps 4. minimize 5. predecessors 6. convenience 7. retreating

Day 34 | pp. 210-211

A 1. 설문지 2. 상징[구현]하다, 포함하다 3. 환대, 후대 4. 숨이 막히다, 헐떡거리다 5. 설명[해석]하다 6. 악명 높은 7. 수송하다 8. crater 9. discourse 10. horizon 11. fraudulent 12. cynical 13. inquiry 14. misplace

B 1. ② 2. ④ 3. ① 4. ③ 5. ②

C 1. scheme 2. threat 3. enables 4. hospitality 5. corpses 6. displaced 7. shabby 8. deliver

 해석

B 1. 물질적 풍요는 사회뿐만 아니라 개인이 더 높은 수준의 행복을 얻을 수 있도록 도와줄 수 있다.

2. 눈을 휘둥그레 뜨고 입으로는 침을 흘리며 Breaden은 팔을 뻗어서 초코바 하나를 막 움켜쥐려고 했는데, 그때 자기 손을 꼭 잡는 것을 느꼈다.

3. 과학자들이 어떤 조각을 잘라낼 때마다, 과학자들은 관련된 연결의 작은 일부분만을 손상시킬 뿐이었다.

4. 제국에 의해 확산된 문화적 사상들은 거의 지배층의 독점적 창조물이 아니었다.

5. 소설의 전형적인 줄거리는 그 권위를 외부에서 더는 찾을 수 없을 때 일어나는, 주인공이 내부에서 하는 권위 탐구이다.

C 1. Elvis는 사람들이 500제곱 피트 이내의 집을 짓는 작은 집 짓기 운동에 대해 읽은 적이 있었고, 자신이 Smokie를 위해 비슷한 건물을 지어줄 수 있는 노하우가 있다고 믿었다.

2. 이 간단한 명령의 사용도 관리자가 그 수습 직원에게 명령할 수 있게 하는 지위의 차이가 존재한다는 것을 보여 준다.

3. 만약 개인들이 위험을 감수하는 방향으로 약간 기운다면 집단은 그것을 향해 돌진해 버린다.

4. 비록 오류와 편견이 과학에서 언제나 발생하지만, 동료 검토 체제와 아이디어와 결과에 관한 열린 논의가 그것들의 영향을 최소화하면서 과학계를 진리를 향해 이끌 수 있다.

5. 그들의 도자기, 조각품, 그리고 다른 제조품들에는 그것을 만들어 낸 장인을 나타내는 상징이 표시되어 있었는데, 이것이 현대의 상표의 이전 형태라고 할 수 있다.

6. 권력 거리에 대한 낮은 수용의 문화들(예를 들어, 핀란드, 노르웨이, 뉴질랜드 그리고 이스라엘)에서는, 사람들은 불평등이 최소여야만 한다고 믿으며, 계층적 구분은 오직 편의상 구분으로서만 여겨진다.

7. 다른 행동 선택 사항에는 큰 소리내기, 껍데기 안으로 들어가기, 단단한 공 모양으로 말기, 땅속과 같이 포식자가 없는 장소에서 살기로 정하기 또는 무리를 지어 삶으로써 수적인 안전성에 의지하기가 포함된다.

 해석

B 1. 그러나 바로 그 시기 동안 윤리적 행동에서는 그에 필적하는 전 세계적인 진보가 없었다.

2. 관광업과 관광객들은 공식적 부문과 비공식적 부문 둘 다에서 일자리와 사업 기회를 창출할 수 있다.

3. 심리학자들은 현재 '동기화된 추론'에 관한 수많은 연구 결과를 가지고 있는데 이것은 사람들이 원하는 결론에 도달하기 위해 사용하는 많은 요령을 보여 준다.

4. 그들은 중산층 미국인들을 14일 동안 유럽 10개국의 수도로 실어 나를 것이다.

5. 자연은 쓰러진 통나무가 썩고 도토리가 자라며, 산불이 삼림 지대를 초원으로 바꾸는 곳이다.

C 1. 외부 세계에 대한 우주탐사기로부터 우리가 얻는 비현실적인 지식으로 보이는 것이 우리의 행성에 대해 우리에게 알려 주고 자연의 체계 안에서의 우리 자신의 역할에 대해 알려 준다.

2. 불안할 때 여러분의 불안함과 관련된 자극의 인지된 위협 가능성이 증가할 수 있다.

3. 수송 덕분에 우리는 이 모든 활동을 수행할 수 있다.

4. 이것들에는, 보통 사흘을 넘지 않아야 하는데 너무 오래 머물러서 주인의 환대를 악용하지 않는 깃이 포함된다.

5. 고대 이집트인들의 방부 처리된 시체 중 일부는 썩어버렸다.

6. 안전하게 꽉 잡는 것은 특히 외부의 힘에 의해 옮겨질 때 물체가 미끄러지거나 움직이지 않는 것이다.

7. 그 허름한 집에는 수돗물도 전기도 없었다.

8. 그녀는 신진의 젊은 과학자들에게 탐구심을 갖고 새로운 가능성을 찾는 것이 성공적이 되는 데 필수적이라는 교훈을 전하기 원했다.

A 1. 상속인 2. 주장하다[우기다] 3. 중립적인, 중립의 4. 과소평가하다 5. 포위 6. 멸종된 7. 각색하다 8. overlap
9. understate 10. remind 11. errand 12. tendency
13. storage 14. obligation

B 1. ④ 2. ② 3. ③ 4. ① 5. ②

C 1. persisted 2. extinct 3. underestimate 4. tribe
5. reminds 6. consumption 7. associated

A 1. 제출하다, 항복하다 2. 각자, 각각 3. 빼앗다, 박탈하다
4. 빼다 5. 추상적인 6. 개울, 시내 7. 거절[거부]하다
8. medieval 9. deviation 10. superstition 11. ferment
12. justify 13. evolution 14. collide

B 1. ③ 2. ② 3. ④ 4. ③ 5. ①

C 1. welfare 2. altitude 3. derive 4. abstract 5. formal
6. refuse 7. discomfort 8. evolution

 해석

B 1. 바닷속에 있는 플라스틱 조각들은 매우 작기 때문에 바다를 청소할 방법은 없다.
2. 많은 사람이 이 거대한 동물 중 한 마리를 잡기 위해 (그것과) 가까이 맞닥뜨렸을 때 아마도 죽거나 심각한 상처를 입었을 것이다.
3. 1989년과 2007년 사이, 미국에서는 201명의 수감자들이 DNA 증거에 기초하여 무죄라고 밝혀졌다.
4. 자연의 추세는 식물 종들이 그 지역 속으로 이동하여 생물군계의 상태로 생태계를 되돌리는 것이다.
5. 그 물고기를 먹은 많은 사람들에게 심한 수은 중독이 발생했다.

C 1. 성공적인 행동들은 관습의 형태로 존속해 왔고, 반면에 성공적이지 않은 행동들은 소멸을 겪어 왔다.
2. 오래전 멸종된 이 생명체에 관한 무언가가 남녀노소를 불문하고 거의 모든 사람의 관심을 사로잡는 것처럼 보인다.
3. 우리는 당뇨병 또는 위암과 같은 덜 극적인 방법으로 죽을 위험성은 과소평가한다.
4. 소규모 마을 정착지의 작은 움막에 살았던 고대 부족의 아기 엄마는 밤에 우는 어떤 아기의 울음소리도 들을 수 있었을 것이다.
5. 감사하는 일들에 대해 일기를 쓰는 것은 삶의 어떠한 측면에서든 그들이 그 날 이룬 발전을 떠올리게 한다.
6. 1976년에 호텔을 개업한 이래로 우리는 에너지 소비와 낭비를 줄임으로써 우리 지구를 보호하는 것에 헌신해 왔습니다.
7. 가축 산업과 연관된 운송, 벌채, 메탄 배출, 곡물 경작으로 야기된 대기의 온실가스 배출 증가는 지구의 온도를 높이는 주요 요인이다.

 해석

B 1. 그 뒤로 끌어당기는 과정이 3분이 걸린 후에야, 엄마가 자신의 아이를 붙잡을 수 있었다.
2. 좋음과 나쁨의 경계는 시간이 지나면서 변하는 기준점이며 당면한 상황에 의해 결정된다.
3. 정보가 아니라 주의력이 부족 자원이 되고, 배후의 혼란으로부터 가치 있는 정보를 식별해낼 수 있는 사람이 권력을 얻는다.
4. 캄보디아의 전설에 따르면, 사자들은 한때 마을 사람들과 그들의 귀중한 물소들을 공격하면서 시골을 돌아다녔다.
5. 당신은 오디션 일주일쯤 후 이메일로 최종 결과를 통지받을 것이다.

C 1. 모든 사람은 반드시 모두의 건강과 복지에 관해 관심을 가지는 훌륭한 시민이 되어야만 한다.
2. 극도로 높은 고도에 의한 치명적인 영향에 대해 그들이 지니고 있는 지식은 제한적이었으며, 그들의 장비도 별 볼 일 없는 것이었다.
3. 증거에 대한 다수의 출처로부터 가장 유용한 정보를 도출하기 위해서, 당신은 항상 이 출처들을 서로 독립적 상태로 만들도록 노력해야 한다.
4. 그의 유명한 작품인 'Three Musicians'에서, 그는 예상치 못한 방식으로 연주자들을 형상화하기 위해 추상적인 형태를 사용했다. 그래서, 여러분이 처음 이 작품을 볼 때 여러분은 어떤 것도 이치에 맞지 않는다고 생각한다.
5. 가족 결혼이나 장례식 같은 공식적인 행사가 생길 때 그들은 저항하기 힘들다고 느껴지는 규범에 어쩔 수 없이 따르기 쉽다.
6. 나는 그녀가 작문 시간에 흥미를 갖도록 모든 것을 시도했지만 그녀는 어떤 것도 쓰는 것을 거부하곤 했다.
7. 만약 그가 그들의 일상적 수면을 방해하지 않고 그들이 고객의 불편을 경험하도록 하지 않았다면, 그 워크숍은 가치 있는 변화 없이 끝났을지도 모른다.
8. 동물이 성장할 때에 어로행위에 의해 죽을 위험이 증가하는 상황에서 진화는 천천히 성장하고, 더 어린 나이에 그리고 더 작을 때에 성숙하고, 더 일찍 번식하는 것들을 선호한다.

A 1. 회복시키다, 복구하다 2. 운문 3. 통화 4. 경멸하다, 멸시하다 5. 쓰레기 6. 새벽, 여명 7. 방해하다 8. temperate 9. fad 10. distill 11. underneath 12. admit 13. weave 14. commission

B 1. ④ 2. ③ 3. ④ 4. ① 5. ②

C 1. drift 2. fade 3. Pope 4. admit 5. commit 6. dedicated 7. radical 8. prose

 해석

B 1. 그는 나이가 들자 짧은 운문을 쓰는 것에서 긴 작품을 쓰는 것으로 전향했다.
2. '생존 편향'은 흔한 논리적 오류이다.
3. 이런 다소 분명한 결함을 보충하기 위해 Large-mouthed Bass(큰입농어)라 불리는 특별히 선택된 물고기 종이 도입되었다.
4. 그들의 딸을 대담하게 구조함으로써 그는 그 가족의 매우 소중한 구성원이 되었다.
5. 사실, 최고의 전문 가수는 적절한 음조를 얻도록(정확한 음높이에 도달하도록) 돕기 위해서 습한 환경을 필요로 한다.

C 1. 그리하여 우리는 주변 환경의 바람에 의해 몰리고 전통과 관습의 물결에 의해 이리저리 내던져지면서 표류하게 된다.
2. 여름휴가는 가장 흥미로운 부분이 기억되고, 덜 흥미로운 부분은 시간이 지나면서 희미해지다가 결국 영원히 잊힐 것이다.
3. 그는 자신의 책을 읽고 영감을 받은 정치인, 교황 바오로 6세와 같은 세계적인 지도자, 철학자, 학생, 교사, 그리고 수많은 사람을 만났다.
4. 당신이 무엇인가를 알지 못한다면, 그것을 가능한 한 빨리 인정하고 즉시 조치를 취하라—즉, 질문하라.
5. 우리가 적절한 영양, 운동, 휴식을 통해서 우리의 몸을 관리하는 데 실패하는 '죄'를 서지를 때, 우리는 인생의 중요한 것의 과녁에서 빗나가고 있는 셈이다.
6. The Nature Foundation은 우리의 자연환경 보호에 헌신하는 전 세계적인 기구이다.
7. 그날 밤 비행기 좌석에서 하룻밤을 보낸 후, 그 회사의 임원들은 획기적인 혁신안을 생각해냈다.
8. 아랍의 예술적인 산문과 시적인 작품들은 서구에 충분히 알려지거나 인정받지 못한 채 남아 있다.

A 1. 흔들리다[흔들다] 2. 선, 미덕 3. 해방시키다 4. 결함, 흠 5. 다가오는, 곧 있을 6. 영원한 7. 과장하다 8. confess 9. generous 10. inherit 11. classify 12. condemn 13. vanish 14. scarcity

B 1. ② 2. ④ 3. ① 4. ③ 5. ④

C 1. shrub 2. virtual 3. loan 4. liberate 5. inherit 6. dependable 7. bait 8. scarce

 해석

B 1. 그것은 환경의 균형을 결코 해쳐서는 안 된다; 그것은 이 균형에 적응하거나 아니면, 사실, 이 균형을 강화해야 한다.
2. 사람들은 보통 그들이 기다렸던 시간을 과장한다.
3. 탐구심은 미래 성공을 위한 핵심적인 요소이다.
4. 우연히 만들어진 과학적 발명의 예는 셀 수 없이 많다.
5. 풍요로운 정보는 주의력 부족을 초래한다.

C 1. 나이가 더 많고, 더 지배적인 수컷들은 그들의 지난번 영역인 나무, 관목, 혹은 심지어 창문 선반 같은 곳을 되찾을 것이다.
2. 건축가들은 그러한 건물들의 거주자들이 어떻게 자신들을 나타내는지 또는 서로를 어떻게 바라보는지를 통제하지는 않지만, 가상공간의 설계자들은 그렇게 하며, 그들은 사용자들의 사회적 경험에 훨씬 더 큰 영향을 준다.
3. 한 팀의 경제학자들은 소비자들이 대출을 받기 위해 은행의 다양한 권유들에 어떻게 반응하는지를 살펴보았다.
4. 재정적 안정은 우리가 의미 있다고 생각하지 않는 일로부터 그리고 다음번 월급에 대해서 걱정해야 하는 것으로부터 우리를 해방시켜 줄 수 있다.
5. 그 노력은 우리 세대의 대차대조표에서는 이익을 보여 줄지 모르지만, 우리의 자녀들은 그 손실을 물려받을 것이다.
6. 그녀는 그것(자물쇠)이 믿을 만하지 않다고 생각하는 자물쇠 업자의 조언을 듣지 않고, 화려해 보이는 문 자물쇠를 선택했다.
7. Adrian의 아버지는 그에게 다양한 종류의 물고기를 잡는 데 어떤 미끼가 적합한지를 가르쳤고, 그는 또한 어느 낚시 추가 서로 다른 낚시 장소에 맞는지를 배웠다.
8. 높은 건축 밀도는, 개별 부지에 더 많은 건물 밀집 공간을 제공함으로써, 부족한 도시 토지의 활용을 극대화할 수 있다.

A 1. 사기, 의욕 2. 소환하다 3. 참을[견딜] 만한 4. 만성적인
5. 다듬다, 손질하다 6. 속도 7. 측면, 양상 8. conscience
9. valiant 10. dispatch 11. contaminate 12. prophecy
13. versus 14. shatter

B 1. ③ 2. ① 3. ③ 4. ② 5. ④

C 1. cling 2. recover 3. delicate 4. morale
5. simulated 6. regenerated 7. features 8. summon

 해석

B 1. 의회가 그들의 의견 불일치를 같은 방법으로 해결한다면 멋질 것이다.
  2. 논증은 철학을 구성하는 요소이고, 훌륭한 철학자는 확고한 토대에 기반을 둔 최고의 논증을 만들어 낼 수 있는 사람이다.
  3. 그는 그들을 이해하기 위해 사람의 피상적인 특성을 넘어설 필요성을 강조한다.
  4. 만약 어떤 차이가 있다면, 그 차이의 크기가 유전자가 얼마나 많이 관련되어 있는지에 대한 단서를 제공한다.
  5. 실험에서는 쥐가 소금 결핍을 처음 경험할 때 소금에 대한 즉각적인 선호를 보이는 것으로 나타난다.

C 1. 여러분은 휴지 조각이나 분필 가루가 펜에 달라붙는 것을 발견하게 될 것이다.
  2. 이러한 본능적인 교감은 아픈 쌍둥이가 점차적으로 건강을 회복하도록 도와주었다.
  3. 달걀은 바위보다 더 섬세한 접촉을 요구한다.
  4. 사람들에게 너무 많은 일이 부과되면, 집단의 사기는 훨씬 떨어진다.
  5. 착용한 사람들은 컴퓨터로 구현된 장면에 몰입하게 되고, 가상의 물체를 집어 들고 옮기기 위해 장갑을 사용한다.
  6. 일단 식물이 회복하기 시작하면 곤충, 새, 다른 동물들이 그 새로 재생된 영역 속으로 이동할 것이다.
  7. 연구자들은 빈정거림의 다양한 비언어적 특성들을 보고했다.
  8. 육중한 문을 밀어서 열기 위해, 그 노인은 남은 힘을 모두 끌어내야 했다.

A 1. 금하다[금지하다] 2. 수업, 교습 3. 농축되다[시키다], 응축하다 4. 깜짝 놀라게 하다 5. 기회, 능력, 범위 6. 울부짖음, 통곡; 울부짖다, 통곡하다 7. 동일한, 똑같은 8. undertake
9. transmit 10. dilute 11. conceive 12. trivial
13. commemorate 14. wound

B 1. ④ 2. ② 3. ③ 4. ③ 5. ①

C 1. inhibits 2. attribute 3. perceive 4. emerge
5. tangible 6. maturity 7. trivial 8. engage

 해석

B 1. 그는 상당 부분의 노동자 계층이 전문직으로 진입하는 것이 제한되었다는 것을 주목했는데, 왜냐하면 그것들은 상당 기간의 교육과 훈련을 수반하기 때문이다.
  2. 일부 저명한 언론인은 보물 사냥꾼이 가치 있는 역사적 유물을 축적해 왔기 때문에 고고학자는 보물 사냥꾼과 협업해야 한다고 말한다.
  3. 나는 맹그로브의 아름다운 잎과 꽃에 마음이 사로잡혔다.
  4. 농구와 축구 둘 다의 경우, 그들은 정상급 기량의 선수가 실제로 팀의 성공을 예견했지만, 단지 어떠한 시점까지만임을 알아냈다.
  5. 나의 할머니가 케이크를 'Betty의 생일을 축하합니다.'라는 문구로 장식하셨다.

C 1. 그것들의 물리적 배치는 어떤 사용을 권장하고 다른 사용을 억제한다. 우리는 특별히 초대받지 않는다면 극장의 무대 뒤로 가지 않는다.
  2. 관광산업이 환경에 미치는 영향은 과학자들에게는 명확하지만, 모든 주민들이 환경 훼손을 관광산업의 탓으로 돌리지는 않는다.
  3. 감정 지능 개념의 창시자 중 한 명인 Peter Salovey에 따르면, 이는 그들이 새로운 행동을 안전하다고 혹은 위험하다고 인지하는지에 달려 있다.
  4. 독점 효과는 노동 시장에서도 일어날 수 있다.
  5. 문학 또는 영화와는 달리, 그것은 '실제적인', 감지할 수 있는 세계로 이어지는데, 반면에 그럼에도 불구하고 환상, 꿈, 소망—그리고 신화의 영역과 여전히 관련되어 있다.
  6. 어린 물고기는 몸집이 큰 동물들보다 훨씬 더 적은 수의 알을 낳으며, 현재 많은 기업적인 어업이 너무나도 집중적이어서 성숙기의 연령을 지나서 2년 넘게 살아남는 동물들이 거의 없다.
  7. SNS의 특수한 특성과 겉보기에는 사소한 행동의 잠재적인 장기적인 영향에 대한 아이들의 의식을 아주 어린 나이부터 높이는 것이 필수적이다.
  8. 우리는 인지적 호기심을 한 개인이 어떤 활동에 자발적으로 참여하도록 자극하고 내재적으로 동기를 부여하는 경이감으로 정의한다.

Index

A

B

☐ disapproval	196	☐ dividend	188	☐ elaborate	116	☐ entrepreneur	190
☐ disaster	83	☐ divisible	68	☐ elastic	35	☐ envelope	188
☐ disastrous	83	☐ division	209	☐ elegant	191	☐ envious	21
☐ disbelief	160	☐ domestic	183	☐ eligible	110	☐ epic	226
☐ discard	232	☐ dominant	173	☐ eliminate	28	☐ equator	201
☐ discern	200	☐ dominate	173	☐ eloquent	110	☐ equilibrium	41
☐ discharge	130	☐ donate	143	☐ embarrassed	21	☐ equity	201
☐ discipline	207	☐ donor	143	☐ embarrassing	196	☐ equivalent	244
☐ disclosure	44	☐ doom	140	☐ embed	140	☐ eradicate	146
☐ discomfort	221	☐ dormitory	33	☐ emblem	201	☐ erect	164
☐ discouraged	17	☐ dose	82	☐ embody	206	☐ errand	213
☐ discourse	207	☐ doubt	10	☐ embrace	80	☐ erupt	239
☐ discover	9	☐ doze	82	☐ emerge	244	☐ espouse	86
☐ discriminate	221	☐ draft	226	☐ emergence	178	☐ essence	29
☐ disgust	165	☐ dramatic	167	☐ emergency	178	☐ essential	29
☐ dismal	81	☐ dramatize	213	☐ emigration	178	☐ establish	106
☐ dismay	212	☐ drastic	35	☐ eminent	245	☐ estate	236
☐ dismiss	89	☐ drawback	28	☐ empathize	64	☐ esteem	130
☐ dismissal	89	☐ dreadful	191	☐ emphasize	64	☐ eternal	232
☐ disobey	106	☐ drift	226	☐ employ	16	☐ ethical	56
☐ dispatch	237	☐ drought	51	☐ emulate	116	☐ ethnic	44
☐ dispensable	190	☐ drowsy	51	☐ enable	208	☐ evacuate	147
☐ dispense	131	☐ dual	172	☐ enact	106	☐ evaluation	47
☐ displace	208	☐ due	214	☐ enchant	245	☐ evaporate	77
☐ display	82	☐ duel	172	☐ encircle	106	☐ evoke	106
☐ disposable	119	☐ dump	81	☐ enclose	82	☐ evolution	221
☐ dispose	119	☐ duplicate	141	☐ encompass	33	☐ evolve	221
☐ disprove	23	☐ durable	95	☐ encounter	104	☐ exaggerate	232
☐ dispute	20	☐ dusk	226	☐ encouraged	17	☐ excavate	125
☐ disregard	9	☐ dwell	81	☐ endeavor	110	☐ excel	173
☐ disrupt	224	☐ dwindle	20	☐ endorsement	75	☐ excess	34
☐ dissimilar	26	☐ dynamic	65	☐ endurance	107	☐ excessive	125
☐ distance	50			☐ endure	107	☐ excited	10
☐ distill	225			☐ engage	244	☐ exclaim	172
☐ distinct	76	**E**		☐ engross	123	☐ exclude	137
☐ distinguish	221			☐ enhance	118	☐ exclusive	137
☐ distorted	122	☐ eager	95	☐ enlightenment	98	☐ excursion	137
☐ distracted	21	☐ earnest	236	☐ enlist	118	☐ execute	137
☐ distress	233	☐ easygoing	39	☐ enormous	160	☐ executive	137
☐ distribute	131	☐ eccentric	92	☐ enrich	99	☐ exemplify	152
☐ distrust	50	☐ eclipse	218	☐ enroll	118	☐ exert	87
☐ disturb	35	☐ edible	135	☐ ensuring	34	☐ exhale	142
☐ divergence	46	☐ efficiency	47	☐ entail	244	☐ exhausted	27
☐ diverse	29	☐ efficient	47	☐ enterprise	190	☐ exhaustion	185
☐ diversify	29	☐ egocentric	140	☐ enthusiasm	69	☐ exhibit	82
☐ diversity	68	☐ eject	178	☐ entitle	106	☐ exile	136

sanitation	245	shrink	140	sphere	88	subdue	112
sarcastic	99	shrub	232	spike	119	submerge	244
satire	63	shrug	232	split	143	submit	218
satisfactory	130	shudder	155	spontaneous	183	subordinate	242
satisfied	40	shuffle	170	spouse	80	subsequently	94
savage	130	sibling	170	sprain	125	substance	173
scan	160	siege	212	sprinkle	65	substitute	47
scarce	233	significant	101	sprint	104	subtle	218
scarcity	233	signify	101	sprout	197	subtract	218
scared	27	simplicity	143	spur	122	suburban	39
scatter	65	simplify	143	stability	41	success	16
scent	124	simulate	236	stable	94	successive	179
schema	208	simultaneously	94	stack	125	sufficient	196
scheme	208	skeptical	9	stagger	112	suggestive	219
scope	242	skillful	46	stain	242	suicide	88
scrutinize	65	skim	160	stall	176	sum	213
seal	200	skyscraper	99	stance	136	summon	238
secondhand	178	slaughter	134	staple	176	superb	100
sector	209	slumber	135	stare	65	superficial	238
secure	190	snatch	220	startle	242	superiority	35
segment	203	sneak	71	state	214	supernatural	88
segregate	161	soak	118	statesman	129	superstition	219
seize	220	soar	160	static	65	supervise	224
seldom	201	sob	88	status	129	support	16
selectively	20	sole	83	steep	118	supporting	10
sensational	167	solemn	15	steer	213	suppress	112
sensible	166	solid	238	stem	20	supreme	101
sensitive	166	solidarity	117	stereotype	33	surgeon	94
sentiment	129	solidify	68	stimulate	167	surgery	147
sequence	87	solitude	83	stink	243	surpass	173
sermon	238	solvent	86	stock	123	surplus	53
session	212	soothe	167	stool	213	surprising	56
settle	238	sophisticated	155	storage	213	surrender	184
severe	191	sorrowful	11	stray	194	surround	82
sewage	81	sour	167	strengthen	23	survey	245
shabby	208	spacious	76	strenuous	93	suspend	136
shallow	238	spade	86	stressed	27	swallow	77
sharp	52	span	177	stride	173	swamp	83
shatter	239	spare	100	strife	113	sway	230
shed	112	spatial	76	strive	113	swell	59
sheer	118	spear	100	stubborn	110	swift	41
shield	141	specialization	50	stuff	173	sympathetic	9
shift	130	specific	29	stumble	112	sympathy	142
shiver	155	spectator	189	stun	176	synonym	142
shove	118	spectrum	206	sturdy	95	synthetic	184
shred	112	speculate	135	subdivided	40		

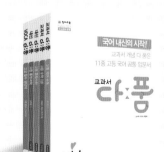

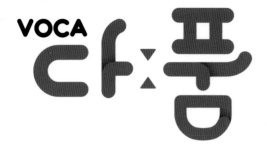

VOCA 다:품

We provide
the best contents,
products & services

2015 개정 교육과정 적용 시기

	2018년	2019년	2020년
고1	2015 개정 교육과정		
고2		2015 개정 교육과정	
고3			2015 개정 교육과정

※ **2018년 고1**부터 **2015 개정 교육과정**이 적용됩니다.

VOCA 다:품 부가 학습자료

• 어휘 포인트를 짚어주는 발음+짤강

• 풍부한 보충·심화 한글 파일
일일·누적 테스트지 / 영영풀이 목록·테스트지 /
관련어 '쌍' 목록

• 맞춤 시험지를 제작할 수 있는 출제 프로그램

VOCA 다:품 학습자료를 보는 세 가지 방법

천재교육 홈페이지에서 다운로드	QR코드로 바로 듣기	앱으로 자료 한번에 이용하기
www.chunjae.co.kr		콜롬북스 앱을 통해 파일 다운로드

수능 기본 영단어

발행일 2018년 12월 15일 초판 2018년 12월 15일 1쇄

발행인 (주)천재교육

주소 서울시 금천구 가산로 9길 54

신고번호 제2001-000018호

고객센터 1577-0902

교재 내용 문의 (02)3282-8839

www.chunjae.co.kr

 교재 내용문의
홈페이지 ⋯ 고등 ⋯ 학습상담

 교재 내용 외 문의
홈페이지 ⋯ 고객센터 ⋯ 1:1문의

 발간 후 발견되는 오류
홈페이지 ⋯ 고등 ⋯ 학습자료실 ⋯ 정오표

※위의 홈페이지 경로를 통해 확인 및 자세한 답변을 받으실 수 있습니다.

53740
ISBN 979-11-259-3920-7

정가: 14,000원